JN114678

現代ダークファンタジーの基礎知識

重く悲劇的で不条理な世界観の源を知る

KANZEN

はじめに

ミステリー、サスペンス、スポーツ、青春群像劇、ファンタジー、SF、ホラー……アニメや漫画をはじめ、日本の二次元コンテンツには、実に多種多様なジャンルがあります。

そのひとつに「ダークファンタジー」と呼称されるジャンルがあります。「悪魔や闇の力など邪悪なものを用いて戦う」「陰々滅々とした重苦しい雰囲気」「バイオレンス&エロスといった過激な描写」「オカルトの要素が強い」……ダークファンタジーには、概ねこうした要素が盛り込まれています。日本ならばのちの作品に多大な影響を与えた故・三浦建太郎の漫画『ベルセルク』をはじめ、空前の大ヒットとなった『鬼滅の刃』『呪術廻戦』『進撃の巨人』、新作映画が完結した『エヴァンゲリオン』シリーズなどは、ダークファンタジーにカテゴライズされることの多い作品です。海外なら『エターナルチャンピオン』シリーズや『ダレン・シャン』シリーズなどが代表的なダークファンタジーと言えます。

しかし、ダークファンタジーは、読み手の主観による部分も多く、明確な定義が難しいジャンルです。そのため、周囲が後付けとしてダークファンタジーにカテゴライズしたり、あるいは制作側がダークファンタジーと打ち出して宣伝する作品もあります。

さて、各創作作品には、何かしらの元ネタやモデルになった要素が多く、ダークファンタジーも例外ではありません。たとえば『呪術廻戦』では、呪術の王と恐れられる両面宿儺、登場人物の伏黒恵が扱う式神および釘崎野薔薇の芻霊呪法などには元となったものがありますし、『進撃の巨人』の敵役である巨人は世界各地に伝承の残る存在です。

本書では、こうした「ダークファンタジー作品のモチーフとなった」あるいは「ダークファンタジーっぽさを内包している」ものを、人物、神話・伝承、妖怪・悪魔など、7つのカテゴリに分けて紹介しています。なかには意外なものも取り上げていますが、気軽に“らしさ”を楽しんでください。

ようこそ、恐ろしく魅力あふれる
ダークファンタジーの世界へ！

現代ダークファンタジーの基礎知識

目次

神話・伝承

妖怪・悪魔

場所

まじない

アイテム

その他・用語

column

＊＊＊＊＊

ページの見方

❶カテゴリ（章タイトル）

説明している項目がなんのカテゴリかを説明しています。

❷項目名

さまざまなジャンルから厳選したダークファンタジー用語。基本的なものから近年話題になっているものまで幅広く取り上げています。

❸解説

紹介している項目の解説です。基本的な概要やダークファンタジー的要素を紹介しています。また、近年の漫画やゲーム、アニメなど有名な作品においてどのように盛り込まれたかを解説していることもあります。太い文字は着目すべきキーワード。下線はチェックすべき内容に線引きしています。

❹関連

解説している項目と関係の深い別の項目を紹介しています。

❺注釈

解説中に出た専門的な用語や説明に対する補足的な情報です。

❻イラスト

紹介している項目のイメージイラストです。

❼図解、ミニコラム

その項目にまつわることを、表や図、イラストなどで紹介しています。ミニコラムでは解説で紹介しきれなかったことや関係性の高い事柄について取り上げています。

chapter 1 人物

謎多き「陰陽師」の始祖

安倍晴明（あべのせいめい）

関連
芦屋道満 →P.12
陰陽道 →P.152

歴史上の安倍晴明

夢枕獏の小説『陰陽師（おんみょうじ）』および、そのメディアミックスによって、安倍晴明の名は一躍有名となり、一部では社会現象とまでいわれる陰陽師ブームを巻き起こしました。陰陽師のイメージを確立させたこのムーブメントは、まさしく「歴史が繰り返された」といえるものでしょう。というのも、そもそも「**陰陽師**」とは、律令国家の役職のひとつでしかなく、天文学系の職業だったのです（詳しくはP.152参照）。それをいわゆる「陰陽師」、つまり鬼を追い、式神（しきがみ）を操り、先を占う職業として有名にしたのが晴明だったのです。

晴明は実在した人物で921年に生まれ、85歳で亡くなったといわれています。父は益材（ますき）、母は不明。賀茂忠行（かものただゆき）、保憲（やすのり）親子より陰陽道や天文道を習い、陰陽寮にて陰陽師、天文博士に就任、その後大膳大夫（だいぜんのだいぶ）や左京権大夫（さきょうごんのだいぶ）を歴任しました。晴明が占いや祭祀などで有名になったのは、じつは陰陽寮を退官したあとのこと。この華々しい活躍によって、彼の子孫も陰陽道の大家・土御門家（つちみかどけ）［注1］として名を残していくのです。

［注１］晴明の子孫が室町時代に貴族となり、晴明が土御門の北に住んでいたことから土御門家を名乗る。陰陽師として室町幕府に仕え、江戸時代には土御門家の門人以外は陰陽師を名乗ることが禁止された。

母親は狐？　怪奇まみれの人生

晴明にはさまざまな怪奇譚がありますが、もっとも有名なのはその出生でしょう。『葛の葉伝説』では、晴明の母は信太の森にいた葛の葉という名の白狐[注2]だったとされています。晴明が5歳の時、その正体に気づいてしまったことで葛の葉は森へと帰ってしまいます。幼少よりあやかしを視る力に優れていた晴明には、師である忠行より先に鬼に気づく逸話[注3]も残されています。

晴明が「**陰陽道の傑出者**」と呼ばれた所以は、何もその才だけではありません。先例に捕らわれない新たな作法を取り入れたり、「**泰山府君祭**」[注4]を生み出したりと、陰陽道の解釈を広げていった功績があるのです。こうして天皇をはじめとする高貴な人々の吉凶を占い、祭祀を行い、絶大なる信頼を得ていきました。その人気からか、晴明の家には鬼のような容姿の式神がいるだとか、晴明の妻がその式神を怖がったので一条戻橋に身を隠させたといった逸話が次々と生まれていったのです。彼は藤原道長の呪詛事件[注5]や宿敵たる芦屋道満との対決だけでなく、武者たちの妖怪退治の逸話でも活躍しています[注6]。

[注2] 信太妻とも。稲荷大明神の使いで、信太の森で安倍保名に助けられ、夫婦となり晴明を生んだとされる。

[注3]『今昔物語』より。賀茂忠行の共として下京に向かう途中、鬼の姿を見つけて忠行に伝え、難を逃れたという逸話。これをきっかけに忠行は晴明に陰陽道の教育を行ったという。

[注4] 陰陽道においての冥府の神・泰山府君を祭り、病気平癒、長命を願う祭祀。逸話では高僧を生き返らせ、自身もこの祭祀で生き返っている。

[注5] 藤原道長の飼い犬が家に帰る邪魔をするので、晴明が占ったところ、道から呪具が出てきた事件。

[注6] 源頼光による大江山の酒呑童子退治の際は犯人を占ったり、鬼の腕を切った渡辺綱の相談にのったりしている。

■史実に残る安倍晴明の生涯

年	年齢	出来事
921年	1歳	下級貴族・安倍益材の子として誕生
960年ごろ	40歳ごろ	陰陽寮の天文得業生となる
970年ごろ	50歳ごろ	天文博士に就任
973年6月11日	53歳	円融天皇の行幸の際に禹歩（まじない）を行う
985年4月19日	65歳	藤原実資妾女の出産にて祓を行う
989年1月7日	69歳	病床の一条天皇に禊祓を行う
同年2月11日	69歳	一条天皇の延命長寿を祈る泰山府君祭を命じられる
995年	75歳	主計権助、穀倉院別当、大膳大夫に任命
1002年11月7日	82歳	藤原行成の泰山府君祭を行う
不明	不明	従四位下左京権大夫に任命
1004年7月14日	84歳	五龍祭（雨乞い）を行う
1005年9月26日	85歳	死去

安倍晴明のライバル

芦屋道満（あしやどうまん）

関連
安倍晴明
→P.10
陰陽道
→P.152

敵か味方か、悪名高い陰陽法師

芦屋道満は僧でありながら陰陽師を名乗る「**陰陽法師**（おんみょうほうし）」のひとりで、**道摩法師**（どうまほうし）と同一視される人物です。実在の人物かは議論が分かれますが、鎌倉前期の物語[注1]ではすでに、安倍晴明のライバルとしてその悪名を轟かせていました。

藤原道長暗殺[注2]や術比べ[注3]など、晴明VS道満のエピソードはいくつかありますが、なかでもインパクトの強いものは『**簠簋内伝**（はきないでん）』に関するものでしょう。術比べに負けて晴明の弟子となった道満は、晴明の妻と通じ、唐から持ち帰った秘伝書『簠簋内伝』の在り処を聞き出します。その中身を書き写した道満は、晴明に「自分は『簠簋内伝』を持っている」と伝え、否定する晴明に互いの首を賭けた勝負を持ちかけました。結果、写本を提示された晴明は首を落とされましたが、晴明の師である伯道上人（はくどうしょうにん）が蘇生を行い、さらに道満に対して「晴明が生きているかどうか」という賭けを持ちかけます。道満はこの賭けに敗れたことで首を刎ねられ、死亡したといわれています。

浄瑠璃『**芦屋道満大内鑑**（あしやどうまんおおうちかがみ）』では、道満の印象はがらりと変わっています。道満は晴明の父である益材の知り合いで、晴明の名付け親兼後見人として登場します。夢枕獏の『陰陽師』に登場する道満もどちらかといえばこちらの印象に近く、才ある若き晴明と老獪な道満という対比にはなりながら、まるで悪友のような関係で描かれています。

[注1]『古事談』や『宇治拾遺物語』などに登場。

[注2] 藤原顕光の依頼で藤原道長の暗殺を担う。道長邸に呪具を埋めるも、道長の飼い犬と晴明によって看破されてしまった。

[注3] 道満と晴明の術比べの話はいくつか存在するが、その多くは箱の中身当て。道満が先に答え、晴明がその中身を術で変化させたうえで回答するエピソードが多い。

日本屈指の神秘殺し

源頼光

みなもとのよりみつ

関連

頼光四天王 →P.14

鬼 →P.90

酒呑童子 →P.92

政治的手腕も優れていた妖怪退治のエキスパート

源頼光は清和天皇の子孫である源満仲の子で、天皇の後継人として権力を握っていた藤原氏に仕えた人物です。武勇に優れた人物であり、鬼や妖怪といった魑魅魍魎を退治する逸話は現代でも広く知られています。なかでも有名なのが、**酒呑童子退治**[注1]でしょう。朝廷から酒呑童子の討伐を依頼された頼光は、**藤原保昌**と**頼光四天王**[注2]を引き連れて大江山に向かいました。一行は山伏のフリをして酒呑童子の住処に潜入。頼光は**神便鬼毒酒**という毒酒を酒呑童子に飲ませ、酔い潰れたところを退治したそうです。ちなみに安綱[注3]が「**童子切安綱**」と呼ばれるのは、この逸話に由来しています。

土蜘蛛退治の伝承も、頼光の武勇を示すエピソードとして有名です。あるとき、病で伏せっていた頼光のもとに、法師に化けた妖怪・土蜘蛛が現れ、縄で頼光を縛り上げようとします。頼光は咄嗟に枕元にあった膝丸[注4]で法師を斬りつけました。その後、流れ出た血を頼りに、頼光の部下が法師を追跡し、トドメを刺したそうです。

頼光は当時としては珍しく、武士でありながら立身出世を遂げた稀有な人物で、その政治的手腕も高く評価されています。藤原兼家が二条京極殿を新造した際、馬を30頭贈るなど、政治の中核だった藤原氏に取り入って力をつけ、清和源氏の勢力拡大に貢献しました。

[注1] 京都の大江山、或いは大枝山を拠点に活動していた鬼の集団のリーダー。時折、都にやって来ては悪事を働いていた。

[注2] 頼光に臣従していた渡辺綱、坂田金時、碓井貞光、卜部季武の4人。頼光とともに多くの戦いで活躍したとされる。

[注3] 平安時代の刀匠・安綱の作刀で、天下五剣に数えられる。同じく平安時代に活躍した刀匠・包平が作った大包平とともに、日本刀の東西の両横綱と称される。

[注4] 清和源氏に代々継承されてきた名刀。「蜘蛛切」や「薄緑」など、いくつかの別名が存在する。

頼光配下の豪傑たち

頼光四天王（よりみつしてんのう）

関連
源頼光 →P.13
鬼 →P.90

鬼女退治の逸話で知られる渡辺綱（わたなべのつな）

源頼光（みなもとの）に仕え、今では頼光四天王と称えられている**渡辺綱**、**坂田金時**（さかたのきんとき）、**碓井貞光**（うすいさだみつ）、**卜部季武**（うらべのすえたけ）。彼らはどのような人物だったのか。ひとりずつ見ていきましょう。

四天王の筆頭とされる渡辺綱は、幼くして父親を亡くし、源満仲（みつなか）の娘婿・源敦（あつし）の養子となりました。その後、源頼光に召し抱えられ、酒呑童子（しゅてんどうじ）の討伐にも参加しています。そんな綱の武勇伝として語られるのが、『平家物語』にある鬼女伝説です。ある晩、頼光の使者として出かけた綱は、一条戻橋（いちじょうもどりばし）でひとりの美女と出会い、彼女を家まで送ることになります。しかし、しばらく進むと女が突然立ち止まり、醜悪な鬼に変貌。綱の髪を掴んで連れ去ろうとしました。綱は鬼の腕を斬り落としてこれを撃退。事なきを得ますが、この一件を知った陰陽師は「鬼が腕を取り戻しに来るから家に閉じこもって物忌みをしなさい」と綱に助言しました。それから6日目の夜、綱は家を訪れた養母から鬼の腕を見せてほしいと懇願されます。彼がしぶしぶ腕を見せると、養母は鬼になり、腕を奪って飛び去っていきました。この鬼は橋姫（はしひめ）[注1]という女性で、通行人を無差別に襲っていたそうです。ちなみに羅生門（らしょうもん）で綱と茨木童子（いばらきどうじ）[注2]が戦う説話がありますが、これは橋姫の伝説を元にしているそうです。戦いの最中、茨木童子は腕を斬り落とされ、後日取り返しに来るという内容でした。

[注1] 日本各地に伝わる説話・伝承に登場する鬼女。幸せな女たちに嫉妬していた彼女は自ら貴船明神に願い、生きたまま鬼女と化した。

[注2] 平安時代、京の都で悪さを働いていた鬼で、酒呑童子の部下。酒呑童子は頼光たちに退治されたが、茨木童子は逃走し生き延びている。

その他の頼光四天王

残りの頼光四天王のうち、とくに有名なのは坂田金時でしょう。彼は日本人なら誰もが知っている**金太郎**のモデルになりました[注3]。その出生については諸説あり、一般には彫物師の娘と宮中に仕えていた男性の子供とされています。金太郎は熊や猪と相撲をとるほど力が強い子供でした。足柄山（あしがらやま）で金太郎と出会った頼光は、ひと目で彼を気に入り、坂田金時という名を与えて召し抱えたそうです。

前述したふたりほど有名ではありませんが、碓井貞光と卜部季武も、頼光四天王として頼光を支えた名将です。

貞光には大蛇を退治する逸話があります。碓氷峠（うすいとうげ）[注4]に大蛇が住み着き、人々を苦しめていることを知った貞光。彼は十一面観音（じゅういちめんかんのん）から授かった宝鎌を使って蛇を退治し、峠に金剛寺（こんごうじ）を建立したそうです。

一方で季武には、妖怪・姑獲鳥（こかくちょう）[注5]にまつわる説話が残っています。ある晩、姑獲鳥の怪談を聞いた季武は、川に肝試しに行きます。すると本当に姑獲鳥が現れ、季武に赤子を抱くように迫りました。季武はこの赤子を抱いたまま姑獲鳥を振り切り、家に帰ったといいます。

[注3] 童謡『金太郎』の主人公。彼は幼少期の坂田金時だといわれている。ただし、金時の実在については疑わしいという声もある。

[注4] 碓井貞光の故郷である信濃国（現在の長野県）にあった峠。貞光は帰郷の際に大蛇の存在を知ったという。

[注5] 中国に伝わる子供をさらうという妖怪。同じく子供をさらう日本の妖怪「産女」と混同され、姑獲鳥と書いて「うぶめ」と呼ぶこともあった。

■頼光四天王の功績

名称	内容
渡辺綱	頼光四天王筆頭ともいわれる勇将。一条戻橋で鬼に襲われますが、頼光より佩刀された名刀・髭切でその腕を斬り落として撃退。さらに、この話をもとにした『羅生門』では、酒天童子の手下である茨木童子も退けています。これらの逸話から、苗字が渡辺のひとは節分の際に豆をまかなくても鬼が近寄ってこないといわれるようになりました。
坂田金時	童謡『金太郎』の主人公である金太郎は、坂田金時の幼少期とされています。足柄峠で頼光に見いだされた金太郎は、坂田金時と名を改め、大江山の酒天童子討伐などに同行しました。母親である八重桐は人間ではなく山姥とされたり、父親は雷神あるいは赤い龍だともいわれています。なお、金時については後世で作られた架空の人物という説もあります。
碓井貞光	源頼光とともに大江山の酒呑童子を討伐、さらに信濃国（現在の長野県）の碓氷峠で毒をもつ大蛇を退治したそうです。また、坂田金時（金太郎）を見いだして頼光のもとに連れて行ったのは貞光ともいわれています。これが事実なら大きな功績といえるでしょう。ちなみに、貞光には群馬県にある四万温泉の源泉を発見したという逸話もあります。
卜部季武	頼光四天王のひとりですが、ほかの面々と比べて残された逸話が少なく、影が薄いといわれることも。ただ、土蜘蛛という鬼を碓井貞光と協力して倒すなど、その実力は3人に勝るとも劣りません。また、宝物庫を警備していた際、平将門の娘とされる滝夜叉姫に名刀・髭切を盗まれてしまいますが、それも見事に取り返したそうです。

守護神となった大将軍

坂上田村麻呂

蝦夷征伐や寺社建立などの功績を挙げた英雄

平安時代初期に活躍した坂上田村麻呂は、桓武天皇の信頼を勝ち取り、征夷大将軍[注1]に任命された稀代の武人です。その生涯で数々の功績を挙げ、英雄として語り継がれるようになった田村麻呂は、現代でも創作の題材になることがあり、例えばゲーム『刀剣乱舞』には、彼の愛刀である「ソハヤノツルギ」が登場します。

天皇の後宮に入った姉や娘の後押しもあったかもしれませんが、田村麻呂の出世は彼自身の功績によるものだと考えられています。田村麻呂が挙げた功績でとくに大きいものが**蝦夷征伐**です。征夷大将軍に任命された彼は、東北地方を統べるアテルイ[注2]を屈服させ、陸奥国（現在の岩手県）を平定しました。その活躍から田村麻呂は北方の守護神・**毘沙門天の化身**という説が生じ、死後も国家守護の象徴として将軍塚に祀られるようになります。

さらに、現在でも観光地として賑わう京都・清水寺の建立も田村麻呂の功績です。あるとき田村麻呂は鹿を狩るために音羽山に入り、その地を守っていた僧侶・賢心（のちの延鎮）と出会います。賢心に殺生を戒める教えを受け、心打たれた田村麻呂は、賢心とともに寺を建立。賢心が見つけた音羽の滝の水が清らかだったことにちなみ、「清水寺」と名付けました。この寺では、現在も延鎮と坂上田村麻呂公の年忌法要が行われています。

[注1] 奈良～平安時代の朝廷に存在した官職のひとつ。当時、朝廷に反抗していた民族・蝦夷（現在の関東～東北周辺に住む人々）を征伐するという役目を担う。鎌倉時代以降、武士の最高位となる。

[注2] 陸奥国の蝦夷をまとめていた族長。東北地方に伝わる伝承上の人物・悪路王と同一視されることもある。

征夷大将軍が各地で活躍するヒーローに

田村麻呂は後年、国家の守護者として祀られるようになりました。その結果、日本各地で田村麻呂に関するさまざまな伝承が作り出され、それが広まるうちに「坂上田村丸利仁」という人物が誕生します。この田村丸は、坂上田村麻呂と、後年の武人・藤原利仁を混同した架空のヒーローで、史実とはかけ離れた超人的な存在でした。現代では、その活躍を描いた伝承や説話を総じて「**坂上田村麻呂伝説**」や「**田村語り**」と呼んでいます。

架空のヒーローが退治した鬼たち

「坂上田村麻呂伝説」でとくに有名なのが、東北の悪路王退治でしょう。悪路王は蝦夷の首長、或いは陸奥国に巣食う鬼神のことで、赤頭四郎や高丸と合わせて「奥州三鬼」[注3]と呼ばれていました。『御伽草子』などによれば、この鬼を倒したのは藤原利仁をモデルにした田村丸の父・藤原俊仁です。しかし、後年になると悪路王が赤頭四郎や高丸と同一視され、さらにこの鬼が駿河まで攻めてきたところを田村丸が退治したという話に作り変えられました。

田村麻呂伝説としては、鬼神・大嶽丸[注4]の伝承もよく知られています。人々を襲って財産を奪う大嶽丸の討伐を命じられた田村丸は、その拠点である鈴鹿山に入ります。彼はそこで鈴鹿御前[注5]と出会い、結ばれました。天女や鬼女、第六天魔王の娘など鈴鹿御前の正体には諸説ありますが、彼女の助力を得たことで、田村丸は大嶽丸を討伐することに成功したといいます。

田村麻呂伝説の影響は大きかったようで、今も日本各地に田村麻呂の足跡が残っています。なかには史実上、足を運んだとは思えない土地で由来が語られていることもあります。それだけ勇名を轟かせた人物だったわけです。

[注3] 陸奥国の伝承にその名が見られる鬼あるいは悪事を働く賊たち。赤頭四郎、高丸は悪路王と同一視されることもある。

[注4] 鈴鹿山に住んでいたとされる鬼神。鈴鹿御前の助力を得た田村丸に退治される。

[注5] その正体は文献によって異なり、鈴鹿山を根城としていた女盗賊・立烏帽子と同一視されることもある。鈴鹿山の神として祀られていた鈴鹿姫から生じたものと考えられている。

修験道の開祖であり呪術者

役小角（えんのおづぬ）

関連

鬼 →P.90
修験道 →P.154

従えた前鬼（ぜんき）と後鬼（ごき）の正体は？

修験道の祖といわれている山岳修行者・役小角ですが、「**呪術師**」と紹介されることも多々あります。これは彼が雲に乗って空を飛び、水をくぐり、鬼神を使役し、逆らえば神通力（じんつうりき）で束縛したという伝説からでした。

役小角の伝説で有名なのは**前鬼**と**後鬼**でしょう。前鬼はマサカリを手に口を閉じて「吽（うん）」を唱え、後鬼は水瓶を持ち「阿（あ）」を唱えています。また、前鬼は赤い体で陽を、後鬼は青緑の体で陰を表し[注1]、夫婦であったとも伝わっています[注2]。前鬼と後鬼の正体については諸説あります。『役行者本記（えんのぎょうじゃほんき）』では彼らはアメノタヂカラオ[注3]の末裔で、役小角の前に現れて「仕えたい」と志願しています。役小角は**夫の鬼**に「**善童鬼（ぜんどうき）**」、妻に「**妙童鬼（みょうどうき）**」と名付け、共としました。『修験心願鈔』では「五鬼」の表記で登場しています。箕面山（みのおやま）には赤眼・黄口という夫婦と５人の子が住み着いており、この人食い鬼の家族によって数千もの人間が犠牲になっていました。そこで、役小角は末の子を連れ出して岩窟に隠してしまいます。夫婦は子を探し回りましたが見つからず、役小角の元へ来て子の居場所を教えてほしいと懇願します。役小角は「人を殺さず、私に仕えるのなら子を返そう。従わなければ汝らが人を害すように、私も汝らを害すだろう」と答えました。役小角の下で修行をした夫婦はのちに人となり、前鬼・後鬼の名を与えられました。

[注１] 奈良県の大和松尾寺に残る像では、前鬼が水瓶、後鬼がマサカリを持つ。

[注２] 夫婦であったことからか、前鬼・後鬼の子孫と伝えられる人々がいる。

[注３] 日本神話にてアマテラスの隠れた天岩戸を手で開けたとされる大力の神。

神の計略にはまり流罪となる

[注4] 優婆塞とは出家せずに修行に励む男性のこと。

[注5] 1799年に朝廷から与えられた諡号。

役小角、役行者、役優婆塞(えんのうばそく)[注4]、役君、神変大菩薩[注5]とさまざまな名で伝説に残る役小角ですが、正式な史料で確認できるのは**『続日本紀』**にある699年に下された罪状のみ。役小角は朝廷によって「妖術によって人を騙し、天皇を害そうとした」罪で捕らえられていたのです。

しかしこれは完全な濡れ衣で、しかも犯人は**『古事記』**にも登場する神・一言主でした。葛城山と金峰山(きんぷさん)の間に橋を作るように命じられて憤った一言主は、朝廷へ役小角の陰謀を伝えたのです[注6]。朝廷は役小角の母を人質に取って彼を捕え、母子ともに伊豆へと流刑にしました。しかし彼は神通力を使って修行を続け、最後には五色の雲に乗って虚空へと飛び去って行きました。もしかすると役小角は、今も「没していない」のかもしれません。

[注6] 役小角の才能をねたんだ弟子の仕業という説もある。

■役小角の生涯

年	年齢	出来事
舒明天皇六年(634)	1歳	正月一日に大和国葛上郡芽原郷(奈良県御所市芽原)で生まれる
皇極天皇四年(645)	12歳	大化の改新が起こり、政情が不安定に
孝徳天皇五年(650)	17歳	葛城山(金剛山)の岩窟で孔雀明王の秘法を受ける
仔細不明		鬼神を使役して大峰山と葛城山との間に橋を架けさせる
		生駒山の鬼を調伏し、前鬼、後鬼と名を与え家来とする
		熊野本宮、音無川より大峰山に入山、金峰山の山頂にて一千日の間修行する
		吉野山へ下り、桜の木で金剛蔵王大権現を彫って祀る
斉明天皇四年(658)	25歳	箕面の滝の龍穴で龍樹菩薩より密教の秘法を受ける
文武天皇三年(699)	66歳	妖惑の罪、謀反の疑いで伊豆大島へ流刑
		さまざまな霊験を示し、夜には富士山に登って修行を続行
文武天皇五年(701)	68歳	6月7日に母を連れ、天上ヶ岳より五色の雲に乗って天上に登る(唐に渡ったという説も)

崇り神として今も名を轟かす

平将門

関連

菅原道真 →P.22
崇徳院 →P.23

新皇を名乗り朝廷に弓引く

日本有数のビジネス街である東京都千代田区大手町。たくさんのビルが立ち並ぶ一角に、厳かな雰囲気の史跡が残っています。将門塚……平安時代中期頃に、当時の朝廷に敵対した武将で、後世「**日本三大怨霊**」のひとりに数えられた「**平将門」の首**が祀られている場所です。

将門は、現在の千葉県北部にあたる下総国を治めていた平良将の子として生まれました。彼が15歳のとき、父の良将の死に起因して一族間で権力争いが勃発。これに勝利した将門は名声を高めていきました[注1]。

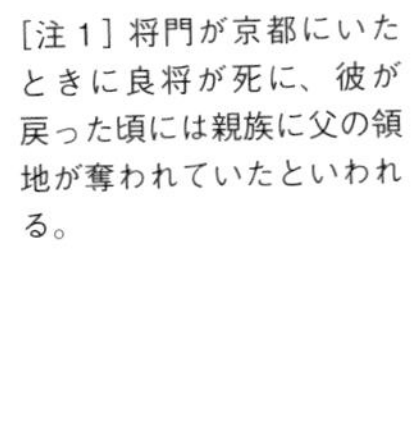

[注1] 将門が京都にいたときに良将が死に、彼が戻った頃には親族に父の領地が奪われていたといわれる。

また、当時の朝廷は藤原氏が事実上支配しており、地方は朝廷から命令されてやってきた役人（国司）が、重税と労働で民を苦しめていました。この状況に将門は激しく怒り、税金を払わないことから追われる身だった、藤原玄明という豪族を保護したことをきっかけに国司の軍と戦い、関東の８つの国を占領。民衆の支持も集め、ついに「新皇」を名乗って朝廷への反乱を起こしたのです。

これには朝廷も黙って

おらず軍を起こします。そして将門に恨みがあった親族の平貞盛（たいらのさだもり）と、俵藤太（たわらのとうた）の別名でも知られる藤原秀郷（ふじわらのひでさと）が指揮する軍と激しく戦う中で、額に矢が刺さり絶命。将門の反乱は終わりを告げました[注2]。

[注2] 平将門には「体が鉄でできている」「影ができない影武者が6人いた」などの伝説があり、いずれもこめかみ、または眉間が弱点だったと伝えられている。

死してなお祟りを起こす

反逆者としての将門は志半ばで終わりましたが、彼の恐ろしさはむしろここから始まります。

死んだ将門の首は、**平安京の七条河原（しちじょうがわら）**という場所でさらし首にされたのですが、なんと将門は首だけの状態となっても生きているかのように目を見開き、夜な夜な「自分の体はどこだ？」「もう一度戦をしよう」と口にしていたのです。そしてついには、体を探すべく首だけの状態で東へと飛んで行ったのです。しかし、途中で落下してしまい、後世、この地に建てられたのが、前述の将門塚なのです[注3]。

その後も**将門の怨念**がなくなることはなく、1923年に起きた関東大震災では、震災後に将門塚の場所に大蔵省の仮庁舎が立てられましたが、関係者が次々と不審死したことから仮庁舎を取り壊して鎮魂碑が立てられました[注4]。さらに、第2次世界大戦後、アメリカが将門塚を取り壊そうとしたところ、重機が横転して運転手が亡くなり工事が中止になったり、高度経済成長期に将門塚の周囲の土地の一部を買った銀行の関係者が相次いで病気になったりと、**将門の祟り**に結びつけられた事件はいくつもあります。将門塚にお尻を向けて座ると祟られるともいわれ、なかには椅子に座ったときに将門塚にお尻が向かないように机を配置していた会社もあったといいます。

映画化、アニメ化もされた荒俣宏の『帝都物語』でも、将門は強力な怨霊として描かれ、この作品を機に一般にも広く知られるようになりました。

[注3] 首が落下したという伝説は、将門塚のほかにも、岐阜県大垣市にある御首神社、埼玉県幸手市の浄誓寺など各地に存在する。

[注4] これは国税庁の公式サイトにも記載があるが、震災の3年後に関係者が亡くなるなど、祟りと結びつけるには少々疑問の残るところもある。

怨霊から天神に

菅原道真

関連
平将門 →P.20
崇徳院 →P.23

関係者を次々と死に至らしめた道真の祟り

優れた文才を誇り、右大臣まで出世した平安時代の貴族・菅原道真。現代では学問の神様「**天神様**」として親しまれていますが、そもそも道真が神として崇められるようになった理由は、彼の祟りを鎮めるためでした。

55歳で右大臣に抜擢された道真ですが、時の権力者である藤原氏は道真を激しく敵視。道真と同時に左大臣に出世した藤原時平が「道真は天皇の廃位を企んでいる」というデマを流します。これによって失脚した道真は、九州の大宰府[注1]に左遷され、それから2年後、病を患い失意のうちに亡くなってしまいます。

道真の死後、京の都では怪事件が多発します。908年には、藤原菅根が落雷によって死亡。翌年には道真を陥れた時平が39歳で急逝し、さらに時平の妹と醍醐天皇の子である保明親王も21歳という若さで死去します。人々が「道真公の祟りだ」と噂する中、決定的な事件が起きました。それが**清涼殿落雷事件**です。醍醐天皇が清涼殿で会議を開いた際、激しい雷雨に見舞われ、落雷によって公卿や官人が7人も死亡したのです。また、その直後から醍醐天皇の体調が悪化、間もなく崩御しています。一連の事件に震え上がった朝廷は、道真の魂を鎮めるため、京都に北野天満宮を建設。道真は**天満大自在天神**として祀られ、江戸時代頃には広く信仰されるようになりました。

[注1] 筑前国(現在の福岡県)に設けられた地方行政機関。

生きながら天狗と化す

崇徳院（すとくいん）

関連
平将門 →P.20
菅原道真 →P.22

祟り神として恐れられた不運な天皇

平将門や菅原道真（すがわらのみちざね）と並び、**日本三大怨霊**のひとりに数えられる崇徳院。彼はその出生から父親に疎まれ、不遇のうちにこの世を去り、怨霊となりました[注1]。

鳥羽（とば）上皇が譲位し、崇徳院はわずか5歳で即位します。しかし、白河（しらかわ）法皇が崩御すると、鳥羽上皇は寵愛していた藤原得子（ふじわらのとくし）の息子・躰仁（なりひと）親王を即位させるために、崇徳院に譲位を迫ります[注2]。その結果、崇徳院は政治の実権を完全に失いました。それにも関わらず、鳥羽法皇が崩御して間もなく、崇徳院は謀反の疑いをかけられます[注3]。やむを得ず挙兵し、保元（ほうげん）の乱を起こした崇徳院は、戦いに敗れて讃岐国（さぬきのくに）（現在の香川県）に配流されました。

崇徳院は戦後の不遇な扱いにますます恨みを募らせました。帰京を許されないのは仕方ありませんが、保元の乱の戦死者を供養するために送った写本を「呪詛が込められているかも」と、突き返されてしまったのです。これに激怒した崇徳院は、「大天狗となった私が民に天下をとらせ、天皇を民にしてやる」と宣言。髪も爪も切らず、天狗のような風貌となり、46歳で亡くなりました。その後、いくつかの動乱が起き、京は大火で焼け、崇徳院と対立した朝廷関係者が次々と死んでいきます。人々はこれらの災いを崇徳院の祟りだと考え、**崇徳院の怨霊説**が定着。現代の創作物においても怨霊の代表格とされるようになったのです。

［注1］崇徳院は父親の鳥羽上皇と不仲だった。というのも、彼は鳥羽上皇ではなく、白河法皇（鳥羽上皇の祖父）の子だという疑いがあり、鳥羽上皇もそれを知ってか崇徳院を避けていた。死に際には、自身の亡骸を崇徳院に見せるなとまでいっている。

［注2］自身が院政を行うことと引き換えに、崇徳院は譲位し、躰仁親王を即位させる。しかし、鳥羽上皇の策略によって崇徳院は天皇の兄という立場になり、院政は不可能に。結局、鳥羽上皇が政治の実権を握り、崇徳院は政界から退く形となった。

［注3］鳥羽法皇の死後、崇徳院が謀反を企んでいるという噂が京に流れた。これが事実かどうか定かではないが、崇徳院は挙兵せざるを得なくなり、保元の乱が発生する。

関連
社寺・教会 →P.138

うつけから戦国時代の寵児へ

織田信長(おだのぶなが)

もっとも有名な戦国武将のひとり

織田信長といえば、戦国時代を代表する武将です。時代劇のみならず、アニメやゲームなどさまざまなジャンルで登場し、今では多種多様な信長が描かれています。

信長は幼少の頃、破天荒な性格と行動から周囲に「大うつけ」と揶揄されるも、身内との熾烈な権力争いに勝ち、家督を継ぎます[注1]。そして一大勢力だった今川義元を歴史的にも名高い**桶狭間の戦い**[注2]で破り、天下取りを宣言するまでの実力者となります。

また、宣教師が日本で布教していたキリスト教の容認、鉄砲の兵器利用、さらには宣教師とともにやってきたアフリカ出身の男性を臣下にしたりと、新しい物や珍しい物を躊躇なく受け入れる度量の深さも持っていました。

一方で、信長は残虐な行いを繰り返したことでも知られています。比叡(ひえい)山延暦寺(ざんえんりゃくじ)を攻撃し、大虐殺を行ったほか、敵対していた朝倉義景とその配下だった浅井久政、長政親子を討ち取ると、3人の頭蓋骨で盃を作らせ、酒を注いで配下たちに飲

[注1] なお、破天荒な面が強調されやすいが、一方で剣術修行に真面目に取り組み、神仏への信仰も厚いなど生真面目な一面も持ち合わせていた。

[注2] 桶狭間の戦いでは、雨に紛れて信長の軍勢が奇襲をしかけたことが勝利のきっかけとなったという説が有力。だが異論も多く、兵力で圧倒的に劣っていた信長がどのようにして勝利したのかはまだはっきりとしていない。

ませたという逸話もあるのです。

このように、信長には「革新者」「苛烈さ」「生真面目さ」などさまざまな性格が見えます。こうした良くも悪くも人間味あふれる人物像に加え、天下を取る目前で明智光秀に裏切られて非業の死を遂げた儚さが、我々の心を掴んで離さないのかもしれません。

魔王の名は名乗らなかった？

信長は「**第六天魔王**（だいろくてんまおう）」（コラムを参照）を名乗っていたと伝えられ、ゲームなどでもその設定がよく見られます。信長と第六天魔王の関係については、キリスト教の宣教師ルイス・フロイスが記した『**日本史**』という日記にあります。これによると、延暦寺を襲撃した織田信長を、甲斐の虎の異名でも知られる武田信玄が非難。その書簡が信長の元に届くと、彼はあえて仏敵である「第六天魔王」と署名した書簡を送り返して挑発したのです。ただ、この記述には疑わしい点もあり、事実かどうかは意見がわかれます[注3]。

［注3］『日本史』以外にも、関東を中心に建つ、第六天魔王を祀る神社「第六天神社」には、信長が第六天魔王を信奉したという伝説が残っているところもある。

第六天魔王は何者か

織田信長が名乗ったという「第六天魔王」、これは仏教に由来する存在です。

仏教には、人間は死んで生まれ変わりを繰り返す「輪廻転生（りんねてんしょう）」という概念があります。これは生前の行いによって、来世で生まれ変わる世界が変わるという考えで、本能的な欲望が盛んな「欲界（よっかい）」、肉体を離れた高度な精神だけの「無色界（むしきかい）」、ふたつの中間にあたる「色界（しきかい）」があり、これらをまとめて「三界」と呼びます。このうちの欲界がさらに細分化されたひとつに「第六天」という世界があり、ここに住む邪悪な存在が「第六天魔王」なのです。「第六天魔王波旬（はじゅん）」「他化自在天（たけじざいてん）」などともいわれるこの存在は、人間を欲で誘惑し、善行を積もうとする修行僧などを邪魔します。つまり第六天魔王は、仏教における強力な敵であり、寺社のなかでもとりわけ強い権力を持っていた延暦寺を襲った信長が自称するには、「第六天魔王」はうってつけの存在といえるかもしれません。

有名な昔話に含まれた闇

桃太郎（ももたろう）

関連
童話（昔話） →P.82
温羅 →P.98

桃太郎は強盗だったのか？

日本人ならば誰もが知っているであろう、昔話『桃太郎』。桃から生まれた桃太郎が犬、猿、キジをお供に連れ、鬼ヶ島の鬼を懲らしめる物語は、室町時代から江戸時代にかけて成立したといわれています[注1]。

一般的には悪い鬼を退治して財宝を持ち帰った桃太郎はヒーローです。しかし、現在の価値観に照らし合わせると、桃太郎の所業は強盗にあたるといった意見もあり、子供たちに裁判を知ってもらおうと行われた模擬裁判の題材に『桃太郎』が使われたこともあります。

じつは『桃太郎』の伝承に見える闇に踏み込んだ作品は、昔からあります。「桃太郎さん、桃太郎さん」から始まる、明治時代に制作された『桃太郎』の唱歌。あまり知られていませんが、４～６番の歌詞が「桃太郎たちが面白がりながら鬼を退治し、宝を強奪して持ち帰る」という過激な内容になっています[注2]。また、文豪の**芥川龍之介**は自らの解釈で『桃太郎』を執筆していますが、その内容は「仕事がいやで祖父母に嫌われている桃太郎が平和に暮らす鬼たちの島に攻め入って征服し宝を奪う。しかし大義もなく鬼たちを襲った桃太郎は復讐を恐れ、その後は怯えて暮らす」というものです。とんでもない内容ではありますが、考えさせられる部分も多く、現代にも通用する風刺やメッセージ性が込められた作品といえるでしょう。

[注１] この昔話のモデルは、岡山県の吉備津彦による「温羅退治」や愛知県犬山市に伝わるものなど諸説あり、珍しいものでは香川県に「桃太郎は女の子だった」という伝説も伝わっている。

[注２] 現在では１～３番までの歌詞を掲載しているケースが多い。

悲劇の主人公は本当か

源義経（みなもとのよしつね）

関連
天狗
→P.106

戦上手だが政治を知らなかった

平安時代の後期、権勢を振るった平氏と、それに反旗を翻した源氏を中心とした勢力が激突した「**治承（じしょう）・寿永（じゅえい）の乱**」（**源平の戦い**）において、源氏のリーダーのひとりとして戦ったのが源義経です。数々の戦いで勲功[注1]を上げましたが、平氏打倒後に兄の源頼朝と対立して追われる身となり、最後は自決します。こうした話から義経は悲劇の主人公として人気となり、軍記物語『**義経記（ぎけいき）**』、浄瑠璃『**義経千本桜**』など、数多くの作品が作られています[注2]。

しかし、現在知られている義経と、史実の義経には差異があります。通常、指揮官といえば戦線の後方から指示を出すものですが、義経は戦上手で自ら前線に赴き、敵方を翻弄する、といった血気盛んな一面もあったようです[注3]。一方で野心も強く、兄・頼朝を軽んじて勝手に朝廷から重職を得ただけでなく、兄を討とうとしたとまでいわれています。このように頼朝・義経兄弟の対立には、義経自身にも原因の一端があったのです。

[注1] 一ノ谷の戦いで馬で崖を下って敵陣へ奇襲をしかけた逸話や、壇ノ浦での戦いで襲い来る敵将相手に船から船へと飛び移って逃げた「八艘跳び」などのエピソードはとくに有名である。

[注2] 立場の弱い者に肩入れする様子を表す「判官贔屓」という言葉は、義経の置かれた立場から生まれた。「判官
とは現在の警察のような立場で義経が就いていた役職。

[注3] 壇ノ浦の戦いで船の漕ぎ手に向けて矢を放つよう指示するなど、当時の戦いのルールに反する卑怯な戦術も多く用いたともいわれるが、根拠に乏しく実際のところは不明。

西洋を代表する召喚師

ソロモン王（おう）

関連
悪魔 →P.118
聖地 →P.148

数々の偉業を打ち立てた王

創作、とくにファンタジー作品では「悪魔を呼び出して使役する魔法使い」として、召喚師が登場することがあります。ソロモン王はそんな召喚師の代名詞ともいえる存在で、72体からなる悪魔「**ソロモン72柱の魔神**」を使役したという伝説が残る人物です。

ソロモン王は、紀元前1000～紀元前930年頃に実在したとされる人物で、かつて中東に存在していたというユダヤ教徒による国「イスラエル王国」の３代目の国王です。非常に聡明で国民の生活を保障するなどの善政を敷き、当時大国だったエジプト、アッシリア、バビロニアが周囲を取り囲む状況において、政略結婚を駆使して戦争を回避するなど、優れた政治手腕で小国だったイスラエル王国を発展させます。さらにエジプトのピラミッドを参考にして、王国で初めての神殿であるエルサレム神殿も建造しています。その名声は国外にも及び、各国の王がソロモン王に悩みを相談するための使者を送ったほどでした。こうして、ソロモン王の代にもっとも国が栄えたといいます[注1]。

それほどまでにソロモン王が優れていたのは、彼が神から知恵を授かったからです。あるとき、夢の中に神が現れ、ほしいものをなんでも与えると告げます。このときソロモン王は「豊かな知恵と洞察力」や「寛大な心」「動物と話す能力」を与えられたといいます。

[注１] しかし、善政を敷く一方で、自身の出身地域の税を優遇したり、政略結婚で他国の女性を妻に迎えたために異教の儀式に参加したりと、反感を抱く国民も多く、ソロモン王の死後は内紛が起こり国は衰退し、滅んでしまった。

神から授かった力で悪魔を支配

偉大なソロモン王には、死後もたくさんの伝説が生まれました。ソロモン72柱の魔神を使役したという伝承もそうした伝説のなかのひとつです。

神から知恵を授かったソロモン王が、あえて邪悪な存在である悪魔を使役したのはなぜなのか、疑問に思う人もいることでしょう。じつは、悪魔を操るよう仕向けたのは神自身なのです。そのためソロモン王が神に仇なす存在を操っても、まったく問題ないわけです。

エルサレム神殿建設に行き詰ったソロモン王は、天使ミカエルから俗に「**ソロモンの指輪**」[注2]と呼ばれる指輪を授かります。この指輪の力でソロモン王は悪魔を操り、エルサレム神殿を完成させたとされています[注3]。

[注2]「ソロモンの指輪」に関しては「印章指輪である」、「真鍮と鉄でできている」と伝えられているが、その他の特徴や形状などは不明。

[注3] なお、しばしばインターネットなどで「73柱目」とされる悪魔について語られるが、『レメゲトン』をはじめ、ソロモン72柱の魔神について記された書物に73柱目の記述はなく、ネット発祥の創作と考えられている。

■ソロモン72柱の魔神一覧（序列順）

名前	爵位	軍団数	おもな能力
バエル	王	66	召喚者を不可視（透明化）にさせる。
アガレス	公爵	31	あらゆる言語を習得させる。また権威ある者どもを破滅させる。
ウァサゴ	大公	26	過去視と未来視と、失せ物の発見。
ガミュギュン	侯爵	30	基礎教養学問や、死んだ罪人の情報を教える。
マルバス	総裁	36	病気の流行と治癒し、機械技術の知恵を与える。
ウァレフォル	公爵	10	優秀な使い魔となる。ただし、召喚者に盗みを誘惑する。
アモン	侯爵	40	過去視と未来視し、人同士を不和にする、または和解させる。
バルバトス	公爵	30	召喚者が、他の生物の言葉がわかるようにする。
パイモン	王	200	どんな人間も召喚者に服従させ、さらにあらゆる知識を授ける。
ブエル	総裁	50	人のあらゆる不調を癒す。また、薬草などの知識を与える。
グシオン	公爵	40	召喚者の周囲など、人間関係を良好にする。
シュトリ	大公	60	男女に恋心をいだかせる。望めば相手が裸に見えるようにする。
ベレト	王	85	恋愛が成就するまで、意中の相手との関係を取り持つ。
レライエ	侯爵	30	争いや戦争を引き起こす。矢傷を化膿させる能力もある。

名前	爵位	軍団数	おもな能力
エリゴル	公爵	60	君主や偉人から寵愛を受けられるようにする。
ゼパル	侯爵	26	男女が相思相愛になるように仕向ける。また、男女を不能にする。
ボティス	総裁/伯爵	60	過去視と未来視。友人と敵を和解させる能力ももつ。
バティン	公爵	30	召喚者を瞬間移動させる。薬草や貴石にも詳しい。
サレオス	公爵	30	異性への愛を芽生えさせる。
プルソン	王	22	過去から未来までのすべて物事を語る。また、宝物を発見する。
モラクス	伯爵/総裁	30	天文学や基礎教養学問の知識を授ける。
イポス	伯爵/大公	36	人間を知的かつ豪胆にする。
アイニ	公爵	26	手にした松明を使い、都市に火を放つ。
ナベリウス	侯爵	19	召喚者の権威と名誉を回復する。
グラシャ=ラボラス	総裁/伯爵	36	流血と殺人を司り、召喚者に殺人をそそのかす。
ブネ	公爵	30	地中の死体を別の場所へ移す。
ロノベ	侯爵/伯爵	19	敵と味方から、召喚者に好意が向くようにする。
ベリト	公爵	26	金属を黄金に変える。さらに召喚者に威厳を授け、人望を得させる。
アスタロト	公爵	40	過去から未来までのすべて物事を話せ、あらゆる秘密を暴く。
フォルネウス	侯爵	29	召喚者に名声を与え、友人や敵から愛されるようにする。
フォラス	総裁	29	召喚者を不可視にし、さらに雄弁さと長命を与える。
アスモデウス	王	72	さまざまな徳のある指輪を召喚者に与える。
ガープ	総裁/大公	66	人間を国から別の国へ、高速で運ぶ。
フルフル	伯爵	26	突風や暴風雨を引き起こす。
マルコシアス	侯爵	30	召喚者の闘争を助ける。
ストラス	大公	26	天文学や薬草、宝石の知識を召喚者に授ける。
フェニックス	侯爵	20	科学の知識や卓越した詩を召喚者に披露する。
ハルパス	伯爵	26	塔を建造し、武器や軍需品を調達する。
マルパス	総裁	40	塔を建造する。また召喚者に敵対する者の情報をもたらす。
ラウム	伯爵	30	宝を盗み、召喚者が望む場所に運ぶ。
フォロカル	公爵	30	人間をおぼれさせ、軍船を転覆させる。
ウェパル	公爵	29	海に嵐を起こしたり、軍船を出現させたりする。
サブナク	侯爵	50	城や塔、軍事施設を建造する。

名前	爵位	軍団数	おもな能力
シャクス	侯爵	30	召喚者が望むものを盗む。人間の五感を奪うことも可能。
ウィネ	王/伯爵	36	城壁を倒壊させたり、嵐を起こしたりする。
ビフロンス	伯爵	60	死体を変異させ、別の場所へ移す。
ウアル	公爵	37	女性の愛情を特定の人物に向けさせる。
ハゲンティ	総裁	33	あらゆる金属を黄金に、ワインを水に、水をワインに変える。
プロケル	公爵	48	水を温めたり、浴場を発見することができる。
フルカス	騎士	20	召喚者に哲学や天文学、論理学などの学問を完璧に教える。
バラム	王	40	召喚者を賢くし、過去から未来までの知識を授ける。
アロケル	公爵	36	天文学や基礎教養の学問について、召喚者に教える。
カイム	総裁	30	召喚者に人間以外の生物や、水の声を理解させる。
ムルムル	公爵/伯爵	30	死者の魂を捕まえ、秘密を聞き出す。
オロバス	大公	20	召喚者に威厳を与え、さらにほかの悪魔から守る。
ゴモリ	公爵	26	召喚者に、老若問わず女性の愛を獲得させる。
オセ	総裁	30	人間の姿形を、召喚者の望むように変える。
アミー	総裁	36	ほかの魔神が隠した宝物を開示させる。
オリアス	侯爵	30	友人や敵から好意を向けられるようにし、威厳や人望を授ける。
ヴァプラ	公爵/総裁	36	人間に、あらゆる手工業と職業を熟達させる。
ザガン	王/総裁	33	あらゆる金属を、その金属が発掘された国の硬貨に変える。
ウァラク	総裁	38	ドラゴンを含む蛇を、召喚者に使役させる。
アンドラス	侯爵	30	召喚者とその周囲に不和を引き起こす。
フラウロス	公爵	36	召喚者の敵を焼き殺す。またほかの悪魔の誘惑から守る。
アンドレアルフス	侯爵	30	人間を、鳥に似た姿に変える。
キメエリス	侯爵	30	失せ物や隠し者、宝物を見つけ出す。
アムドゥスキアス	公爵	29	召喚者の求めに応じて木々を曲げたり傾けたりする。
ベリアル	王	80	召喚者を聖職者や議員職に斡旋する。
デカラビア	侯爵	30	鳥に似た姿をしたものを、本物のように歌わせる。
セエレ	大公	26	一瞬で大量の物品を移動させる。
ダンタリアン	公爵	36	人間の思考を読み、どのような秘密でも召喚者に教える。
アンドロマリウス	伯爵	36	盗人ごと盗まれたものを取り戻す。

関連
悪魔
→P.118

アーサーを導いた魔法使い

マーリン

悪魔と人間の子として生まれた

グレートブリテン島を中心に伝わるマーリンは、魔術師の代表ともいえる人物です。彼は老年の男性で長いヒゲをたくわえた出で立ちで描かれることが多く、その姿はアニメやゲームなどに登場する魔法使いそのものです。

マーリンといえば、石（金床とも）に刺さった剣を引き抜いて王となった「**アーサー王**」に仕えたことで有名ですが、そのルーツはグレートブリテン島南西部のウェールズに伝わる予言者ミルディン[注1]と、アンブロシウス[注2]というブリテン人の指揮官といわれています。12世紀の歴史家ジェフリー・オブ・モンマスが歴史書のように書いたフィクション『ブリタニア列王史』で、このふたりの伝説などを混ぜ合わせて生まれたのがマーリンです。

マーリンの出生は、悪魔が南ウェールズの女王に産ませたとされています。しかし、生まれてすぐにキリスト教の洗礼を受けたため邪悪には染まらず、魔力と予言の力を持っていました。彼はこの予言の力でアーサー王の誕生も予知しています[注3]。

[注1] 6世紀頃に実在したとされる詩人であり予言者。『ブリタニア列王史』に盛り込まれ、名前がラテン語のメルリヌス、さらにこれを英語化してマーリンとなった。

[注2] 父親がいない子であり、工事が進まない神殿を建築するための生贄にされそうになるが「建設が進まないのは地下で2体の龍が暴れているからだ」と看破した。この逸話がのちにマーリンのものとして取り入れられている。

[注3] 世界遺産に登録されている「ストーンヘンジ」もマーリンが制作を指示したといわれている。

女好きで身を滅ぼす

現在流布しているアーサー王伝説は、15世紀後半に書かれた『アーサー王の死』に基づいています。この作品の中でマーリンは、アーサーの父であるウーサーの代には、国一番の賢者として王の相談役を務めていました。生まれたばかりのアーサーを預けられると、エクター卿に素性を隠して育てるよう指示。そして、15歳になったアーサーに石に刺さった剣を抜かせて王位を継承させたのです。さらに「湖の貴婦人」の元へ案内し、**聖剣エクスカリバー**[注4]を手に入れさせるなど、後見人として活躍します。

一方で、マーリンはかなりの女好きでもありました。そしてこれが自分の身を滅ぼすことになるのです。あるとき彼は弟子の女性ヴィヴィアンに惚れ込み、アーサー王の元を去ってふたりで旅に出ます。魅惑の魔法を使うなどして彼女の純潔を奪おうと画策しますが、この企みはうまくいかず、逆にヴィヴィアンの魔法によって岩の下敷きとなり、物語から退場することになりました[注5]。

[注4] エクスカリバーの伝承については、石から抜いた剣がエクスカリバーだとする説や、湖の貴婦人にもらったのは折れた剣を修復した新しいエクスリカバーだとする説など諸説ある。アーサー王にまつわる各物語で、この剣の扱いが微妙に異なっているのも諸説紛々である理由だ。

[注5] マーリンを岩の下敷きにしたヴィヴィアンはアーサー王の元に戻り、マーリンに代わってアーサー王や円卓の騎士たちを助けた。

樹木を神聖視した「ドルイド」

マーリンはしばしば、アイルランドを中心に伝わるドルイドと結び付けられました（ただし、マーリンがドルイドだったことを明確に説明する文献はありません）。このドルイドとは、ケルト人の知識階級のことで、文字がなかったケルトの文化を口頭で伝承し、祭祀の神官を務めた他、魔法使いとして見られることもありました。ときには王よりも強い権力を持っていたともいわれています。

ドルイドたちは、樹木、とくに樫（かし）の木を神聖視しており、樫が生い茂る森を聖域として儀式を行っていたとも伝えられます。映画化もした『ハリー・ポッター』シリーズをはじめ、魔法使いの持つ杖は、樫の木が材料になっていることが多いのですが、これはドルイドの伝承に影響を受けている可能性が高いでしょう。

ドルイドはアイルランドの神話にも登場していて、変身の魔術や嵐を起こす天候操作術など、まさに魔法使いのような活躍を見せています。

串刺し公から吸血鬼へ

ヴラド3世（せい）

関連
吸血鬼 →P.122
ギロチン →P.202

苛烈さで統治した「串刺し公」

東ヨーロッパの一国、ルーマニア南部には、かつて「**ワラキア公国**」という国がありました。この地を治めていた支配者のひとりに、その残酷さから恐れられた人物がいます。15世紀中ごろの統治者「ヴラド３世」です。

ヴラド３世は、政敵を宴会に招待すると見せかけて焼き殺したり、面会した際、帽子をとらない外国人に「二度と帽子がとれないように」と、帽子ごと頭に釘を打ち付けたり、些細なことであっても罪人を殺してしまうなど、とにかく血なまぐさい伝説が多く残っています。

処刑の際、彼は「串刺し」を多用したことでも知られています。これは長い棒状の処刑道具で罪人を突き刺して放置するというもので、すさまじい苦痛を死ぬまで味わうという凄惨な処刑方法でした。しかもヴラドは「無差別に人を襲って血肉を喰らった」ともいわれているのです。

この串刺しの刑罰を多く用いたことから、ヴラドは「**串刺し公**」を意味する「**ツェペシュ**」[注1]と呼ばれることもありました。

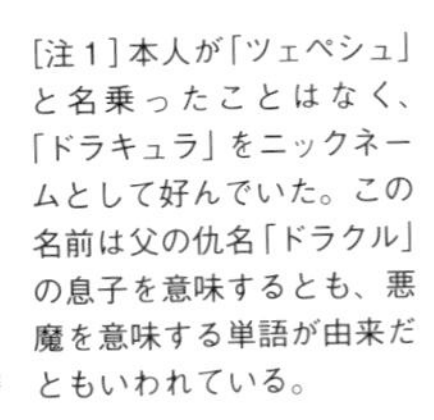
[注１] 本人が「ツェペシュ」と名乗ったことはなく、「ドラキュラ」をニックネームとして好んでいた。この名前は父の仇名「ドラクル」の息子を意味するとも、悪魔を意味する単語が由来だともいわれている。

ヴラド3世は本当に冷酷だったのか

数々の猟奇的な伝説を残すヴラド３世ですが、じつはこうした伝説には裏の事情があります。

ヴラド３世が生まれた頃のワラキアは有力者同士の権力争いが激しく、さらに現在のトルコを中心に当時大勢力を築いていたオスマン帝国の脅威[注2]にもさらされていたのです。この不安定な情勢の中、ヴラドは敵対する他の有力者を徹底的に処刑します。むごい死体を長時間さらす串刺しは見せしめとして効果抜群で、次第にヴラドに敵対する者はいなくなりました[注3]。

さらに、領土に攻め入ってきたオスマン帝国相手にも、ヴラドは串刺しを有効活用しました。何度も奇襲をかけて捕らえた多数の敵兵士を串刺しにし、自分の城に続く道に並べてさらすと、それを見たオスマン帝国兵士は恐怖で震えあがり、ついには撤退したのです[注4]。

このように、ヴラドの苛烈な行動の背景には政治的な理由があり、彼が単に残虐非道な人物だったとは限らないのです。事実、領民のヴラドへの信頼は高かったといわれており、残酷な数々の逸話も多くはヴラドの権威失墜を狙う敵対勢力のプロパガンダが元だといわれています。

[注２] ヴラドの父と兄は、敵国からの侵略を受けたゴタゴタの最中に政敵に暗殺されている。また、自身も命を狙われ、敵国に助けを求めることもあった。

[注３] ヴラドは罪人も同じように極刑に処したため、領土内の犯罪者は激減したといわれている。

[注４] 串刺し死体の見せしめの他にも、敵が利用しそうな建物や食料を焼き払うことで補給や休養をとらせない「焦土作戦」を行い、数で勝るオスマン帝国軍を疲弊させている。

吸血鬼「ドラキュラ」のモデルになった？

ヴラドの死後から400年以上たった1897年、イギリスである小説が発売されます。人の生き血を吸う怪物ドラキュラ伯爵が登場する**『吸血鬼ドラキュラ』**です。

作者のブラム・ストーカーは、ハンガリーの学者からヴラドの伝説を聞き、ドラキュラのモデルにしたといわれていますが、作品内で明言はされていません。それでもヴラド＝ドラキュラのイメージは強く、「ヴラドが吸血鬼ドラキュラになった」という設定の作品も少なくないのです。

裏切者の代名詞

イスカリオテのユダ

関連

使徒
→P.218

キリスト教で忌み嫌われる者

キリスト教が普及している国では、子供に『聖書』に登場する天使や聖人の名前をつけるのが一般的です。しかし、『聖書』に登場しながら名前をつけるのを忌避されている、または命名自体が禁止されている名前もあります。そのひとつがキリスト教の開祖「**イエス・キリスト**」の“使徒”のひとり「**ユダ**」です。このユダは一般に「**イスカリオテのユダ**」[注1]と呼称されます。

なぜユダがそれほど忌み嫌われているのか？　それは彼が師であるイエスを裏切った人物だからです。

新約聖書のひとつ『**マタイによる福音書**』によれば、ユダは銀貨30枚を報酬にイエスを敵対勢力に売ることを決めます。彼らのいる前で他の使徒と一緒にいたイエスに抱きついてキスをして、捕縛すべき対象を明らかにしたのでした[注2]。こうして捕えられたイエスは、ユダヤ教、キリスト教、イスラム教の聖地である、エルサレムにあったとされる**ゴルゴダの丘**で磔刑に処されました。

この逸話から「ユダ」、または「イスカリオテ」は裏切りの代名詞となったのです[注3]。

「ユダ」の名は創作物でも腹に一物ありそうな怪しげな人物に使われることがあります。また、キリスト教の世界観が色濃い『ヱヴァンゲリヲン新劇場版』では、意味深な場面で「イスカリオテ」の名前が登場しています。

[注1]『聖書』では、同名の人物を区別する目的もあってか、「○○の～」という呼び方が多い。イスカリオテとは「ケリヨト」というユダの出身地に由来するとされる。なお、しばしばユダは「13番目の使徒」と呼ばれるが正しくは12番目の使徒である。

[注2] この行為は「ユダの接吻」と呼ばれ、のちに裏切りを意味する比喩的表現として使われるようになった。

[注3] イエスを売り渡したあとのユダは自らの行いを後悔し、首を吊って自殺したとも、銀貨30枚で買った土地に落ちて内蔵が飛び出して死亡したともいわれている。

神の否定者

アンチ・キリスト

関連
終末 →P.77
異端 →P.78

アンチ・キリストとされるのは異教徒のみではない

ユダヤ教の布教に勤しみ、のちにキリスト教が生まれるきっかけを作ったイエス・キリスト。キリスト教では、その名を騙って教会を迫害したり、人々を欺いたりする者を**アンチ・キリスト**（**神の敵対者**）と呼ぶことがあります。さらに『新約聖書』の『ヨハネの手紙一』によれば、イエスがキリスト（救世主）であることを否定する者もアンチ・キリストになるそうです。そういった人物は決まって世の終わりが近づくと現れるといいます。

アンチ・キリストは、異教徒に対して使われる蔑称のようなものと思われがちですが、キリスト教徒同士で用いられることも多々あります。たとえば宗教改革期には、ローマ教皇がプロテスタントからアンチ・キリスト扱いされました[注1]。権力者がイエスやキリスト教に仇なす者と見なされるケースは多く、神聖ローマ帝国の皇帝フリードリヒ２世[注2]や、ロシアの皇帝ピョートル１世[注3]もアンチ・キリストと非難されたことがあります。

アンチ・キリスト的な概念はイスラム教にも見られ、偽の救世主や預言者のことを「**ダッジャール**」と呼びます。預言者ムハンマドの言行録『ハディース』によれば、ダッジャールは赤い肌と黒い髪を持ち、右目が潰れているそうです。地上に現れたダッジャールは、自身をイスラム教徒の主だと偽り、40日だけ地上を支配するといいます。

［注１］ローマ教皇、ひいてはカトリック教会の教義は聖書に反しているとされ、プロテスタントから激しく非難された。

［注２］第６回十字軍を成功させ、聖地エルサレムを奪還したが、イスラム教徒と戦うことを避けたとして、その功績は無視された。

［注３］ロシアの西欧化を推し進める際、教会へ圧力をかけるなどしたため、聖職者や民衆の反感を買い、反キリストとされた。

光の象徴たる吸血鬼ハンター

クルースニク

関連

吸血鬼

→P.122

動物に姿を変え吸血鬼を討つ

クルースニク[注1]は、中央ヨーロッパのスロベニアやイストリア半島などに伝承が残る**ヴァンパイアハンター**で、ハンガリーでは「**タルボシュ**」と呼ばれています。

クルースニクは「白い羊膜に包まれて生まれてくる」ことを除けば、普通の人間と何ら変わりありません。また、クルースニクは村や町ごとに存在するということから特定の人物ではなく、白い羊膜をまとって生まれた者たちを指した総称のようです。さらに伝承には「凛々しい青年」ともあり、クルースニクになれるのは男児だけだと推測されます。ちなみに吉田直の小説『トリニティブラッド』では、吸血鬼へ変貌するためのナノマシンや変貌後の姿がクルースニクと呼ばれています。

クルースニクには宿敵がいます。それは赤い羊膜に包まれて生まれてくる**吸血鬼のクドラク**です。どちらも動物に変身する力を持ち、両者が戦う際はそれぞれが馬や豚、牛などに変身します。しかし、クルースニクが化けた動物は全身が真っ白なので、簡単に見分けがつくそうです。

クルースニクがクドラクを倒すためには、自分を包んでいた白い羊膜を左脇に付着させておくか、その羊膜を粉末にして体液に溶かしたものを飲んでおかねばなりません。一方で、そもそもクドラクでは光の象徴たるクルースニクに絶対勝てないとする伝承もあります[注2]。

[注1] その名前は「krst」（十字架）、または「kratiti」（洗礼）が語源だと言われている。

[注2] ただし、クルースニクが「生まれた時に羊膜の一部を左脇に貼り付けるか、羊膜を粉にして飲む」ということをしていないと、クドラクが勝つという説もある。

錬金術界の風雲児

パラケルスス

関連
錬金術
→P.170

医療の発展にも貢献した偉大な錬金術師

ファンタジー作品の影響もあり、日本でも高い知名度を誇る**錬金術師のパラケルスス**。その名前は本名の一部をラテン語訳したもので、「古代ローマの医者ケルススを凌ぐ者」という意味が込められています[注1]。

歴史上のパラケルススは、錬金術師としてより、医師として名声を得た人物です。彼の幼少期についてはよくわかっていませんが、優秀な医師となったパラケルススは、ヨーロッパ各地を旅しながら多くの病人を治療しています[注2]。その治療方法は当時の医学の常識から外れたものであり、またパラケルスス自身も自信家で、攻撃的な性格だったため、敵を作ることも多かったそうです。

医学に応用できるという理由から、パラケルススは旅の中でさまざまな人物の下を訪れ、その知識を吸収しました。錬金術もそのひとつで、新たな学説もいくつか発表しています。当時の錬金術は「四元素説」と「二原質説」が主流でしたが、彼は独自の「**三原質説**」を提唱[注3]。さらに、自著の中で四元素に対応する精霊についても触れており、これは現代の創作物でも用いられています[注4]。

そんなパラケルススには、魔法じみた逸話が残されています。なかでも「賢者の石」や「ホムンクルス」の生成に成功したという話はよく知られており、『鋼の錬金術師』をはじめとする諸作品に取り込まれています[注5]。

[注1] 本名はテオフラストゥス・フォン・ホーエンハイム。「ホーエンハイム」はドイツ語で「高い家」という意味。

[注2] 錬金術にまつわる鉱物や化合物を薬に用いており、現代医学に通ずる画期的な処方とされる。また、旅の途中で軍医として従軍した経験もある。

[注3] 万物は水銀、硫黄、塩の3つで構成されるという説。それまでは水銀と硫黄のみの二原質説が主流だった。

[注4] 四大原素に対応する精霊はサラマンダー（火）、シルフ（風・空気）、ウンディーネ（水）、ノーム（土）。

[注5] パラケルススは「アゾット」と刻まれた剣に賢者の石を入れていたという。ホムンクルスに関しては、その生成法も残している。

評価が大きく分かれる近代の魔術師

アレイスター・クロウリー

関連
悪魔 →P.118
黒魔術 →P.174
秘密結社 →P.230

莫大な遺産で暮らしつつ魔術に傾倒

数々の知識を世間に公表し、オカルト界に大きな影響を与えたイギリスのオカルティスト。**アブラメリンの魔術**や**悪魔コロンゾンの召還**などの魔術を実践した他、『法の書』[注1]をはじめとする多数の著作を遺し、彼が制作したトート・タロットは今でも多くのファンに愛されています。

クロウリーの家庭はかなり裕福でしたが、両親は敬虔なプリマス・ブレザレン[注2]の信徒でした。彼が魔術に傾倒したのは、信仰に沿う生活環境で育った反動でキリスト教嫌いになったためともいわれています。

クロウリーは11歳で父を亡くし、20歳で相続した莫大な父の遺産で暮らしていました。この頃に魔術や秘密結社に強く惹かれて「**黄金の夜明け団**(おうごんのよあけだん)」[注3]に入団しますが、彼の位階昇進を巡るトラブルから団は分裂。その後、クロウリーは独自に「**銀の星**」を設立し、さらに「**東方聖堂騎士団**(とうほうせいどうきしだん)」[注4]の指導者に誘われてイギリス支部を立ち上げ、のちに組織のトップとしてこちらの団体も運営しました。

この頃クロウリーは、演劇的儀式を一般公開して収入源にしましたが、麻薬の常習やバイセクシャルであることをゴシップ誌に注目されて悪評が立ち始めます。実際、彼は自己愛が強く身勝手で褒められた性格ではなかったようです。かなり毀誉褒貶が激しい人物ですが、実在した魔術師とあって創作作品にもしばしば登場しています。

[注1] 新婚旅行先で魔術を行い、妻に憑依した知性体エイワスの言葉を書き留めたもの。クロウリーはエイワスを自身の守護天使だと受け止め、自ら新世代の救世主だと自認した。

[注2] 1831年にイギリスのプリマスで創設されたキリスト教徒の集団。聖書にある奇跡とキリストの再臨を強調する。1847年に意見の対立から分裂した。

[注3] オカルティストのマクレガー・メイザースら、フリーメイソンリーのメンバーが設立した魔術結社。「ウェイト版タロット」の創作者アーサー・エドワード・ウェイト、詩人のウィリアム・バトラー・イェイツ、ホラー小説界で高名なアーサー・マッケンやアルジャーノン・ブラックウッドなどの著名人も在籍していた。

[注4] オーストリア、もしくはドイツで創設されたオカルト結社。

犯罪者に転落した王国元帥

ジル・ド・レ

関連
ジャンヌ・ダルク
→P.42

祖父の悪影響で歪んだ人格に育つ

本名はジル・ド・モンモランシー＝ラヴァル。フランス北西部にあるブルターニュの大貴族ラヴァル家の縁者で、誕生は1404年か1405年といわれています。当時のフランスは百年戦争[注1]の最中で、成人したジルはジャンヌ・ダルクに預けられた部隊の指揮官を務め、**オルレアンの解放戦**や**パテーの戦い**に勝利。これを機にフランスは窮地を脱し[注2]、ジルは元帥に任じられました。ジャンヌと行動していた彼は、ゲーム『Fate/stay night』や百年戦争を題材にした小説『ユリシーズ ジャンヌ・ダルクと錬金の騎士』などの創作作品にも登場し、ジャンヌの崇拝者や関係者として描かれています。

しかし、ジルは**恐るべき犯罪者**でもありました。彼は10代で両親を亡くし、かなり問題がある母方の祖父に引き取られました。ジルは放任されただけでなく、領地拡大のために**政略結婚**[注3]の手駒とされ、こうした環境で育った彼は、**怪物的な幼児性**を備えていたともいわれます。

ジャンヌがイングランド軍の捕虜になったのち、ジルは自領で錬金術に没頭しつつ財産を浪費し始めました。元々彼には少年愛の傾向がありましたが、錬金術師を称する悪党に関わって悪魔的儀式も行い始め、多数の少年たちを城へ拉致しては殺害。のちにこれが発覚し、1440年に35歳の若さで処刑されてしまいました。

[注1] フランス王家とイングランド王家を軸としたフランスの王位を巡る戦争。1339年頃から1453年まで断続的に続いた。ジルが誕生した当時は休戦していたが、フランスで起きた内戦につけこまれて1415年から再び戦争状態となった。

[注2] オルレアンを巡る攻防は百年戦争の趨勢を決する重要な戦いで、イングランド軍が勝利していればフランスが征服された可能性が高いと考えられている。オルレアンの解放と続くパテーの戦いでの勝利は、フランス軍の最終的な勝利に繋がる流れをつくった。

[注3] 単なる政略結婚ではなく、結婚相手の娘を誘拐して既成事実を作ってしまう、犯罪まがいの略奪婚という方法だった。

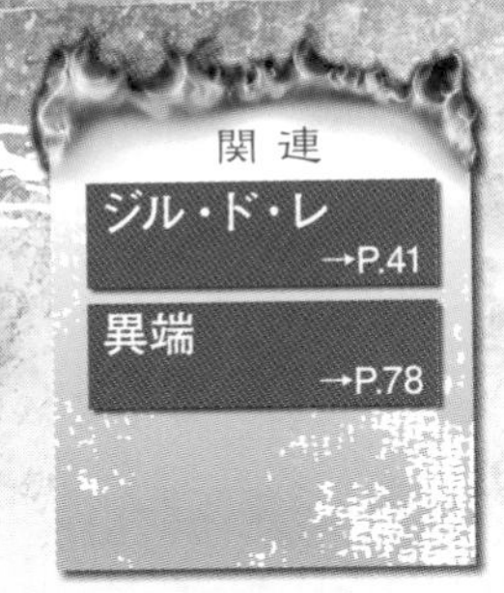

フランスを救った国民的英雄

ジャンヌ・ダルク

異端とされるものちに名誉は回復

ジャンヌ・ダルクは女性の身でありながら戦場で活躍した人物です。**百年戦争**[注1]を勝利へと導いた功績により、フランスでは**国民的英雄**とされています。

ジャンヌはフランス北東にあるロレーヌ地方のドンレミ村で、農夫の娘として生まれました。12歳のとき、ジャンヌは大天使ミカエルや聖人の姿を目撃し、「イングランド軍を退け、シャルル王太子[注2]をフランス王位に就かせなさい」というお告げを聞きます。そして、王族の協力を得て[注3]、イングランド軍に包囲されていた要衝**オルレアンの解放**に成功したのです。続く**パテーの戦い**にも勝利し、シャルルはフランスの王になりました。しかし、その後の戦いでジャンヌはイングランド軍の捕虜になり、異端の罪に問われ、不当な裁判で有罪となり火刑に処されました。

のちにジャンヌの名誉は回復され、ローマ・カトリック教会によって列聖されました。一方でその悲劇的な生涯もあってか、近年の創作物では、邪悪な存在として描かれることもあります。

[注1] フランス王家とイングランド王家を軸としたフランスの王位を巡る戦争。1339年頃から1453年まで断続的に続いた。ジャンヌ誕生当時は休戦していたが、フランスで発生した内戦につけこまれ、1415年から戦争状態になった。

[注2] 先代の国王シャルル6世の5男で、のちのフランス王シャルル7世。ふたりの兄が亡くなったことで王太子になった。

[注3] 当時のフランスは連敗続きで、平民に過ぎないジャンヌの主張すら受け入れられるほど危機的な状態にあった。

トランシルヴァニアの女吸血鬼

エリザベート・バートリー

関連

吸血鬼 →P.122

日本でも知られてきた残虐夫人

吸血鬼といえば小説『**ドラキュラ**』が有名ですが、それよりも20年以上前に女性の吸血鬼を描いた『**カーミラ**』[注1]という作品がありました。そのモデルとされているのがエリザベート・バートリーです。

エリザベートは、トランシルヴァニア公国の名門ヴァートリ家[注2]の出身で、ラテン語やギリシア語も堪能な才女でした。15歳のとき、彼女はハンガリー王国の貴族ナーダシュディ・フェレンツと結婚。彼は優秀な軍人で戦争のためによく家を留守にしましたが、エリザベートは夫に代わって領地をよく治め、学生支援などもしていたそうです。

一方で、敵に残虐な仕打ちをすることで知られた夫の影響か、エリザベートもたびたび使用人を折檻していたといわれています。彼女の残虐性は、1604年に夫が亡くなるのと前後して拍車がかかり、使用人や拉致した領内の若い女性を惨殺し始めました。犠牲者は数百人ともいわれますが、1610年に逮捕されて扉と窓を閉ざされた自室に幽閉され、3年後に亡くなりました。事件があまりに衝撃的だったため「若い娘を拷問器具で殺し、生き血を浴びていた」、「人肉を口にした」などの噂が広まり、これが吸血鬼伝説に結びつけられたようです。日本における知名度はそれほど高くありませんでしたが、ゲームの『Fate』シリーズなどを通じて近年では認知度が高まっています。

[注1] アイルランド人の小説家シェリダン・レ・ファニュが、1872年に発表した作品。吸血鬼が「棺桶で眠る」「杭で滅ぼされる」といった設定は、のちにブラム・ストーカーの『ドラキュラ』にも継承された。

[注2] トランシルヴァニア公やハンガリー副王、ポーランド王などを輩出した家系。領地を維持するために近親婚が繰り返された影響で、優秀ながらもエキセントリックな人物が多く、エリザベートの残虐性も、そのためだったのではないかと考えられている。

18世紀に実在したという謎の西洋人

サンジェルマン伯爵

関連

錬金術

→P.170

フランスの社交界で人気者に

サンジェルマン伯爵は、18世紀のヨーロッパで活動していた人物です。化学や錬金術など数々の分野に造詣が深く、多数の言語にも通じ、一流の音楽家、優れた画家でもあったといわれます。多芸なサンジェルマン伯爵はフランス国王ルイ15世と親交を結び、寵姫ポンパドゥール夫人[注1]にも信頼されて**フランス社交界の人気者**でした。しかし、重臣ショワズール公爵に嫉妬され、のちにスパイ容疑で追放されてしまいます。その後、彼はヨーロッパ各国を転々とし、1784年にヘッセンで亡くなりました。

サンジェルマン伯爵は実在した人物ですが、フランスに現れる以前の経歴はほとんど不明で、本名や出生地もはっきりしません。また、社交界デビューは70歳近い年齢でしたが、40代にしか見えなかったといわれ、「数年後に再会しても外見が同じだった」という証言も少なくなかったそうです。他にも「紀元前からの歴史をまるで見てきたかのように話す」「丸薬を口にして食事をする姿を見た者がいない」などの噂もあり、さらに死後も「彼に会った」という者まで現れるほどで、その正体は**不老不死**や**タイムトラベラー**など諸説あるようです。逸話に事欠かないだけにキャラクター化しやすいのか、漫画『ドリフターズ』のサン・ジェルミ伯など、サンジェルマン伯爵がモデルの人物が登場する創作作品も多くあります。

［注1］ルイ15世の公妾。平民出身ながら高い教養を備え、内向的で政治に関心のない国王に代わって内政や外交で腕を振るった。浪費家ではあったが、パトロンとして芸術の発展にも寄与している。

ロンドンを震撼させた殺人鬼

ジャック・ザ・リッパー

関連
ジル・ド・レ →P.41
エリザベート・バートリー →P.43
都市伝説 →P.206

人類史上もっとも有名な「切り裂き魔」

19世紀末のロンドンを舞台に女性ばかりを狙った残虐非道な殺人を繰り返し、世界中を震撼させた元祖**シリアルキラー**。人類史上もっとも有名な殺人鬼のひとりですが、事件から100年以上が経過した今もその犯人の特定・逮捕には至っていません。そのため、英語圏で姓名不詳の男性に対してよく使われる「**ジャック**」[注1]の名がつけられ、以来「**ジャック・ザ・リッパー**（＝**切り裂きジャック**）」という通称で呼ばれています。

ジャックによる犯行は、確実視されているものだけでも5件[注2]あり、いずれも医療用メスのような鋭い刃物で被害者の喉をひと裂きにして殺害。さらに遺体をバラバラに切り裂いて、特定の臓器や性器の一部を持ち去るという残忍この上ないものでした。その鮮やかな犯行の手口から当時、解剖や解体の知識がある医師、精肉業者らが疑われ、その後も現場近くに残された落書きからユダヤ人による犯行説、被害者と容易に接触していることから女性説など、さまざまな犯人像が囁かれ、より事件の謎を深めていきました。こうした経緯もあってか、映画や小説、漫画などで描かれる「ジャック・ザ・リッパー」は年々自由度を増してきており、シリアルキラーという特性以外はまるで統一感がなく、身なりの良い紳士や精神病者、ボンデージ姿の少女など多様なバリエーションを生み続けています。

[注1] 日本では姓名不詳の人物を「名無しの権兵衛」というが、英語圏では「ジョン・ドゥ（John Doe）」と呼ばれる。その短縮形、いわゆる愛称が「ジャック」である。

[注2] 犯行の手口や遺体の状況などからジャックの犯行とほぼ断定されている事件が5件。他にも同時期に起きた10数件の猟奇殺人事件に対し、ジャックの関与が疑われている。

北欧生まれの狂戦士

ベルセルク

関連

なし

敵も味方も恐怖に陥れる異能の戦士

ベルセルクは個人の名前ではなく、北欧神話の最高神オーディンより神通力を賜った戦士たちの総称です。彼らは戦闘が始まると自我を失い、クマやオオカミといった野獣になりきって戦います。その戦闘力は計り知れませんが、戦いが終わると放心状態になってしまうそうです。

一度我を忘れると敵味方の区別がつかなくなるなど、ベルセルクには危険な一面もあります。そのため、王たちは彼らを戦力として見ていたものの、護衛役には指名しませんでした。そんななか、とある国の王が親衛隊の一部にベルセルクを起用します[注1]。これによって彼らの存在がイギリスに伝わることとなり、「**go berserk**」[注2]の語源になったそうです。また、日本の創作物には、しばしば「**バーサーカー（Berserker）**」と呼ばれる狂戦士が登場しますが、その名前も「**ベルセルク（Berserk）**」に由来します。ちなみに、北欧の伝承には「ウールヴヘジン」[注3]という狂戦士も存在し、ベルセルクと同一視されることもあるそうです。

[注1] 10世紀頃に活躍したデンマークの王ハーラル1世が親衛隊にベルセルクを編成した。

[注2]「我を忘れて怒り狂う」という意味の英語。

[注3]「ウルフヘズナル」や「ウルフヘジン」とも呼ばれる。その名前には「狼の皮」という意味がある。

仁君から暴君へ

ネロ

関連

アンチ・キリスト →P.37
バビロンの大淫婦 →P.132

母との確執をきっかけに堕ちていったローマ皇帝

ネロ[注1]は、かつてヨーロッパを中心に広い範囲を支配していた国「ローマ帝国」の5代皇帝です。今日(こんにち)では、彼は**「暴君」という悪名**で呼ばれることもあります。

ネロ初代皇帝であるアウグストゥスの血筋という、由緒正しい生まれですが、彼が皇帝になった経緯は「権力欲の強い母が、夫であり当時の皇帝だったクラウディウスを毒殺したため」というドス黒い陰謀によるものでした[注2]。

当時のネロは16または17歳という若さでしたが、周囲にも助けられて善政をしていました。しかし、何かと干渉する母を疎ましく思い、また母もまたいうことを聞かない息子を退位させようと企んだため険悪な仲に。ついにネロは母を殺害してしまいます。

この頃にはネロを支えていた人物たち[注3]がいなくなり、ネロの横暴は歯止めがかからなくなってしまいます。ローマが大火事に見舞われると[注4]、犯人はキリスト教徒だと決めつけ、十字架に磔にしたり猛獣に食べさせたりと、残酷な方法で彼らを迫害します。また、少しでも陰謀を抱いていると判断したものは容赦なく処刑または自殺を強要し、周囲の不満が高まっていきました。

晩年、ネロはローマを離れてギリシアに行き、演劇や古代オリンピックなどに熱中。そのあいだに、失望したローマの民衆に反乱を起こされ、最後は自ら命を断ちました。

[注1] なお、彼の正式な名前は「ネロ・クラウディウス・カエサル・アウグストゥス・ゲルマニクス」。

[注2] ネロの母は、夫の死後にアウグストゥスと再婚しているので、アウグストゥスとネロは義理の親子関係になる。

[注3] ネロの家庭教師も務めていた、哲学者セネカと軍人のブルス。ブルスが謎の死をとげると（一説にネロが毒殺したとも）、セネカは自らを責めたのか引退。さらにセネカは後世に反乱に加担したと疑われ処刑されてしまう。

[注4] ローマのほとんどを燃やしたという大火。原因は不明だが自然発生的なものだと考えられる。なお、ネロは焼失跡地に豪華な黄金の宮殿を建てたという。

各地を放浪した民「ジプシー」

ヨーロッパには、約2000年前から「移動することそのもの」を肯定し、各地を点々とする人々がいます。彼らは「ジプシー」と呼ばれていました。この呼び名は流浪の民が「エジプトからの巡礼者だ」と名乗ったことからついた「エジプシャン」(エジプト人)がその語源だといわれていますが、はっきりとしたことはわかりません。あくまでジプシーは他民族からの呼称であり、近年ではジプシーは差別的な意味合いがあるとして、彼らの自称である「ロマ」「ドム」と呼ぶことも増えました。ただ、ロマやドムと生活が似ていたためジプシーと見られた他の民族もいて、純粋ないい換えが難しい側面もあります。

ジプシーたちは自分たちの文化を誇りとし、宗教以外で移動先の文化に染まることはなかったといいます。それ故「よそ者」として差別され、まれに童話などで悪役にされてしまうこともありました。

■ジプシーの放浪の歴史

chapter 2

神話・伝承

日本神話を代表する三柱の神々

三貴子（みはしらのうずのみこ）

イザナキから生まれたもっとも貴き神々

三貴子とは、日本神話に登場する神である**アマテラス**、**ツクヨミ**、**スサノオ**のこと。日本を創生した神とされるイザナキから生まれた神々です[注1]。イザナキが黄泉国（よみのくに）から戻ってきたとき、体を清めたことでたくさんの神々が生まれ、最後にこのアマテラス、ツクヨミ、スサノオが生まれ落ちました。イザナキが左目を洗い流したときにアマテラスが、右目を洗ったときにツクヨミが、鼻を洗ったときにスサノオがそれぞれ生まれました。イザナキの生んだ神々の中でもっとも貴い三柱ということで「三貴子」と呼ばれています。

このうちアマテラスは**天岩戸**（あめのいわと）に隠れる神話で有名な女神[注2]で、ツクヨミとスサノオの姉にあたります。また、日本の初代天皇である神武天皇（じんむてんのう）の5代祖先であり、天皇家の始祖とされています。アマテラスは太陽を司る神で、神々の住む地である高天原の統治を任されていました。ところが弟のスサノオが**高天原**（たかまがはら）にやって来て暴れ回ったことから、怒ったアマテラスは天岩戸に隠れてしまいます。これにより世の中は闇に包まれ、ありとあらゆる災厄が発生しました。ある意味、アマテラスは世の中を大混乱に陥れた悪神であるともいえるかもしれません。それに困った八百万の神々が宴を開き、アマテラスを天岩戸から引き出した、というのはよく知られた話です。

［注1］『古事記』での話。『日本書紀』では父イザナキと母イザナミの間に生まれている。

［注2］性別は明確ではないが、話の内容から女性であるという見方が強い。またアマテラス自身が太陽神ではなく、太陽神に仕える巫女であったともいわれている。

ウケモチを殺したツクヨミと傍若無人なスサノオ

[注３] 日本書紀に登場する神。ツクヨミに殺された後、その屍から牛馬や蚕、稲、麦などが生まれ、食物の起源となったといわれている。

アマテラスの弟であるツクヨミは夜を統べる神で、月の神とされています。アマテラスと同様に性別は明確ではありませんが、後述するように刀を持ってウケモチ[注３]を殺すなどの描写から、男神と考えられています。

姉アマテラス、弟スサノオと比べると記述が少なく、『日本書紀』にウケモチという食物の神とのエピソードがわずかにあるくらいです。それによれば、ツクヨミはアマテラスの命令でウケモチに会いに行った際、ウケモチはツクヨミをもてなそうと口から食べ物を吐き出します。それをみたツクヨミは「汚いことをする」と憤慨し、ウケモチを斬り殺してしまったのです。これを知ったアマテラスは怒ってツクヨミと絶縁しています。

そして、末弟であるスサノオは海原を任された神ですが、母のイザナミのいる黄泉国へ行きたいと駄々をこねて役目を放棄。さらにアマテラスの治める高天原に立ち寄ると、傍若無人な振る舞いをして回ったのです。田を破壊し、水路を埋め、神殿に糞を撒き散らした挙げ句、皮を剥いだ馬を機織り小屋に放り込むといったことまで行いました。これに怒ったアマテラスは天岩戸に閉じこもり、スサノオは高天原を追放されてしまいます。ただ、この後は性格が一変し、出雲国（いずものくに）で暴れていた**ヤマタノオロチ**を退治する英雄的所業を成し遂げています。このように、二面性を持った神としてスサノオは語られています。なお、その後スサノオは、母のイザナミがいる黄泉国と同じく、地下にあるという国「根の国」に行きそこで生活しています。

こうしたエピソードから、アマテラスは弟のツクヨミ・スサノオと仲が悪いと見る向きもあります。また、ツクヨミはスサノオと重複する説話がいくつもあり、両者はもともと同一だったのではないかとも考えられています。

日本神話で語られる邪神

アマツミカボシ

関連
三貴子
→P.50

高天原の平定を妨げた強敵

日本神話にはさまざまな神が登場しますが、その中でもアマツミカボシは純粋な邪神とされる珍しい存在です。**『古事記』**には記述はなく、**『日本書紀』**にのみ登場します。それによれば、タケミカヅチとフツヌシ[注1]が高天原を平定する際、草木や石などはすべて従えたものの、アマツミカボシだけはどうしても討伐できませんでした。そこでタケハヅチ[注2]を派遣し、アマツミカボシを屈服させて平定したそうです。また別の話では、タケミカヅチとフツヌシが「天にいるアマツミカボシという悪神を倒してから平定に赴きたい」といっているくだりがあります。いずれにしても、アマツミカボシは武神であるタケミカヅチとフツヌシでも打倒できなかった強敵だったわけです。

このようなエピソードから、アマツミカボシは創作作品でも悪の存在として度々描かれています。人気ゲーム『女神転生』シリーズでは、『デビルサマナー　葛葉ライドウ対アバドン王』で日本国家に災いなす強大な悪魔として立ち塞がる他、『女神異聞録ペルソナ』でも高位のペルソナとして登場しています。また、アメリカのマーベル・コミックにも日本を代表する邪神として描かれ、広く世界で悪の存在として知られています。そんなアマツミカボシですが、タケハヅチを祀った茨城県日立市の**大甕神社**(おおみかじんじゃ)に、その荒魂(あらみたま)を封じたとされる石が祀られています。

[注1] 日本神話に登場する神。タケミカヅチは剣の神、フツヌシはイザナキが火の神カグツチを斬った際の血から生まれたとされる。

[注2] 日本神話に登場する神。織物の神でアマテラスを天岩戸から誘い出すために倭文布を織ったといわれている。

その姿を見た者は死ぬ

ヤトノカミ

関連
龍
→P.108

常陸国に棲む蛇の神

ヤトノカミは『**常陸国風土記**』に登場する蛇の神です。頭に角を生やした蛇の外見をしていて、その姿を見た者は一族もろとも死んでしまう、といい伝えられています。

このヤトノカミは、常陸国行方郡の谷に棲んでいました。そこへ新田を開拓しようと箭括氏麻多智[注1]が現れ、ヤトノカミと鉢合わせることになります。激しい戦いの末、麻多智はヤトノカミを山へ撃退し、二度と谷に降りて来ないよう山と谷の間に境界線を引きました。そこから上は神の世界とする代わりに、下は人々が安心して暮らせる田であるという宣言と共に。そしてそこに神社を建ててヤトノカミを祀り、代々受け継いでいったのです。

しかし150年ほど経った頃、再び事件が起きます。より豊かな田を目指して壬生連麿[注2]が谷に堤を築こうとしたところ、ヤトノカミが現れてこれを妨害するのです。壬生連麿は人々に「ヤトノカミを皆殺しにせよ」と命じ、ヤトノカミを撃退しました。こうしてそこは水が豊かな地となり、人々の暮らしは潤ったそうです。

このようにヤトノカミは怪物や妖怪の類でありながら、人々との共存のために神として信仰されることになった存在です。その姿は冒頭で述べたようにまさに怪物であり、『モンスターストライク』や『ゲゲゲの鬼太郎』などで手強い敵キャラクターとして扱われています。

[注1] 箭括氏麻多智。当時の常陸国行方郡にあった村落の首長。

[注2] 壬生連麿。7世紀後半頃の常陸国の豪族。行方郡の建郡に関わっている人物とされる。

闇組織の名前にもなった三本足のカラス

ヤタガラス

関連 三貴子 →P.50

本来は神の遣いのカラスだが……

［注1］『古事記』や『日本書紀』に登場する神。『日本書紀』では高天原から地上へ神を降ろす存在として記されている。

「カラスは神の遣い」といわれますが、日本神話には神秘的な鳥、ヤタガラスが登場します。タカミムスビ［注1］によって、のちに初代天皇「**神武天皇**」となるヒコホホデミのもとへ遣わされ、日ノ本を平定しようと大和国（やまとのくに）に向かう彼を導きます。道中、ヒコホホデミは荒ぶる神々たちに道を阻まれましたが、ヤタガラスのおかげで無事目的を達成できたのです。この伝説から「**導きの神**」ともいわれ、三本足のカラスの姿で人々に信仰されています。このようにヤタガラスは本来神聖な存在ではありますが、その一方で日本の歴史の裏側で暗躍した組織「**八咫烏**（やたがらす）」の名前にも使われています。これは天皇家を陰で支え、天皇家の裏の仕事をする秘密結社で、別名“裏天皇”とも呼ばれます。

また、『ドラゴンクエストモンスターズ』に登場するモンスター「やたがらす」は、体が腐敗し、道に迷った旅人を地獄へ案内するという、神話のまるで逆を行く存在です。このようにヤタガラスはダークなイメージで使わるケースもあります。

真相不明な謎に包まれた神

アラハバキ

関連
まつろわぬ民
→P.204

偽書に描かれた遮光式土偶の姿が広まった

アラハバキは遥か昔から信仰されていた神ではあるものの、『古事記』や『日本書紀』などには登場せず、その正体は謎に包まれています。元々は「ハバキ」が「脛巾（脛まで覆う草履のような履物）」に似ていることから足腰の神様とされていたようです。また、主祭神ではなく客人神[注1]として祀っている神社が多いのも特徴です。

1970年代に公開された歴史書『**東日流外三郡誌**』[注2]にアラハバキの記述があり、注目を浴びました。それによるとアラハバキは縄文時代に信仰された神であり、当時の土器である遮光式土偶はアラハバキを模したものであるとのこと。以降はこの遮光式土偶の姿が広まり、『女神転生シリーズ』や『悪魔城ドラキュラ　白夜の協奏曲』など、各種作品にも登場しています。

ところが、この『東日流外三郡誌』は偽書であるとの見方も強く、アラハバキの話も真実ではないと叫ばれるようになりました。それからはアラハバキは製鉄の神であるとか、東北の多賀城の神であったとか、さまざまな説が生まれます。結局のところアラハバキがどんな神であるかは今も謎に包まれたままとなっています。漫画『アラハバキ』では人々を殺して得る超能力的なエネルギーを「アラハバキ」と呼んでおり、怪しげな存在として語られることも少なくないのがアラハバキの実態です。

[注1] 主祭神はその神社で主として祀られる神、客人神は他所から来て付加的に祀られる神。アラハバキは元々主祭神だったものが、新たな神に取って代わられて客人神となっているケースが多い。

[注2] 東北地方の歴史が書かれている書物。1970年代に改築中の古い民家から発見された。しかしその内容から偽書であると見られている。なお、偽書とは「書かれた時期を“偽った”本」のこと。書かれた本来の時期がわからないため資料的な価値はなくなる。

狐を遣わせた農耕の神

稲荷（いなり）

関連
狐狸
→P.102

狐の像とともに稲荷神社に祀られた神

「お稲荷さん」の呼び名で親しまれている稲荷神は、農業や穀物の神様です。昔から人々にとって稲作の豊凶はとても大事なことであり、豊作を願って稲荷神への信仰は必然的に広がっていきました。現在では農業だけでなく、他の産業も含めた商売繁盛の神として信仰されています。

この稲荷神を祀っているのが稲荷神社です。日本全国に約８万ある神社のうち３万以上が稲荷神社で、日本人にとってもっとも身近な神社といえるでしょう。稲荷神社といえば狐の像[注１]が象徴的ですが、この狐はあくまでも神の遣いであり、稲荷神そのものではないとされます。狐は古来より**神聖な動物**であり、春から秋にかけて里に降りてきて農耕を見守り、穀物を食い荒らすネズミなどの小動物を捕食することから、**神の遣い**として扱われるようになったといわれています。

ただ、狐は人間を化かす妖怪とも考えられていて、暗く静まり返った稲荷神社では狐が化けて出るという話も。稲荷神社の総本宮である伏見稲荷大社では、現在でも夜に訪れるとさまざまな怪奇現象が起きると囁かれています。神隠しや不気味な物音など、話は枚挙にいとまがありません。

なお、地域によっては**狐ではなく狸**を祀っている稲荷神社も存在します。とくに狸の伝説が多く残る徳島では、稲荷といえば狸を指すのが一般的です。

[注１] たいていの稲荷神社には白い狐の像が２体ある。その口には稲束や鍵、巻物、宝珠などがくわえられていて、それぞれ五穀豊穣を願う意味が込められている。

神話に登場するウカノミタマがその正体？

「稲荷」という名前は、「稲が成る」という言葉から来ているとされます。また『山城国風土記』には、豪族の秦伊侶具が餅に矢を射たところ、餅は鳥となって伊奈利山に飛び、降り立った場所に稲が実ったという伝説があり、そこから稲荷信仰が始まったともいわれています。

一方、日本神話には**ウカノミタマ**［注２］という食物神がおり、これを稲荷神の正体とする考え方もあります。そのため、稲荷神社ではウカノミタマを祭神としているところが多くあります。そのほかにもトヨウケビメやウケモチ、オオゲツヒメなど、食物に関するさまざまな神を祭神としているところもあります。

また、神仏習合が進められた時代には仏教の荼枳尼天［注３］も稲荷と同一視され、お寺でも稲荷の信仰が行われていました。日本三大稲荷のひとつである豊川稲荷では、現在もお寺でありながら稲荷神を祀っています。

［注２］『古事記』や『日本書紀』に登場する女神。詳しいエピソードはないが、イザナキとイザナミが飢えたときに生まれたことから食物の神であるとされている。

［注３］荼枳尼天（だきにてん）。仏教の神で、サンスクリットの「ダーキニー」を音訳して名付けられた。狐に乗る天女の姿で伝えられている。

ウカノミタマから派生した宇賀神

前述したウカノミタマに由来する神として、中世以降信仰されるようになった**宇賀神**がいます。財をもたらす神として京都府宇治市の三室戸寺などに祀られていますが、その姿はとぐろを巻いた蛇で頭だけ人間という妖怪のようなもの。昔、裕福な家で昼寝中の妻に蛇が乗り、夫がその蛇を追い払ったところ貧乏になってしまったという逸話から、金運の神として蛇が祀られるようになったそうです。

もとは悪疫をもたらす神

牛頭天王（ごずてんのう）

蘇民将来（そみんしょうらい）の説話と牛頭天王

悪疫を鎮める神として広く民衆から信仰されていたのが牛頭天王です。しかし時代を遡れば、元々は牛頭天王は逆に悪疫をもたらす祟り神として認識されていました。その元となった話が『**祇園牛頭天王御縁起**（ぎおんごずてんのうごえんぎ）』などに載っている**蘇民将来**の説話です。

その話によると、牛頭天王は7尺5寸（約2m25cm）もの長身で頭は牛、さらに赤い角を持つ恐ろしい姿をしていて、王でありながら誰も寄り付きませんでした。あるとき側近たちとともに妃探しの旅に出て、旅先で古單将来（こたんしょうらい）という裕福な人物に宿を求めます。しかし彼に冷たく断られ、仕方なくその弟の蘇民将来を訪ねたところ、快く泊めてもらえました。貧乏ながら精一杯のもてなしをしてくれた彼に牛頭天王は感謝し、**宝物の牛玉**（ぎゅうぎょく）を授けます。

その後、無事に妃を迎えた牛頭天王は、冷たくあしらわれた古單将来に復讐をし、一族を皆殺しにしてしまいます。ただ、そこへ嫁いでいた蘇民将来の娘だけは助けました。そして彼女に「自分は今後も祟りを起こすが、茅（ち）の輪（わ）を作って赤絹の房と『**蘇民将来之子孫也**』と書かれた護符を付ければ災難には遭わない」と教えました。こうして牛頭天王は祟りを起こす神となり、茅の輪によってその災いから逃れられるという話から、**茅の輪くぐり**（※右ページ下部参照）の儀式が広がったのです。

疫病神から民衆に信仰される神へ

牛頭天王の起源は不明で、元々インドの祇園精舎(ぎおんしょうじゃ)[注1]の守護神で神仏習合により日本に入ってきたとか、日本神話のスサノオのことであるとか、さまざまな説があります。それが蘇民将来の説話と結びつき、疫病をもたらす祟り神として認識されるようになりました。そして災いが起きないよう信仰されていくうちに、いつしか災いを除ける神として祀られるようになったのです。その後は**京都の祇園神社（現在の八坂神社(やさかじんじゃ)）の祭神**となり、牛頭天王を祀る儀式は**祇園祭**として受け継がれていきました。当時は"てんのう"といったら天皇家のことではなく牛頭天王のことを指していたといいます。ただ、明治時代になると神仏分離令[注2]により牛頭天王への信仰は禁止され、牛頭天王を祀っていた神社は祭神をスサノオに替えさせられます。こうして牛頭天王は歴史から姿を消すことになったのです。

[注1] 古代インドの王国にあった寺院で、釈迦が説法を行なった場所。平家物語の冒頭で「祇園精舎の鐘の声、諸行無常の響きあり」と登場することで知られるが、この一文は仏教の思想を語ったものである。

[注2] 明治政府が発した神道と仏教を区別する命令。これにより神社と寺は棲み分けがされ、神社は神を、寺は仏を祀る場所と明確に分かれた。

■牛頭天王の説話から生まれた「茅の輪くぐり」

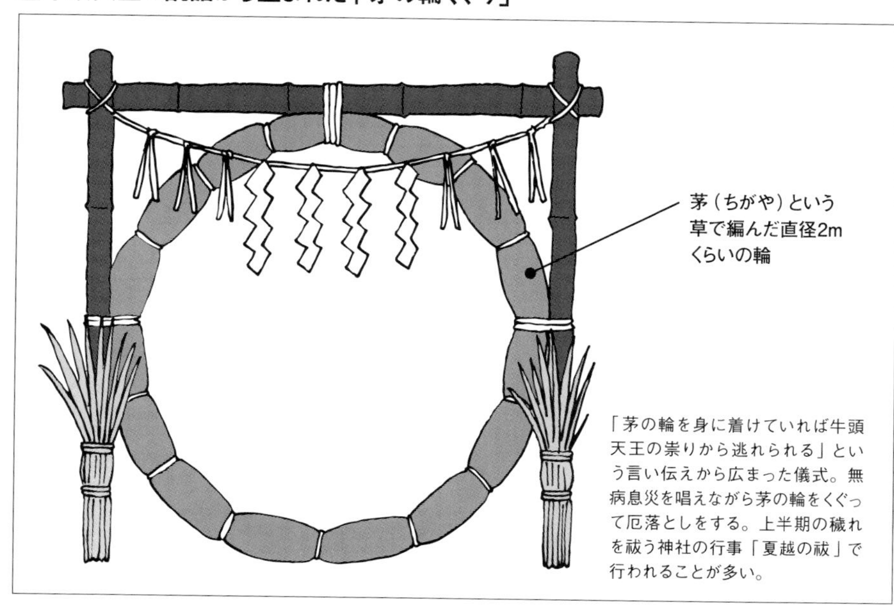

「茅の輪を身に着けていれば牛頭天王の祟りから逃れられる」という言い伝えから広まった儀式。無病息災を唱えながら茅の輪をくぐって厄落としをする。上半期の穢れを祓う神社の行事「夏越の祓」で行われることが多い。

永遠に戦い続ける鬼神

アスラ（阿修羅）

関連
天部（仏教）
→P.64

インド神話から仏教へ取り入れられた神

阿修羅といえば**闘神**として知られた存在。戦い続ける鬼神のイメージで語られます。この阿修羅は、古代のインド神話に登場するアスラがそのルーツです。アスラは元々正義の神でしたが、あるとき神々の王インドラに娘を奪われ、怒りで戦いに明け暮れるようになります。何度も何度もインドラと戦い、やがて娘はインドラに惹かれてその妃となるのですが、アスラは戦いをやめませんでした。そしてついにアスラは天界を追われることになったそうです。このことからアスラは魔神と認識されるようになりました。

その後、アスラは仏教に取り入れられ、「阿修羅」の文字が当てられました。仏教においてもアスラの説話を受け継ぎ、阿修羅は帝釈天[注1]に娘を奪われて戦い続けた神とされています。何度敗れても永遠に戦い続けたそのさまから、**鬼神**や**破壊神**というイメージになっていきました。

なお、阿修羅は三面の顔に六本の腕という姿で表されることが多く、その姿を象った仏像が奈良県の興福寺（こうふくじ）や法隆寺に安置されています。一方で人を超越したその姿と鬼神という性格から、ファンタジー作品では悪魔やモンスターのモチーフとして使われるケースもあります。『キン肉マン』で悪魔超人として登場するアシュラマンや、『遊戯王』カードのモンスター・阿修羅など、数々のダークなキャラクターが存在しています。

[注1] 帝釈天（たいしゃくてん）。仏教の神のひとつ。インド神話のインドラが仏教に取り入れられたもの。

修羅道や修羅場という言葉にも

［注2］人間は生前の行いによって死後に6つの世界のいずれかに行く、という仏教の考え方。

阿修羅から派生した言葉に「**修羅道**」や「**修羅場**」があります。修羅道とは、**六道輪廻**［注2］の世界のひとつ。六道には下図のように天道、人間道、修羅道、畜生道、餓鬼道、地獄道があり、そのうち修羅道は阿修羅の住む世界です。そこは阿修羅だらけの世界で争いが絶えず、つねに戦いが繰り広げられています。転じて、何か物事を行おうとする際に激しい戦いが待ち構えているなど、その困難な道のりを指して修羅道ということもあります。

一方、修羅場とは阿修羅（アスラ）と帝釈天（インドラ）が戦った場所のことで、転じてこのような激しい戦いが繰り広げられる場所を指していいます。とくにピンチや苦難に陥った場合にいうことが多く、戦いだけでなく痴情のもつれから争いになったときなどにも使われます。

■六道

人間道
人間の世界。苦しみもあるが、自分の努力で楽しみも得られる。

天道
最上位の世界。苦しみがなく、幸福や快楽に満ち溢れている。

修羅道
阿修羅の住む世界。怒りのままに戦い続け、争いが絶えない。

畜生道
人間以下の動物が住む。本能のまま行動する弱肉強食の世界。

地獄道
もっとも下位の世界。快楽がなく苦しみだけが待っている。

餓鬼道
強欲な餓鬼が住む。欲求が満たされず心身ともに苦しむ世界。

三善道

三悪道

中国神話で黄帝と戦った魔神

蚩尤

化け物のような姿で伝えられる存在

蚩尤は中国神話に登場する神です。諸説はありますが、牛の頭を持ち、手が6本、足が8本あったなど、化け物のような姿だったといわれています。また、斧や盾、弓矢などの武器を発明し、自身も銅や鋼で覆われていたという話も。こうした伝説から、誰もが恐れる**戦神**のような存在として伝えられています。

この蚩尤は、王座を巡って**黄帝**［注1］と戦いました。81人の兄弟と無数の**魑魅魍魎**を味方につけ、深い霧を立ち込めさせて黄帝の軍を苦しめます。それに対して黄帝は、指南車によって霧を突破し、**応龍**［注2］を呼び寄せて応戦。最後は蚩尤を討伐し、その首を刎ねました。その後、黄帝は世の中を治める際、蚩尤の姿を描いた旗を掲げ、反乱者たちを威嚇してひれ伏させたといわれています。

ただ、なにぶん古い神話のため、いろいろな説があるのも確かです。蚩尤と黄帝が戦ったのは事実のようですが、炎帝［注1］と黄帝の連合軍と戦ったとか、黄帝が炎帝を討ち負かした後に蚩尤と戦ったとか、戦いのエピソードはさまざまです。また、儒教の考え方から「正しい者が勝ち、悪しき者は負ける」という思想が強く、負けた蚩尤のことをことさらに悪魔のように伝えているのではないか、ともいわれています。ともあれ、蚩尤は黄帝を苦しめた魔神として伝えられ、ダークなイメージが定着しています。

［注1］古代中国にあった地位。黄帝も炎帝も三皇五帝のひとつとされる。

［注2］中国神話に登場する伝説の霊獣。雨を降らせたり嵐を起こしたりする力があるとされる。

天下に災厄をもたらした4つの悪

四凶・四罪

関連
蚩尤
→P.62

四凶と四罪のそれぞれの中身

中国神話において、天下に災厄をもたらす悪しき存在を4つ挙げたものが**四凶**と**四罪**です。四凶は『**春秋左氏伝**』に書かれているもので、五帝のひとりである舜[注1]の時代に悪神として討伐され、四方の辺境地へ追放されました。一方、四罪は『**書経**』や『**史記**』に書かれていて、中国史における伝説的な罪人を挙げたものです。古代の悪の存在ということから、ファンタジー作品で敵キャラクターとして登場するケースもあります。『スーパーロボット大戦OG』では四凶をモチーフとした饕餮王や窮奇王という敵兵器が登場し、厄介な攻撃で主人公側の勢力を苦しめました。

[注1] 古代中国の伝説的な人物である五帝のひとり。61歳で帝位につき、その徳の高さから、人々から聖人とうたわれた。

■四凶

渾敦(こんとん)	全身が長い毛に覆われた犬のような姿。何も見えず聞こえず、同じ場所で回り続けたり呆けたりと無意味な行動を取っている。無秩序と無意味を体現した悪魔。
窮奇(きゅうき)	ハリネズミのような尖った毛が生えた牛。または翼の生えた虎ともいわれる。善人には嘘をついて陥れ、悪人には施しをして助ける。不正と背信を象徴する妖怪。
檮杌(とうごつ)	長い尾が生えた虎の体に、鋭い牙を持つ人間の頭。争いを好み、自分勝手に暴れ回って戦いを繰り広げる。他者とわかり合うことができず、争いと戦乱を引き起こす獣。
饕餮(とうてつ)	羊や牛のような体に大きな口と曲がった角を持ち、脇の下に目がある。目についたものは人間でも石でも財宝でもなんでも食らい尽くしてしまう。貪食と貪欲を象徴する獣。

■四罪

共工(きょうこう)	古代中国の水神。伝説の帝王・神農の血を引く炎帝氏の子孫。黄帝と戦って敗れたことで、怒りに任せて洪水や水害を引き起こした。これにより国土が荒廃してしまった。
驩兜(かんとう)	古代中国の五帝のひとりである堯の子孫。下記の三苗と組んで堯に反乱を起こし、国家の安寧を脅かした。その戦いに敗れ、自害したとも流刑にされたともいわれている。
三苗(さんびょう)	古代中国の南西部に居住していたとされる南方の異民族。上記の驩兜と組んで反乱を起こし、堯の治める国家の安寧を脅かした。その戦いで敗死したとされる。
鯀(こん)	古代中国の五帝のひとりである顓頊の子孫。黄河の氾濫を治める事業を任されたものの、失敗して甚大な被害を出した。虚栄と無能の人物とされる。

仏法を守護する神々

天部（仏教）

関連
修験道 →P.154
真言宗 →P.156

"四天王"の語源にもなった神

仏教では仏は如来部、菩薩部、明王部、天部の４部門にわけられます。天部はその中のひとつです。如来部とは真理に達した者、菩薩部とは真理を求めて修行中の者、明王部とは煩悩を打ち砕くなど力を持って人を救う者、そして天部とは天の神々のことを指します。

この天の神々は大半がインド神話の神から取り込まれ、その数は非常に豊富です。代表的なものとしては**梵天**や**帝釈天**が挙げられます。梵天はインド神話の最高神ブラフマー、帝釈天は同じくインド神話で「神々の王」と呼ばれたインドラが、それぞれ仏教に取り込まれたものです。

また、「**四天王**」と呼ばれる持国天、増長天、広目天、多聞天も有名です。これらは帝釈天に仕え、それぞれ東・南・西・北の四方を守護する神です。この四天王という言葉は世の中のさまざまなところで使われていますが、その語源となっているのが**天部の四天王**です。徳川家康に仕えた徳川四天王[注1]や武田信玄配下の武田四天王[注2]のほか、創作作品でも『ファイナルファンタジーⅣ』のゴルベーザ四天王、『ストリートファイター』のシャドルー四天王など、挙げれば枚挙にいとまがありません。基本的には「４人の実力者」を指していいますが、どちらかというとダークサイド（後に寝返る者も含めて）のキャラクターに対して使われることが多い傾向があります。

［注１］酒井忠次、本多忠勝、榊原康政、井伊直政の４人の武将。

［注２］山県昌景、高坂昌信、馬場信春、内藤昌豊の４人の武将。

複数の神々からなる十二神将と八部衆

四天王の他にも、**十二神将**や**八部衆**といった大勢の神々で構成されるグループがあります。十二神将は薬師如来に従う守護神で12体の武神からなるもの。各神に干支を当てはめ、それぞれが「干支の方角や時間を守っている」という説もあります。創作作品の『強殖装甲ガイバー』では、この十二神将が敵組織クロノスの幹部として登場しました。一方、八部衆は釈迦如来を守る神々で、その中には闘神の阿修羅や鬼神の夜叉などがいます。これらをモチーフとした創作作品に『アシュラ』や『犬夜叉』などがあるように、おどろおどろしいイメージのある神といえるでしょう。

■天部の代表的な神々

名前	
梵天	インド神話の神ブラフマーが仏教に取り込まれたもの。帝釈天とともに仏教の二大神とされる
帝釈天	インド神話の神インドラが仏教に取り込まれたもの。梵天とともに仏教の二大神とされる
大黒天	インド神話の神シヴァが仏教に取り込まれたもの。日本では七福神の一柱で、豊穣の神として信仰されている
弁才天	インド神話の女神サラスヴァティーが仏教に取り込まれたもの。日本では七福神の一柱で、財宝の神として弁財天と呼ばれることも
吉祥天	インド神話の女神ラクシュミーが仏教に取り込まれたもの。幸福や美の女神とされる
韋駄天	インド神話の神スカンダが仏教に取り込まれたもの。盗難除けの神とされ、それが転じて足の速い人を意味する言葉にもなっている
摩利支天	インド神話の女神ウシャスが仏教に取り込まれたもの。必勝祈願の神とされる
金剛力士	仏法を外敵から守る神。恐ろしい形相をしており、阿形と吽形の2体で構成される。仁王とも呼ばれる
四天王	帝釈天に仕える4柱の神。持国天、増長天、広目天、多聞天がいる。それぞれ東・南・西・北の四方を守護する
八部衆	釈迦如来を守る8柱の神。天、龍、夜叉、乾闥婆、阿修羅、迦楼羅、緊那羅、摩睺羅伽がいる
十二神将	薬師如来に仕える12柱の武神。干支が当てはめられ、「子丑寅卯辰巳午未申酉戌亥」の順に毘羯羅大将、招杜羅大将、真達羅大将、摩虎羅大将、波夷羅大将、因達羅大将、珊底羅大将、頞儞羅大将、安底羅大将、迷企羅大将、伐折羅大将、宮毘羅大将がいる。なお、干支の割り当て方には諸説がある

創世神話と深い関わりを持つ存在

巨人（きょじん）

関連
童話（昔話）→P.82

世界各国に伝わるさまざまな巨人伝説

巨人とは、人の数倍から数十倍、ときには数百倍の大きさを誇る、**人の形をした伝説の生き物**です。その圧倒的な大きさから、恐怖や悪者というイメージを思い浮かべる人が多いと思います。それは巨人を題材にした多くの作品からも読み取ることができます。イギリスの童話『ジャックと豆の木』では、主人公のジャックを脅かす敵役であり、漫画『進撃の巨人』では、人類を捕食するおぞましい姿で描かれています。とくに後者の作品は、目の前の人間を見境なく襲う知性の低さや、嬉々として人を食い殺す残忍さなど、私たちが巨人に抱くさまざまな負のイメージが詰め込まれています。

そもそも巨人は、いにしえの時代から続く伝承に登場する存在です。オリュンポス十二神[注1]の祖先であるギリシア神話の**ティターン**や、霜の巨人を生み出した北欧神話の**ユミル**など、世界の創世神話に関わっている者もいれば、『旧約聖書』の**ネフィリム**や**ゴリアテ**といった人との関わりが描かれている巨人もいます。性格は十人十色で、凶暴な者や敵対的な者もいますが、中には友好的だったり、世界の創造に貢献したりした善良な巨人も数多くいるのです。恐らく我々が抱く負のイメージは、巨人の伝承が伝わっていく中で、人々の巨人像が徐々に変化していったために生まれたものなのかもしれません。

[注1] ギリシア神話に登場する12人の神々のこと。ゼウスやポセイドン、アルテミスといった、誰もが一度は聞いたことがある有名な神が属している。

■巨人族一覧

名称	登場する神話・伝承	概要
ティターン	ギリシア神話	大地の神ガイア（母）と天空神ウラノス（父）の子どもたちで、ティターン12神と呼ばれています。とくに有名なのは神ゼウスの父であるクロノス。彼はガイアの命を受け、ウラノスの性器を切断して王位を奪いますが、自身も同じように我が子に王位を奪われると思い、子どもたちを飲み殺します。このときに唯一生き残ったゼウスが、のちにティタノマキアと呼ばれる戦いで、クロノス率いるティターンと対峙。戦いはゼウスが勝利し、クロノスと彼に加担したティターンはタルタロスに幽閉されました。
ギガス	ギリシア神話	クロノスがウラノスの性器を切り落とした際に流れ出た血が大地に降り注ぎ、それを浴びたガイアが妊娠して生まれた巨人族とされています。自身が生まれたプレグラという大地の上であれば、死ぬことのない能力を持ちます。タルタロスに幽閉されたティターンを救うために、ゼウスと英雄ヘラクレスに挑みますが、ギガスの大将であるアルキュオネウスがプレグラの地の外で殺され、そこからギガスたちは総崩れ。最後は火山の下敷きにされたといわれています。
ヘカトンケイル	ギリシア神話	五十の頭と百の頭を持つ醜悪な姿をした巨人族。大地の神ガイアと天空神ウラノスの子どもで、ティターンやキュクロプスの兄弟にあたります。醜悪な容姿のせいでウラノスに奈落へと追いやられますが、のちにゼウスに救出され、ティタノマキアでクロノス率いるティターンと戦いました。
キュクロプス	ギリシア神話	大地の神ガイアと天空神ウラノスの子どもで、ティターンやキュクロプスの兄弟にあたります。容姿のせいでヘカトンケイル共々、奈落に落とされますが、ゼウスによって救出されます。ティタノマキアでは鍛冶の才能を活かしてゼウス軍の武具量産に奮闘。終戦後も神々の武具を作る役目を担っていました。
ユミル	北欧神話	ユミルの体から複数の霜の巨人が誕生し、それらが結婚して新たな巨人が生まれることになります。その中のひとりで、女性の巨人ベストラが原初の神ブーリの息子であるボルと結婚し、オーディンやヴィリ、ヴェーといった神々が誕生したのです。
ヨトゥン	北欧神話	ユミルの末裔。神々との対立が絶えず、ラグナロクと呼ばれる最終戦争に発展します。神々とヨトゥンは相打ちで力尽き、その戦いの炎が世界樹ユグドラシルに燃え移り、世界は焼き尽くされたとされています。
フォモール族	ケルト神話	ケルト神話に登場するアイルランドに古くから来訪している巨人で、睨まれた者は絶命するという魔眼の持ち主。姿に関しては諸説ありますが、半人半獣といわれています。アイルランドに侵入するあらゆる神々と戦い、勝利を収めますが、ケルト神話唯一の神族ダヌーに敗北してアイルランドを追われることとなります。
ネフィリム	旧約聖書	人間と堕天使（ウォッチャー）のあいだに生まれた巨人族。人間の食料と人間そのものを食い荒らし、地上を血に染めてしまいます。それに胸を痛めた神は人間を創ったことを後悔し、ノアの家族だけを残して地上の生き物を全滅させました。
ゴリアテ	旧約聖書	ペリシテ人の巨人兵士。イスラエル軍に食料を届けに来た羊飼いのダビデと決闘した際、ダビデが放った石が額に命中して倒れ、その隙に奪われた剣で首を切断されてしまいます。ゴリアテが戦死したため、ペリシテ陣営は総崩れとなり、のちにイスラエル軍は勝利を収めます。
長人	中国の伝承	中国の伝承に登場する、9～12メートルほどの長身の種族。暴風で漂流した中国人がとある島で出会ったとされています。
ダイダラボッチ	日本の伝承	日本の伝承に登場する巨人で、国づくりの神に対する巨人信仰によって生まれたといわれています。甲州の土を盛って富士山を作り上げたり、ダイダラボッチがついた大きな手跡に自身の涙が流れ込んで浜名湖が生まれたりなど、さまざまな伝承が残っています。
エティン	スコットランドの伝承	気性の荒い凶暴な性格で、ひとつの体に複数の頭を持っています。強力な嗅覚と魔力を有しており、人間を好んで食べていたとされています。

曲者揃いの悪魔たちを支配する王

サタン（ルシファー）

関連
ベリアル →P.70
ベルゼブブ →P.71
七つの大罪 →P.72

もともとは神の忠実な部下

サタン[注1]とルシファー[注2]といえば、名だたる悪魔・天使の中でもとくに有名な存在で、その認知度の高さから多数の創作作品に登場しています。元々**サタン**は、神の命令を受けて人々に試練を与える役目を担う神の使者でしたが、神に逆らい堕天し、悪魔の王となりました。すべての悪の根源とされており、地獄の支配や、人々を誘惑して悪の道に引きずり込む悪事を働きます。

対して**ルシファー**は、高いカリスマ性や神々しく輝かしい姿を併せ持つ天使で、大天使ミカエルの兄弟でもあります。また、神[注3]からもっとも信頼されており、階級は上級第一位の天使、熾天使（セラフィム）[注4]の更に上であったとされています。

『聖書』によると、かつて神の使者だったサタンは、固有名詞ではなく、“役職”または“称号”のようなものであり、この役目を担っていたのが、ルシファーといわれています。そのため、サタンとルシファーを同一視する説が多いのです。

[注1] 七つの大罪では「憤怒」の悪魔とされている。サタンと別の悪魔を結びつけるとき、ルシファーではなく、ベリアルやサタナイルの名を上げることもある。

[注2] ルシフェル（ラテン語ではルキフェル）とも呼ばれている。七つの大罪では「傲慢」の悪魔とされている。

[注3] ユダヤ教の唯一神ヤハウェのこと。イスラム教ではアッラーと呼ぶ。

[注4] 天使の位階のひとつ。神学者であるディオニシウス・アレオパギタの著作『天上位階論』では、もっとも上位に位置する存在とされる。

同一視されるサタンとルシファー

サタン＝ルシファー説を有力なものとしたのが、『旧約聖書』の『創世記(そうせいき)』[注5]を題材としたイギリスの叙事詩『失楽園(しつらくえん)』です。神に反逆して天界を追われたルシファーが地獄の王となる姿や、本来サタンが行ったとされる、最初の人間アダムとイヴへの誘惑をルシファーが行う様子が描かれています。また、作中では、一部の堕天使の来歴も記されており、のちの堕天使像に多大な影響を与えました。

[注5] ユダヤ教、キリスト教の聖典。天地創造神話から始まり、アダムとイヴの楽園追放やノアの方舟などについて記されている。

サタンが魔王になった経緯

かつてはサタン以外にも複数の魔王伝説が存在しましたが、のちに複数の魔王伝説が融合。**『新約聖書』**では、悪魔を統べる新たな魔王像として、サタンが選ばれたのです。

■**魔王サタンの誕生過程**

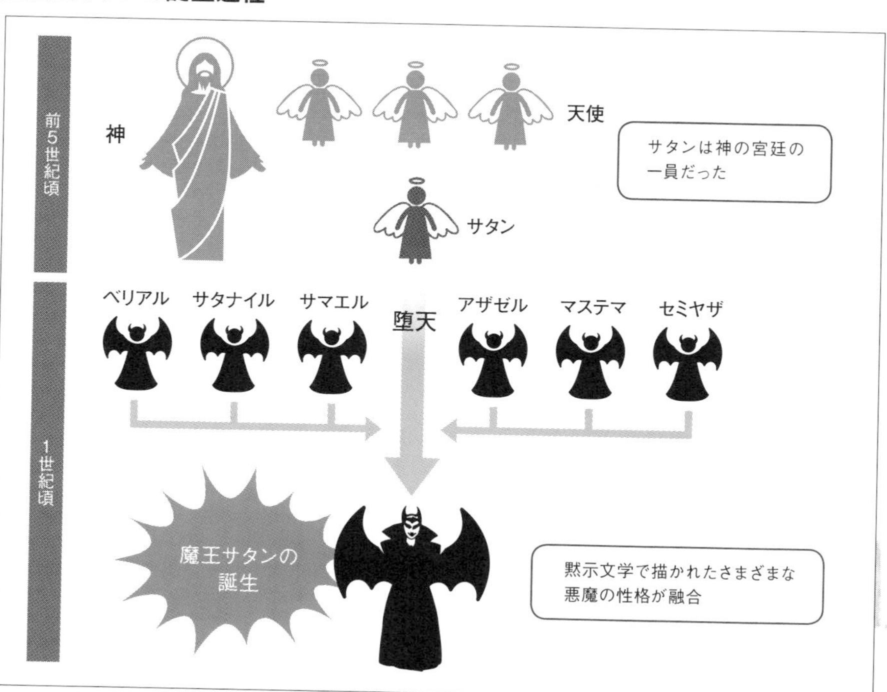

炎の戦車で空を翔る堕天使

ベリアル

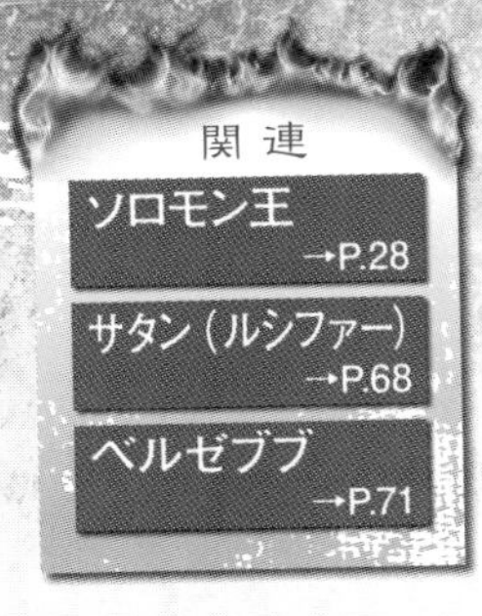

美しい姿をした邪悪の化身

ベリアルは神がルシファーの次に創造したとされる「力天使」で、天界から追放されたのち、ソロモン王に仕える72柱の悪魔の１体となります。その名前には「**無価値**」や「**邪悪**」という意味があり、ユダヤ教やキリスト教では悪の代名詞とされています。「大悪魔」や「地獄の君主」の異名を持ち、サタン（ルシファー）と同一視する声も多いです。

『旧約聖書』の偽典『十二族長の遺訓』[注1]によると、ベリアルは古代イスラエルのユダ王国14代国王マナセに近づき、その魂に憑依して、ユダヤ教に反する数々の悪行を行います。宗教的に禁止されていた偶像崇拝を復活させ、神の言葉を王やイスラエルの民に伝える預言者だったイザヤを殺害。ユダヤ教徒を迫害して都を混沌へと陥れたのです。さらに、死海付近にあったソドムとゴモラの町に、あらゆる悪を蔓延させたのもベリアルの仕業でした。

また弁舌に優れているベリアルは、イエス・キリストを相手に訴訟を起こしたこともあります。ベリアルは神に対し、「キリストが地獄の領地を侵している」と主張。訴えを聞き入れた神は、裁判[注2]を行いました。この裁判には、裁判官として**ソロモン**、キリストの弁護人として預言者**モーセ**が参加しています。結果的にベリアルは敗訴しますが、一部の主張が認められ、地獄に堕ちた人間をサタンが支配する権利を勝ち取っています。

[注１] 別名『悪魔の書』と呼ばれる魔術書。ソロモン72柱の召喚方法や悪魔の使役方法について書かれている。

[注２] 裁判中にベリアルは、ソロモンの機嫌を取るために彼を褒め称え、踊りを披露している。この行動のおかげによるものかは定かではないが、地獄に堕ちた人間を支配するという主張が認められている。これによりベリアルは地獄での地位をさらに高めた。

“暴食”を司るハエの統率者

ベルゼブブ

関連

サタン（ルシファー）→P.68

ベリアル→P.70

七つの大罪→P.72

本来は“高き館の主”という名誉ある名を持っていた

ベルゼブブは、サタン（ルシファー）に比肩するほどの力と権力を持っているキリスト教の悪魔です。七つの大罪においては、「**暴食**」の悪魔とされています。ベルゼブブの名前は、ヘブル語で「**ハエの王**」という意味があり、世界中のあらゆるハエを使役し、そのハエを使って地上の作物を食い荒らしたり、人々に疫病をまき散らしたりするといわれています。

ベルゼブブといえば、巨大なハエの姿を連想する人が多いでしょう。これは1818年に発行された『地獄の辞典』[注1]に掲載された姿が広まったものとされており、人気ゲーム『真・女神転生』シリーズでは、魔王の名を冠する巨大なハエとして登場しています。一方、ソーシャルゲーム『モンスターストライク』では、醜悪なハエとは対照的に身分の高い王様のような姿で描かれています。作品によってなぜここまで印象が大きく異なるのかというと、ベルゼブブは本来「**高き館の主**」または「**気高き主**」の意味を持つ「**バアル・ゼブル**」というペリシテ人の豊穣神[注2]でした。当時のユダヤ教徒（ヘブライ）が異教を排斥するために、高位の「**ゼブル**」をハエの「**ゼブブ**」に置き換えて『旧約聖書』に記したことから、現在では気品溢れる高貴な王と、疫病をもたらすハエの王というふたつのイメージが存在しているのです。

[注1] フランスの文筆家コラン・ド・プランシーの著書。悪魔学や占い、迷信、それらに関連した人物のエピソードなどをまとめた辞典である。この挿絵にハエの姿をしたベルゼブブが掲載された。イラストはフランスの画家ルイ・ル・ブルトンによるもの。

[注2] 恵みの雨を降らせるという慈雨の神として崇拝されていた。『旧約聖書』にベルゼブブと記されたのち、『新約聖書』では「悪魔の頭領」と記載された。これにより悪魔として認知されることになった。

人間誰しもが持つ内なる罪

七つの大罪

関連
サタン（ルシファー） →P.68
ベルゼブブ →P.71
悪魔 →P.118

人間を罪に導く7つの要素を指す言葉

「七つの大罪」とは、キリスト教において人々に罪を犯させると見なされた行動や感情、欲望などのことで、「七つの罪源」とも呼ばれます。元は4世紀にエジプトのポントスで活動していた修道士エウァグリオス・ポンティコスが、修行の中で修道士を悩ませる誘惑を分析。そこで判明した想念を、著作『修行論』に掲載したのが、七つの大罪のルーツとされています。これは『聖書』には記されていませんが、司祭が信徒に対して説く教えをまとめた書物『教会のカテキズム』に記載があります。

罪とされるのは「**傲慢**」「**嫉妬**」「**憤怒**」「**怠惰**」「**強欲**」「**暴食**」「**色欲**」の7つで、一般的には重大とされる順に並んでいます[注1]。大罪と聞くと仰々しく感じますが、「仕事のやる気が出ない（怠惰）」や「圧倒的な権力や富が欲しい（強欲）」など、私たちがつねに感じている些細な想念です。また、犯罪的な罪とは異なり、罪を犯す動機の根源でしかないので、「これらの感情や欲望を抱いた時点で罪になる」という訳ではありません。

アニメ『七つの大罪』ではこれらの想念にまつわる罪を犯したキャラクターたちが登場しており、人間性を魅力的に描くひとつのアクセントになっています。また、ライトノベル『境界線上のホライゾン』では、大罪の感情を内包した「大罪武装」と呼ばれる兵器が登場しています。

[注1] もっとも重大なのは「傲慢」であり、かつてルシファー率いる一部の天使が神に反逆したのも、人間が生まれながらに罪を背負っているという概念「原罪」は、どちらも「傲慢」から生まれたものだと考えられている。

七つの大罪とは?

「七つの大罪」が悪魔と関連づけられた背景には、人間が過ちを犯すのは悪魔が欲望を刺激しているため、という考え方があるようです。この関連づけは悪魔学が盛んになり始めた15世紀のヨーロッパで多く見られた魔術書などで度々引用され、世に広まったとされています。

■七つの大罪

罪源	主な理由	対応する悪魔
傲慢（pride／プライド）	高慢な者は誰からも愛されないし、神は特にこれを嫌うと言います。高慢な者は他者を軽んじ、自分より優れたものをなかなか素直に認められなくなり、それはやがて、神への不信にも発展する可能性があるのです。	ルシファー
嫉妬（envy／エンヴィー）	嫉妬や妬ねたみという感情は、恐ろしい怪物と表現されることもあります。一度それを感じ始めると、原因となる状況が改善されるまでなかなか離れなくなることも。何より、他人の不幸を見て喜ぶことは神の意思に反するのです。	レヴィアタン
憤怒（wrath／ラース）	憤怒は神経をかき乱し、本人だけでなく周囲の人をも苦々しい気分にさせます。また、一度燃え上がると抑えにくくなる強い感情でもあり、神に禁じられている他人を傷つける行為に及んでしまうこともあります。	サタン
怠惰（sloth／スロース）	怠惰は人間から活力を奪ってしまいます。活力を失った人間は、外界への関心を失ったり、愛情を外へ向けられなくなることも。やがて絶望を感じて神に見放されたと思いこみ、神に背くことになるのです。	ベルフェゴール
強欲（greed／グリード）	ここでいう欲は、主に金銭や富に対するものです。欲に取りつかれた者は、名誉や礼儀、恥はおろか神の命令についても考えなくなります。そもそも、聖書では十戒において無闇に欲しがることを禁じています。	マモン
暴食（gluttony／グラトニー）	暴食は、自身はおろか神の存在すら忘れさせてしまう行動です。また、肥満になると動くのが億劫になるので、怠惰に陥おちいりやすくなることも考えられます。	ベルゼブブ
色欲（lust／ラスト）	性欲は生物に備わった本能だが、それゆえに衝動も強く、強すぎる色欲は身体の衰弱や犯罪に繋がります。もちろん色事を一切経てというわけではなく、過度な色欲を戒めているということです。	アスモダイ

※悪魔との対応は、ドイツの悪魔学者ペーター・ビンスフェルトのもの。

七つの大罪の元となった「八つの枢要罪」

前述したエウァグリオスの『修行論』には、他にも「**虚栄**」「**強欲**」「**怠惰**」「**憤怒**」「**色欲**」「**暴食**」「**悲嘆**」「**傲慢**」の８つの相念があり、元々は「**八つの枢要罪**（すうようざい）」と呼ばれていました。のちに６世紀のローマ教皇グレゴリウス1世や13世紀の神学者トマス・アクィナスによって、相念数の減少や入れ替えが行われ、時代の流れとともに少しずつ、大罪の内容が変化していきました。そして、キリスト教会のカテキズムでそれらが見直され、現在の種類と順番が定着化したのです。

悪を罰する炎の天使

ウリエル

ローマ教会の都合で堕天するハメに

「神の火」の意味を持つウリエルは、罪人である死者の魂を罰する炎の天使で、4大天使[注1]のひとりです。自ら地獄に赴き、罪人や不信心者らを灼熱の炎で焼き、責め苦を与えるという役目を担っています。さらに噴火や地震、洪水といった自然現象を操る能力を持ち、人々に預言や警告を告げることもありました。**「ノアの方舟」**で有名な預言者ノアに、大洪水に備えて方舟を準備するように伝えたのもウリエルといわれています。

ウリエルにまつわるエピソードでもっとも有名なのが、天使に化けたサタンを看破した話です。天使に化けたサタンがエデンの園への侵入を試みた際、いち早くその正体を見破り、阻止したといわれています。その**観察眼**をガブリエルに賞賛されるなど、ウリエルは他の大天使からも一目置かれる存在でした。

しかし、現在では堕天使としてもその名が広まっています。745年にローマ教会が『聖書』に記載されているガブリエル、ミカエル、ラファエル以外の天使への信仰を禁止[注2]したためです。この後、大天使であるウリエルは不名誉なことに堕天使と見なされてしまったのです[注3]。このような理不尽なエピソードにより、ゲームやアニメでは神の遣いとしての天使ではなく、堕天使または闇落ちした天使として描かれるケースも少なくありません。

[注1] ユダヤ教やキリスト教、イスラム教においての神の遣い。その中でも強大な力を持つガブリエル、ミカエル、ラファエル、ウリエルのことを4大天使と呼ぶ。ウリエルを除いた3人を「3大天使」と呼ぶこともある。

[注2] キリスト教は唯一神のみを信仰する宗教なのだが、民間でウリエルを含めた複数の有名天使を信仰する動きが盛んに行われていた。それを抑制するためにローマ教会は、『聖書』の聖典に記載されている3体のみを天使と認定した。

[注3] 現在は天使ではなく「聖人」という扱いになっている。

淫魔としても知られる夜の魔女

リリス

アダムの妻でリリンの生みの親

リリスとは、イヴよりも先に神によって創られたといわれる女性です。エデンの園でアダムの妻として毎日100人の**リリン**（**子ども**）を産んでいましたが、アダムとそりが合わなくなった[注1]ため、自らの意思でエデンの園から去ってしまいます。その後、リリスを連れ戻しにやってきた３天使（サンセノイ、セノイ、セマンゲロフ）に「エデンに戻らなければ、お前が産んだリリンたちを殺す」と脅されますが、リリスはこれを拒み、悪魔となる道を選んだのです。その後、神はアダムの次の妻としてイヴを創ることとなります。

悪魔のリリスは、妊婦や子どもに害をなすと同時に、男性を誘惑する存在としても知られていますが、これらのイメージはメソポタミアの悪霊で乳児を誘拐するラマシュトゥや、底知れぬ性欲を持つアルダト・リリなどの伝承が影響しているようです。ちなみに男性を誘惑して吸い取った精力で悪魔を産んでいるといわれており、リリスから生まれた悪魔を**リリム**[注2]と呼びます。

人気ゲーム『ファイナルファンタジー』や『パズル＆ドラゴンズ』など、数多くの作品で男性を惑わす淫靡な悪魔（魔女）として描かれることが多いリリスですが、『新世紀エヴァンゲリオン』では人類（リリン）を産んだ第２使徒として登場しています。

［注１］アダムとそりが合わなくなったのは「平等の存在」として認めてもらえなかったことが原因とされている。そのため現代では、リリスが男女平等やフェミニストのシンボルにもなっている。

［注２］リリスと同じように男性を誘惑して精力を吸い取る能力を持つ。しかもリリムに襲われると二度と人間の女性を愛せなくなるともいわれる。

人間を堕落させる淫魔

サキュバス

睡眠中の人間を襲って性欲を満たす

サキュバスといえば、格闘ゲーム『ヴァンパイア』のモリガン・アーンスランドや、異世界転生を題材にした作品『オーバーロード』のアルベドの元ネタとされる悪魔です。日本では「**夢魔**」や「**淫魔**」と訳されます。夢を利用して人間に近づき、悪事を働くキリスト教の悪魔の一種で、容姿が女性のものを「**サキュバス**」、男性は「**インキュバス**」と呼びます。なお、サキュバスの名はラテン語で「下に寝る」、インキュバスは「のしかかる」を意味します。

サキュバスは寝ている男性を誘惑して交わり、精液を奪い取ります。その際、男性が理想とする異性の姿で現れるため、この誘惑を拒むのは一筋縄ではいかないようです。対してインキュバスは睡眠中の女性を襲い、悪魔の子を妊娠させるといわれています。また、一方ではサキュバスとインキュバスは同一の悪魔であり、自身は生殖能力を持たないという説[注1]もあるようです。

サキュバスに関する伝承[注2]は、おもにキリスト教圏内に多く残っています。これはカトリックが不純な性交による快楽を厳しく律するために、サキュバスを不純性行の象徴として伝えていたからとされています。ちなみにイスラム教では、性交神から報酬をもらえるという善行だと見なされているため、キリスト教のように性交が規制されることはありませんでした。

[注1] サキュバス・インキュバス同一説では、サキュバスの姿で男性から精液を奪ったのち、インキュバスに変身して奪った精液を女性に注入。無理矢理妊娠をさせるといわれている。他にもサキュバスの容姿は醜悪で、幻覚や魅了で美しい姿を見せているといった説もある。

[注2] 伝承の中には「サキュバスの膣内は氷の洞窟のようだ」という記述も見られる。さまざまな方法で人々から不純な性交を切り離そうとした名残なのかもしれない。ちなみに当時、夢精はサキュバスの仕業とされていた。

世界の崩壊を指す言葉

終末（しゅうまつ）

関連
イナゴ
→P.126

宗教ごとに異なる終末論

何世紀にも渡って続いてきた歴史が、ある日突然崩壊して世界が無に帰する日が訪れる、という思想のことを「**終末論**」または「**終末思想**」[注1]といいます。こうした世界の終わりを予言した言葉が「**終末予言**」です。

宗教視点での終末論には、終末を防ぐにはどうすればいいのか、または終末の時に救われる方法が記されており、信者に善行を促す目的で浸透したものとされています。キリスト教、ユダヤ教、イスラム教では「**最後の審判**」が終末論として共有されており、世界の終焉が訪れたのち、人間の生前の行いを審判して天国と地獄に振り分けるとされています。ゾロアスター教も「最後の審判」を終末としていますが、キリスト教などとは異なります。こちらは死者が全員復活したのち、天から降り注ぐ彗星によって鉱物が溶解し、死者を飲み込みます。善人は熱さを感じず、悪人は熱さに悶え苦しみ、これが3日間続いたのち、悪人の罪は浄化されて全員が新たな理想世界に生まれ変わるというものです。現在の仏教には終末論[注2]はありませんが、人間は死ぬと来世で新たな生命へと転生する「**輪廻転生**（りんねてんしょう）」[注3]の考えがあり、現世での行いが来世に大きな影響を与えるといわれています。ちなみに一時期、世間を賑わせた「**マヤの予言**」や「**ノストラダムスの大予言**」といったものも終末予言のひとつでした。

[注1] 宗教における終末思想は、神やそれに類する絶対的な力をもつ存在が人類を裁くというもので、その多くは「信者だけは救済される」のが定形である。

[注2] かつては「末法思想」というものがあった。釈迦の死後、1500年（または2000年）後に末法の世が訪れ、争いや邪見がはびこり、仏教が力を失うという思想である。ちなみに末法の世は平安時代の後期にあたる。

[注3] 現世での行い「引業」によって転生後の世界「六道」が決まる。悪い行いをすると、六道の中でもとくに苦しい世界とされる、地獄、餓鬼、畜生のいずれかに転生させられるといわれる。

正統から外れたことを指す言葉

異端（いたん）

関連
社寺・教会
→P.138

いまもなお続く異端の存在

いい意味で常識にとらわれず、挑戦する人間を「**異端児**」と呼びますが、宗教における「異端」は、正統な信仰とは異なる誤った信仰を行うことであり、決して歓迎されるものではありません。古くから宗教と異端は切っても切れない関係なのです。なお、異端という概念は、同一の宗教における考え方で、たとえばキリスト教徒から見て仏教は「異教」であり、異端とは区別されます。また、近年では「カルト宗教」と呼ばれる宗教もありますが、これは「少数派の熱狂的支持を集める信仰」を指し、異端と似た部分はありますが、やはり本質的には違うものです[注1]。

かつては、人々が異端者を告発し、審問官がその是非を問う「**異端審問制度**（いたんしんもんせいど）」がありました。ローマ教皇グレゴリウス9世が本格的に運用を開始し、修道会のドミニコ会員を審問官として各地に派遣。彼らは熱心なキリスト教信者で異端の徹底した撲滅を目指していました。そのため疑いをかけられた者の多くが、異端と見なされ、次々と迫害されたのです。

[注1] 異端という言葉は、ユダヤ、キリスト、イスラムの各宗教で用いられることが多い。なお、釈迦の教えを説く仏教では教えに従うことを「内道」、教えから外れることを「外道」という。

復讐を司る女神

エリュニス

関連
巨人
→P.66

侮辱や暴行の罪を犯した者

エリュニス（エリニュエス）とは、ウラノスの血[注1]が大地ガイアに降り注いで生まれた、復讐を司るギリシアの女神たちです。**アレクト**（**止まらぬ者**）、**ティシポネ**（**殺戮する者**）、**メガイラ**（**妬む者**）の3女神がおり、ティターン神族の血族にあたります。また、彼女たちは醜悪な姿で、ムチや松明を携えているのも特徴のひとつです。

エリュニスの役割は、侮辱や暴行の罪を犯した者を徹底的に追求し、厳しく罰することです。ときには冥界タルタロスの重罪人を制裁することもあります。

エリュニスにまつわる有名なエピソードとして、暗殺された父の仇を討つために実母のクリュタイムネストラを殺したオレステス[注2]の話があります。エリュニスたちは、母殺しの罪を犯したオレステスをどこまでも追い回し、狂気に追いやりました。のちに法廷アレイオパゴスでオレステスに無罪判決が下りますが、エリュニスらはそれを受け入れようとしませんでした。その際に女神アテナが「エウメニデス（慈しみの女神）」の地位と、アテナイにあるコロノスの森という神域を与え、エリュニスたちをなだめたといわれています。

また、復讐の女神であるエリュニスの名を口にすることは躊躇うべきとされており、それを避けるためにエウメニデスと呼ぶようになったという説もあるようです。

[注1] ウラノスは、実子のキュクロプスやヘカトンケイルが醜悪な容姿をしていたため、奈落へと追いやった。これに激怒したガイアはクロノスに命令して、ウラノスの性器を切断させた。このときに流れ出た血によってエリュニスや、巨人のギガスが生まれたとされる。

[注2] 当初、オレステスは実母を手に掛けることを躊躇い、アポロンの神託にその是非を問おうとした。しかし、姉のエレクトラから無念を晴らすことを勧められ、仇討ちを決意する。のちにエリュニスの復讐から解放されたオレステスは神託を授かり、死を迎えるまでアルゴスやスパルタの地を治めることとなる。

北欧神話に登場する戦乙女

ヴァルキュリア

関連
天国・極楽
→P136

勇敢な戦死者を天界へと連れて行く

ヴァルキュリアは、北欧神話に登場する主神オーディン[注1]の命令で戦場に遣わされる女性たちの呼称で、**ワルキューレ**（**ドイツ語**）や**ヴァルキリー**（**英語**）と呼ばれることもあります。ヴァルキュリアといえば、騎士の鎧と羽根のついた兜を身につけ、剣と盾、もしくは槍を携え、飛行能力を持つ馬に跨がって戦場を駆ける姿が有名です。この姿はノルウェーの画家ペーテル・ニコライ・アルボの『ワルキューレ』をはじめとした数多くの絵画に描かれており、そこから「**戦乙女**」や「**盾乙女**」という表現が用いられるようになりました。

13世紀、アイスランドの詩人スノッリ・ストゥルルソンの教本『スノッリのエッダ』[注2]の第一部『ギュルヴィたぶらかし』によると、ヴァルキュリアは戦場で戦う人々の「**死の色**」を見て戦いの勝敗を決め、戦死者の魂を天上にあるオーディンの館たるヴァルハラに導くといわれています。招かれた戦士たちには、豪華な料理が振る舞われるそうです。

[注1] 北欧神話に登場する主神にして、戦争と死の神。世界樹ユグドラシルの根元にあるミーミルの泉の水を飲んで魔術を会得するが、その代償として片目を失った。

[注2] 北欧の神話や伝説をひとつながりの物語にした詩の教本。『ギュルヴィたぶらかし』『詩語法』『韻律一覧』の三部構成で、それぞれの物語は独立している。

戦死者を導く目的とは

彼女たちヴァルキュリアが戦死者をヴァルハラへと導くのは、北欧神話における終末の戦い「**ラグナロク**」において、オーディンの兵士「**エインヘリヤル**」として戦う者を集めるためです[注3]。北欧神話を題材としたRPG『ヴァルキリープロファイル』では、主人公のヴァルキュリア、レナスがまもなく死を迎える戦士たちの声を聞き、仲間に加えたのちにヴァルハラへと送るという、北欧神話の伝承がそのままシステムとして採用されています。

ちなみにラグナロクでは、エインヘリヤルやヴァルキュリアを従えたオーディンが前線に登場し、狼の姿をした巨大な怪物**フェンリル**と対峙します。激闘の末、オーディンはフェンリルに飲み込まれて命を落としますが、その後オーディンの息子ヴィーザルがフェンリルの体を引き裂いて父の仇を討つのです。また、この戦い以外にも、雷神トールVS大蛇ヨルムンガンドや、豊穣の神フレイVS炎の巨人スルトといった名だたる神と怪物が激闘をくり広げます。

[注3] オーディンを信仰していた北欧の戦士たちは、戦死してヴァルハラに連れていかれることを最大の名誉と考え、病気や老いで死ぬ前に戦死しようと、あえて戦場に出続ける者もいたという。

ヴァルキュリアの恋愛話も有名

北欧神話の物語集『エッダの詩』の一説『シグルドリーヴァの歌』には、ヴァルキュリアにまつわる悲恋の物語が描かれています。オーディンの意に背き、神の怒りに触れたヴァルキュリア、シグルドリーヴァは神性を奪われ、眠りのトゲで拘束され、炎に包まれた山の頂で眠らされてしまいます。しかし、英雄シグルドに救出され、やがてふたりは結ばれますが、最後には死に別れてしまいます。

『フンディング殺しのヘルギの歌』にも悲恋を宿命づけられた者たちが描かれています。ヴァルキュリアのシグルーンには、婚約者がいましたが、戦士ヘルギと恋に落ちます。ヘルギは婚約者を戦で殺しますが、その最中シグルーンの父も戦死し、シグルーンの弟が父の仇であるヘルギを討ち取ります。父と愛する者を同時に失い、悲嘆に暮れたシグルーンは後を追って自ら命を絶ちますが、のちにヘルギと共に転生。しかし、ふたりとも戦で再び命を落としてしまうのです。

古くから伝わる多彩な物語

童話（昔話）

現代の童話は子ども向けに改変されたもの

童話と昔話は子どもが読む、または聞くために作られた民話や伝承、創作された物語のことを指します。いずれも子どもに言葉や文字を学ばせたり、想像力や価値観を育てたりする目的があります。また、それらの物語にはその後の人生に役立つ**教訓**が盛り込まれていることも少なくありません。たとえばイソップ寓話の『**うさぎとカメ**』は、うさぎがカメの足の遅さに油断して競走中に寝入った結果、本来勝てるはずの競走に負けてしまう物語です。これには“油断するとチャンスを逃すこともある”や“努力すれば大きなチャンスを得られる”、もしくは“その努力が報われる”などの教訓が盛り込まれています。このように子どもの教育に大切な童話と昔話ですが、その原典には、子ども向けとはいえないような残酷な話や奇怪なものもあります。

『シンデレラ』の元ネタである『グリム童話』[注1]の『**灰かぶり**』では、シンデレラの意地悪な姉たちがガラスの靴を履くためにつま先やかかとを切り落とし、強引に王子様を奪い取ろうとします。さらに物語のラストでは、シンデレラへの仕打ちの報いとして姉たちの両目をくり抜いてしまうのです。いじめや差別に対する教訓ともいえますが、子どもに聞かせるには残酷すぎますよね。こうした経緯もあり、近年の童話や昔話は子どもたちに安心して読み聞かせられるように改変されたものになっています。

[注1] グリム兄弟が編纂したドイツのメルヒェン（昔話）集。『いばら姫』『白雪姫』『ヘンゼルとグレーテル』『ラプンツェル』といった有名な物語が多数収録されている。

■童話・昔話の意外な小ネタ

童話　赤ずきん

『ペロー童話集』の元となった民話では、お婆さんに扮したオオカミが赤ずきんを騙して、お婆さんの血と肉を食べさせます。その後、赤ずきんは小鳥から「あなたが食べたのはお婆さん」と聞かされるという陰鬱な展開があります。

童話　ガリヴァー旅行記

アイルランドの風刺作家が書いた風刺小説で、小人の国の争いは当時のイングランド教会とカトリック教徒の諍いを、巨人の国での冒険はイギリスの政策を皮肉ったものでした。ちなみに『ガリヴァー旅行記』の正式名称は、『船医から始まり後に複数の船の船長となったレミュエル・ガリヴァーによる、世界の諸僻地への旅行記四篇』です。

童話　シンデレラ

『グリム童話』の『灰かぶり姫（アシェンプテル）』では、ガラスの靴を履くためにシンデレラの長女はつま先、次女はかかとを切断し、無理矢理履こうとしています。その後、シンデレラと王子様の結婚式で、長女と次女は白鳩に両目をくり抜かれるというショッキングな結末を迎えます。

昔話　浦島太郎

『日本書紀』の『浦嶋子』では、亀を釣っていた青年・浦嶋子（浦島太郎）がうたた寝をすると、釣り上げていた亀が絶世の美女・亀姫に変身。浦嶋子を常世へと連れて行き、そこでふたりは結婚するという物語が展開されます。子どもたちにいじめられていた亀を助けるシーンは、後の時代で新たに書き足されたものです。

昔話　桃太郎

古くから伝わる伝承では、桃を食べて若返ったお爺さんとお婆さんが、桃太郎を出産。その桃太郎が鬼退治に出かけるというパターンが多かったようです。他にも暴力的な桃太郎を追い出すために鬼退治に行かせたというパターンもありました。

童話　アリとキリギリス

『イソップ寓話』のキリギリスは元々セミでしたが、ヨーロッパ北部では馴染みがなかったため、同じ鳴く虫のキリギリスに差し替えられました。他にはキリギリスがコガネムシというバージョンもあったようです。

童話　白雪姫

『グリム童話』の初版では、魔法の鏡の言葉に激怒した実母（王妃）が、猟師に白雪姫を殺し、その証拠として肝臓（心臓というパターンもあります）を持ってくるように指示。猟師は実母に狙われる娘を哀れに思い、動物の肝臓を白雪姫の物と偽って渡しました。実母は大喜びしながら肝臓を食すという醜くも残酷な親子関係が描かれています。また物語のラストでは、白雪姫と王子様の結婚式に招待された実母が、熱した鉄の靴を無理矢理履かされ、死ぬまで踊らされるという残忍な結末も描かれています。

昔話　一寸法師

『御伽草子』では、一寸（3センチ）の状態から成長しない一寸法師を老夫婦が気味悪がったため、旅に出ます。その後、京で一目惚れした女性を妻にすると決めた一寸法師は、彼女に濡れ衣を着せ、親が勘当するように仕向け、その女性とふたり旅に出るという巧妙な手段を用います。

昔話　かちかち山

江戸時代の原典では、老夫婦がタヌキを食べようとして、それに怒ったタヌキがお婆さんを殺害。お婆さんの生皮を被り、その人肉で作った汁をお爺さんに食べさせるというおぞましい物語が展開されます。さらにお婆さんの仇を取ろうとするウサギは、タヌキの背中に大やけどを負わせた後、背中の傷に効く塗り薬と称して、唐辛子入りの味噌を渡して地獄の苦しみを与えます。ラストはウサギの手によって、タヌキが溺死するという結末が待っています。

昔話　猿蟹合戦

原典では、臼、栗、蜂に加えて牛糞が仲間にいました。また地方によっては、昆布や油、タコ、クラゲなどが仲間に加わるパターンもあります。

『グリム童話』の初版には残忍過ぎて削除された話も

『グリム童話』の初版本には、『子どもたちが屠殺ごっこをした話』という不穏なタイトルの物語が掲載されています。内容も屠殺ごっこの最中に子どもが他の子、または兄弟を殺してしまうという残忍で不快な内容です。とくに教訓となるような要素もなかったため、第２版以降この物語は削除されました。

深遠なる神々の物語

クトゥルフ

関連
遺物 →P.188
魔導書 →P.194

すべては『クトゥルフの呼び声』から始まった

クトゥルフとは、怪奇・幻想小説の先駆者ともいわれる、アメリカの作家**ハワード・フィリップス・ラヴクラフト**[注1]が1928年に発表したホラー小説『**クトゥルフの呼び声（原題：The Call of Cthulhu）**』にて初めて登場した架空の神のことです。

ラヴクラフトが独自に練り上げ、創造した神々や生物、それらを取り巻く世界観は、彼の友人でもある同世代の作家たちに相互に共有され、多くの作品を世に送り出しながら独自の発展を遂げていきました。のちにラヴクラフトと彼の創造世界に共鳴した作家陣による作品群は、**オーガスト・ダーレス**[注2]らによって「**クトゥルフ神話**」として確立。近代創作から生まれた新たな神話体系のひとつとなり、広く世に認知されるようになりました。

架空の神としての「クトゥルフ」は、次のような基本設定を持ちます。山のような巨体は全身が緑色。体表は鱗、または瘤状の皮膚に覆われ、背中にはコウモリのような翼、両手足には鉤爪を備えています。また、頭部はタコやイカなどの頭足類に似ていて、顎に相当する部分には無数の触腕が生えているそうです。かつて地上を支配した「旧支配者」と呼ばれる邪神の一柱でしたが、現在は海底の都ルルイエで深い眠りについています。しかし時折、その思念や存在自体が世界に影響を与えることもあるようです。

[注1] アメリカのホラー・SF作家。執筆した作品の大半は大衆向け雑誌での掲載だったため、存命時はほぼ無名だったが、死後「クトゥルフ神話」の確立によって名が知られるようになり、現代のSF作家やクリエイターらに多大な影響を与えている。

[注2] アメリカの小説家。作家デビューしてほどなくラヴクラフトと知り合い、文通で交流を深めた。『風に乗りて歩むもの』など独自のクトゥルフ作品も執筆している。ラヴクラフトの死後、出版社アーカム・ハウスを設立し、「クトゥルフ神話」の体系化に尽力した。

人智を遥かに凌駕する「宇宙的恐怖（コズミック・ホラー）」

ラブクラフトはその作家人生の中で、数々のホラー小説や挑戦的なSF作品を生み出してきましたが、その多くに共通しているのが「**宇宙的恐怖（コズミック・ホラー）**」[注3]と呼ばれる独自のコンセプトです。オーガスト・ダーレスが「クトゥルフ神話」をまとめ上げる中で、この「**宇宙的恐怖**」という概念も並行して確立されていきました。

「宇宙的恐怖」という字面だけ見るとやや意味不明な感じがしますが、簡単にいってしまうと、人類未踏の宇宙や異次元からやってきた「**未知なる存在**」がテーマのホラー作品のことです。それまでのホラーといえば幽霊やゾンビ、悪魔、人間の殺人鬼などが定番でしたが、「宇宙的恐怖」はこれらすべてを排除し、未知の神々やその眷属、超宇宙的存在を恐怖の対象としています。地球人的な思考や感情を持たず、対話も理解も不可能という不条理な恐怖は、読者の想像力を掻き立て、同時に震え上がらせました。

[注3] ラヴクラフトが提唱した自身の作風であり、ホラー小説において理想とする概念。しかし、ラヴクラフト作品すべてが「宇宙的恐怖」の要素を持つわけではなく、一方で「クトゥルフ神話」に分類されない作品にも「宇宙的恐怖」の要素を含むものは多い。

無限にアップデートしていく現代の神話

「クトゥルフ神話」は元々、創始者のラヴクラフトと同世代の作家たちが世界観を共有したことから始まりました。作家陣が相互にキャラクターやアイテムなどの名称をシェアし、アイデアを交換しながら作品同士を関連付けていく自由な創作環境は、ラヴクラフトが世を去り、ダーレスによる神話の再編がなされたあとも変わることはなく、後世の作家たちによって受け継がれていきました。

こうして「クトゥルフ神話」は、原典である『クトゥルフの呼び声』の誕生からまもなく100年を迎える今日も、新たな解釈、独自の見解を付け加えながら、古くて新しい現代の神話として、終わることのないアップデートを続けているのです。

万物に宿る神秘の力

マニトウ

関連
呪詛 →P.160
降霊術 →P.164

アメリカインディアンたちの信じる超自然力

「マニトゥ」とは、アメリカ先住民族の中でもアメリカインディアンのアルゴンキン諸族[注1]に伝わる観念で、万物に宿る超自然的な力のこと。同義語としてマニトウ、マニツ、ワカン、ワカンダ、オレンダ、オトコン、クベ、オキなど部族によって表現が異なります。

一般に「**超自然力**」というと、論理的に説明のつかない不可思議なことや自然現象などを指す場合が多いですが、アメリカインディアンにとっての「超自然力（マニトゥ）」はより広い意味で使われます。彼らの信じる神々や祖先の霊魂はもとより、木々や動物たち、人工的に作られた道具や乗り物など、あらゆる物の持つ力も「マニトゥによるもの」だと考えられているのです。

また、未知のものもまた「マニトゥ」であり、たとえば見たことのない恐ろしい外見の魚を釣ったら、その魚はマニトゥだと考えて水に戻してやり、釣った人間は5日間仕事を休むという伝承もあります。まとめると、「マニトゥ」とは万物に宿る神秘的な力なのだといえるでしょう。

日本人にはイメージしにくいマニトゥですが、1978年に公開されたホラー映画『マニトウ』ではインディアンに伝わる精霊として登場しています。また、『デビルサマナー ソウルハッカーズ』では人々の魂を無差別に吸収、暴走する「大霊マニトウ」として描かれています。

[注1] 主に北アメリカに居住するアルゴンキン諸語を母語とする民族の総称。かつては50万人を超える北アメリカ最大規模の先住民族だったが、現在は数千人ほどに減少している。

物語を動かす原動力

トリックスター

関連
サタン（ルシファー）
→P.68
使い魔
→P.110

トラブルメーカーか、それとも英雄か？

トリックスターとは本来、詐欺師やペテン師、いたずら者といった意味を持つ言葉ですが、神話や物語においては常識やルールにとらわれない自由で無秩序な行動により、物語に新たな展開をもたらす役回りのことを指します。歌舞伎や狂言の世界ではこうしたキャラクターを「**狂言回し**」と呼び、その役どころに加えて観客や視聴者に対し、物語の理解を深める手助けをする**進行役**や**ナレーション**などを兼ねる場合もあるようです。

北欧神話に登場するロキ[注1]は、トリックスターの代表格ともいうべき存在です。主神オーディンの義兄弟にして雷神トールのよき相棒ですが、次々と厄介事を持ち込むトラブルメーカーでもあり、何度もアースガルド[注2]とそこに住まう神々を窮地に陥れています。

一方、ギリシア神話のプロメテウス[注3]は神々の王ゼウスに背き、天界の炉から火を盗んで人間に与えました。この気まぐれな行動はいかにもトリックスターらしく、ゼウスの怒りを買ったプロメテウスは厳しく罰せられますが、彼のもたらした火が人類の文明の礎を築いたとして、伝承では英雄的な行いや性格の方が強調されています。

このように善と悪、秩序と混沌、賢者と愚者などの異なる二面性（ときに多面性）を合わせ持っていることもトリックスターの特徴のひとつです。

［注1］北欧神話に登場するいたずら好きの神。狡猾で気まぐれ、変身能力に長け、他人を騙し、陥れる技術は一級品である。

［注2］北欧神話に登場する世界のひとつで、主神オーディンを長とするアース神族の住まう地。世界樹ユグドラシルのはるか高みにあるとされる。

［注3］ギリシア神話に登場する男神でティターン神族の一柱。天界の火を人間に与えた罰として、3万年もの間、生きたまま巨大な鷲に肝臓をついばまれる責め苦を受けることとなった。

ギリシア神話発祥の合成生物

キメラ

関連
狐狸 →P.102
人魚 →P.104

ファンタジーでは定番となった合成魔獣たち

キメラ（Chimera）とは、異なる複数の生命体の要素を合わせ持っている状態、または個体を指す言葉です。日本語では「**異質同体**」「**嵌合体**」とも呼ばれます。

語源となっているのはギリシア神話に登場する異形の怪物「**キマイラ（Chimaira）**」[注1]で、その容姿はライオンの頭に山羊の胴体、尾は毒蛇でできており、口から吐き出す炎は山を丸ごと燃え上がらせたといわれています。一方で、国民的RPG『ドラゴンクエスト』シリーズに登場するキメラは、蛇のような胴体に鳥の頭と翼を持つコミカルな姿で描かれ、これは1986年に発売されたシリーズ１作めから変わっていません。今や日本でキメラといえば、こちらをイメージする人の方が多いことでしょう。

他にも異質同体の生物は各地の神話や伝説に数多く登場しています。中でも**ペガサス**や**マンティコア**、**グリフォン**、**ヒュドラー**（**ヒドラ**）などは人気、知名度ともに高く、現代ファンタジーにおいても欠かせない定番のモンスターとしてその姿を見ることができます。

『鋼の錬金術師』では、「人語を理解する合成獣」として少女ニーナとその飼い犬のキメラが登場しました。異形となり果て、涙を流しながら「おとうさん」と呟くその姿は、生命を弄ぶことの罪深さとその結果がもたらした悲劇をクローズアップし、視聴者に大きな衝撃を与えました。

[注１] 巨人テュポーンと半人半蛇の怪物エキドナの娘。同じ両親の間には地獄の番犬ケルベロス、９つの首を持つヒュドラー（ヒドラ）などの兄弟がいる。テーブルトークRPGの元祖『D&D』では雄ライオン、山羊、ドラゴンの３つの頭にドラゴンの翼、蛇の尾を持つ、より凶悪で禍々しい姿の怪物として描かれている。

chapter 3
妖怪・悪魔

恐怖や強さの象徴である妖怪

鬼（おに）

関連
地獄 →P.134
百鬼夜行 →P.210
丑三つ時 →P.212

強大な力と角を持ったこの世ならざるもの

鬼と言えば、妖怪のなかでも非常にポピュラーな存在です。虎柄のパンツに大きな角、武器として金棒を持っていて、人間を襲ったり地獄におちた人間を苦しめたり[注1]する怖い姿が有名ですね。一方で、かわいいゆるキャラになったり、ゲームキャラクターになったりと親しまれている部分もあります。

そんな鬼の起源はそもそも、日本において姿の見えない存在を表す「**穏（オヌ）**」というものでした。また、それとは別に「**鬼（キ）**」という、中国で亡霊や幽霊などを示言葉があり、この「鬼」の概念が日本に持ち込まれた際に、意味合いが似ていた穏と鬼が混ざり合って「**鬼（オニ）**」という言葉が誕生したといわれています。また、鬼のように恐ろしい存在だったものが、のちに仏教にとりいれられて仏神となった存在を「**鬼神**」ということもあります。

鬼と呼ばれる者たちは多岐に及びますが、「鬼とされてしまったもの」も存在します。時の支配者である朝廷は、自分たちに従わない地方の有力者などを「鬼」として討伐の対象にしていたことがありました。このようなことから、**両面宿儺**（りょうめんすくな）や**酒呑童子**（しゅてんどうじ）などは人々によって鬼にされてしまったと言われています。『鬼滅の刃』をはじめ、鬼といえば悪者妖怪の定番ですが、権力争いに負けた有力者と考えると、違った考えもでてくるかもしれません。

[注1] 地獄に送られてきた罪人を、様々な方法で苦しめる役割を担っている鬼を獄卒という。

一般的な鬼のイメージの由来

現代では、鬼の特徴といえば牛のような２本の角に虎柄のパンツですね。これは鬼が丑寅（うしとら）の刻（午前２～４時頃）に京都から見た「**鬼門**」とされる丑寅の方角（北東）から出現すると考えられていたためです。

また、鬼の身体の色が赤色や青色など様々なのは、地獄に住む獄卒の影響によるもので、仏教における**5つの煩悩の総称「五蓋」**に準じた5色がいると言われています。

■さまざまな鬼の一覧

茨木童子	酒呑童子の右腕として仕えていた鬼です。酒呑童子の仲間は源頼光と頼光四天王によって討ち取られましたが、茨木童子だけは生き残ったといわれています。羅生門の鬼と同一視されることもあるようです。
大江山四天王	酒呑童子に仕えたとされる鬼で、熊童子・星熊童子・虎熊童子・金童子のことを指します。京都で悪事を働いていましたが、源頼光とその家臣である頼光四天王によって、酒呑童子といっしょに討伐されたといいます。
大嶽丸	鈴鹿山に出現したとされる、日本三大妖怪の一角に数えられる鬼です。火の雨を降らせ、暴風雨や雷雨を操り、氷の武器を出現させるといった神通力を使いこなすといいます。
悪路王	かつての東北地方にあった陸奥国の伝説上の鬼です。伝承の元となった歴史と合わせることで、「まつろわぬ民」の統領と見られることもあります。
赤頭	鎌倉時代に成立したとされる歴史書『吾妻鏡』に、悪路王とともにその名前が登場する鬼です。資料によって異なりますが、討伐したのは坂上田村丸であるとされています。
高丸	東北地方にあったとされる陸奥国の伝承に伝わる伝説上の鬼で、悪路王、赤頭と共に「奥州三鬼」と呼ばれています。悪路王と同一視されることもあるそうです。
阿久良王	『坂上田村麻呂伝説』に登場する妖鬼の大将。吉備国の喩伽山に住み着き、近隣の村々で悪事を働きました。田村麻呂に討ち取られると75匹の白狐になり、瑜伽大権現の遣いになったといいます。
前鬼と後鬼	修験道の開祖である役小角が従えていた夫婦の鬼です。夫の赤鬼・前鬼が、手にした鉄斧で役小角の進む道を切り開き、妻の青鬼・後鬼が、霊力のある水や荷物を背負っていたといいます。
牛鬼	西日本に伝わる妖怪の鬼で、牛の身体と鬼の顔を合わせた姿で描かれますが、身体が土蜘蛛であるともいわれます。性格は極めて狂暴で、地方によっては海の妖怪とされることもあります。
目一鬼	出雲に伝わる神話を記した『出雲国風土記』に登場する、ひとつ目の人食い鬼です。国内に現存する文献で確認できる最古の鬼だとされています。
藤原千方の四鬼	飛鳥時代の豪族である藤原千方が従えていた4体の鬼。どんな武器も通さない身体を持つ金鬼、強風を操る風鬼、洪水を起こして溺れさせる水鬼、気配を消すことができる隠形鬼で構成されます。
天邪鬼	神話や仏教説話などに登場する小鬼のような妖怪です。心中を察する能力に優れ、口真似やモノマネをして人をからかうとされます。現代では素直でない人のことを「天邪鬼な人」と形容します。
夜叉	インド神話や仏教に登場する鬼神。インド神話では暴力的な悪鬼でしたが、最近では宝や法を守る守護神として扱われるようになりました。しばしば悪鬼羅刹と同一視されることも。
羅刹天	インド神話や仏教に登場する鬼神で、破壊と滅亡を司る神とされます。人食い鬼でしたが、仏教に取り入れられてからは十二天に属し西南を護り、夜叉と共に毘沙門天に仕えるとされます。
牛頭馬頭	仏教において地獄に落ちた亡者に苦しみを与えるとされる獄卒です。人間の身体と牛の頭を持つ牛頭と、人間の身体と馬の頭を持つ馬頭のことを指します。
羅生門の鬼	源頼光が酒呑童子を討伐後に現れ、平安京の羅生門に巣食っていたとされる鬼です。頼光四天王のひとり渡辺綱と戦って片腕を落とされ、空へ消えていったといいます。

京の街を暴れ回った伝説の鬼

酒呑童子（しゅてんどうじ）

関連
安倍晴明 →P.10
源頼光 →P.13
鬼 →P.90

強大な力を持つ、多数の鬼たちの統領

鬼と一口に言ってもその種類は非常に多岐にわたりますが、その中でも代表格と言える存在が酒呑童子です。

京都の大江山（おおえやま）を根城にしていて、たびたび都に降りてきては人々をさらい、血肉を喰らっていました。また徒党を組んで活動しており、茨木童子、熊童子（くまどうじ）、星熊童子（ほしくまどうじ）、虎熊童子（とらくまどうじ）、金童子（かねどうじ）など多くの鬼たちを従えていました。中でも**茨木童子**は酒呑童子の最も重要な家来であったといいます。

大江山の鬼たちの暴挙を見かねた一条天皇（いちじょうてんのう）は、源頼光と藤原保昌（ふじわらのやすまさ）に酒呑童子の征伐を命じ、頼光らによる討伐隊[注1]が鬼たちの巣食う大江山へと向かいます。

酒呑童子が大の酒好きであるという情報を手に入れた頼光は、「**神便鬼毒酒**（じんべんきどくしゅ）」という毒酒を盛って油断を誘う一計を案じ、これが見事に成功。鬼たちの寝込みを襲い、毒によって身体が動かなくなった酒呑童子の首を刎ねて打ち取りました。のちにその首は頼光とその一向によって京へと持ち帰られ、首塚大明神[注2]に埋葬されたそうです。

[注1] 頼光四天王→P.14と呼ばれる渡辺綱・坂田金時・碓井貞光・卜部季武の4人。

[注2] 頼光たちが討ち取った首を京へ持ち帰った際、休んでいると道端の地蔵尊に「不浄なものを京に持ち込むな」と忠告され、首がその場から動かなくなってしまった。そのためその地に首を埋葬することにした。その場所が首塚大明神だと言われている。

酒呑童子の伝承と正体

全国に様々な伝承が伝わっている酒呑童子ですが、奈良絵本『酒典童子』によると、その正体はスサノオに敗れて逃げたヤマタノオロチの子で、地方の豪族の娘と契りを交わして生まれた子だと言われています。物語の中では、鬼の面を着けたまま寝た翌朝、目を覚ますと鬼の面が外れなくなっており、その姿を恐れられた酒呑童子はそのまま本物の鬼へと変わってしまったといいます。

また一風変わったところでは、じつは日本に流れ着いたドイツ人の**シュテイン・ドッチ**という人物が酒呑童子の正体[注3]で、飲んでいた生き血は彼が持ち込んだ葡萄酒だったという珍説も存在します。

しかし、**鬼＝外国人説**というのは有力説のひとつとして語り継がれており、このドイツ人説も『大江山絵巻』で描かれている酒呑童子の特徴として髪が茶色、目は明るい色であり、大きな体格をしているという点で一致しています。

[注3] 高橋 昌明による『酒呑童子の誕生―もうひとつの日本文化』内で紹介されているもの。

美少年だった酒呑童子

新潟県に伝わる記録[注4]では、酒呑童子は**絶世の美少年**であったといいます。幼い頃の酒呑童子は**外道丸**と呼ばれていて、その容姿から多数の恋文をもらうのですが、目を通すどころかまったく関心を示さなかったそうです。

ある日、外道丸に恋焦がれていたひとりの少女が亡くなってしまいました。外道丸は慌ててもらった恋文を取り出すとそこから恨みの炎が燃え上がり、その煙に包まれた外道丸は鬼になってしまったといいます。

伝承によっては、もらった恋文を自分で燃やし、その煙を浴びて鬼になったともいわれますが、いずれにしても鬼に関するエピソードとしては微笑ましくもあり、少し悲しくもある、特殊な例といえるでしょう。

[注4] 『御伽草子』や『大江山酒呑童子絵巻』に記載される内容。

ふたつの顔を持つ異形の鬼神

両面宿儺（りょうめんすくな）

複数の手足・顔で朝廷と戦った

アニメ化もされた漫画『呪術廻戦』には、「**両面宿儺**」という重要人物が登場します。千年以上前、平安時代に暗躍した呪術師であり、ほかの呪術師が束になっても太刀打ちできないほどの実力者です。彼には腕が4本あったとされ、死後は手の指20本が残されましたが、その1本1本に強大な呪力が宿っており、消滅させせることはできず、封印するのがやっというほどのものでした。

さて、この両面宿儺、実在したかどうかは議論の余地がありますが、日本の歴史書『**日本書紀**』に登場しています。それによれば、4世紀末～5五世紀ごろ、16代天皇「仁徳天皇（にんとくてんのう）」の時代に、飛騨（現在の岐阜県）に**宿儺**という名前の怪物がいたとされ、身長は約2メートル、ひとつの胴体にふたつの顔、4本の腕と脚があるという奇怪な姿をしていたと記されています。なお、「**両面**」という名称は、この「ひとつの体の両面に頭部や手足がある」という身体的特徴からついたものです。

天皇に従わず民衆を苦しめたため、朝廷は何度

【注1】実は『日本書紀』では、両面宿儺の名前は1度登場する程度でしかない。また、『日本書紀』と同じ日本の歴史書である『古事記』には、両面宿儺の記述がない。

も討伐の軍を起こしますが、4本の足で地を駆け、4本の腕で剣や弓を扱う両面宿儺は非常に力強く俊敏で、かなう者はいませんでした。呪術を操る『呪術廻戦』とは違いますが、かなりの実力者であったことは確かなようです。しかし最終的に、両面宿儺は**武振熊命**（たけふるくまのみこと）という猛将が率いる朝廷の軍に敗れ、命を落としています[注1]。

[注1] 実は『日本書紀』では、両面宿儺の名前は1度登場する程度でしかない。また、『日本書紀』と同じ日本の歴史書である『古事記』には、両面宿儺の記述がない。

飛騨の英雄たる両面宿儺

異形な姿をし、民を苦しめたという両面宿儺ですが、実は、飛騨や美濃地方にはまったく別の伝承が残っています。

岐阜県高山市にある千光寺では、両面宿儺は寺院の創始者として祀られており、4体もの彫像が鎮座しています。さらに、寺周辺の丹生川地域では、飛騨を開拓していった豪族として「**両面様**」「**スクナ様**」「**両面宿儺菩薩**」などの呼び名で信仰を集めているのです。

さらに、英雄的な伝承もあります。高沢山という山に周辺住民を脅かす龍が住んでいることを知った両面宿儺が、呪文を唱えて龍を退散させたり、位山にいる鬼「**七儺**（しちな）」を征伐するなどしているのです。特に七儺征伐は「天皇の命令で行った」と言われており、これが真実ならば『日本書紀』とは正反対の立場だったことになります。

さまざまな伝承に彩られる両面宿儺の正体は、まだ解き明かされていないところも大きいのです。

『日本書記 』と各地の伝承が食い違っているワケ

『日本書記』と各地の伝承で両面宿儺の扱いが違っているのは、当時の朝廷から見た飛騨へのイメージからです。朝廷に反抗していた飛騨の民たちは、あまりに手に負えない「怪物」のような存在でした。そこで『日本書記』では、蔑視も含めて異形の存在として描き、悪人の両面宿儺が生まれたといいます。

鬼と化してしまった女性たち

鬼女（きじょ）

行いや怨念が生んだ数々の伝承

全国各地に伝わる伝承や資料を見渡してみると、鬼にはさまざまな種類が存在することがわかります。中には女性の鬼も存在するのですが、これらは一様に「鬼女」とストレートに呼称されます。

鬼女の特徴として、心情や行動によって人が鬼になってしまうケースが多い点があります。例として、福島県に伝わる安達ケ原（あだちがはら）の鬼女伝説では、仕えていた姫の病気を治すために妊婦の生き胆を探していた乳母が、誤って自分の娘を殺してしまっておかしくなり、人を喰う鬼と化したといわれています。このように怨念や嫉妬が人を鬼女に変えてしまう、という逸話が他にも数多く存在します。

鬼女は、伝承内などで人を襲う妖怪に近いような、危険な存在として描かれており、そんな鬼女の恐ろしさが由来となっている日本文化が広く根付いています。例えば、日本の神前式などで花嫁が頭を覆うように付ける「**角隠し**」も鬼女と関係があります。これは、嫉妬に狂って鬼女になることを避けるためのまじないであったり、怒りを象徴する角を隠し、貞淑な妻であることを表す、といった意味があるとされています。

余談ですが、この「鬼女」という言葉は、「既婚女性（既女）」を表すネットスラングとして一時期ネット掲示板などでよく使われていました。

鬼女が由来となった般若の面

鬼女がモチーフとなっているもので特に有名なのが、見た目のインパクトが大きい「般若の面」です。

その由来としては諸説[注1]ありますが、平安時代に成立した物語として有名な『源氏物語』にて、光源氏の最初の正妻である葵の上がもともと光源氏の恋人であり強い嫉妬心を持つ六条御息所の生怨霊にとりつかれた時、般若経を読んで怨霊を退治したからという説があります。そもそも般若という時には「仏の智慧」という意味があり、本来関係のない鬼女と仏教の用語がここでつながったと言われています。『源氏物語』を題材とした『葵上』『道成寺』『黒塚』などでは、それぞれ色の違う般若の面が用いられます。

見た目のインパクトから怖いイメージを抱いてしまいがちですが、よく見ると目は怒りではなく悲しみの表情を浮かべており、**悲しみと怒り**、どちらの感情も併せ持った女性の表情を表しています。

[注1] 実は『日本書紀』では、両面宿儺の名前は1度登場する程度でしかない。また、『日本書紀』と同じ日本の歴史書である『古事記』には、両面宿儺の記述がない。

有名な鬼女の伝説

特に奇怪なエピソードを持つ鬼女といえば『安珍・清姫伝説』という逸話に登場する清姫がいます。彼女は一目ぼれした安珍という修行僧に嘘をつかれた恨みから、蛇のような異形に変身し、その口から噴き出す嫉妬の炎によって安珍を焼き殺してしまいました。

また『紅葉伝説』という戸隠山に伝わる逸話に登場する「**紅葉**」は、子供に恵まれなかった夫婦が、仏教における魔である第六天魔王から授かった子で、さまざまな妖術を駆使して悪事を働いた美しい鬼女でした。

このふたりの鬼女は、スマートフォン向けゲーム『Fate/Grand Order』にキャラクターとして登場して話題となり、広い層に知られるようになりました。

かつて吉備地方を支配した古代の鬼

温羅(うら)

関連

桃太郎 →P.26
鬼 →P.90
まつろわぬ民 →P.204

現在の岡山県内に伝わる数々の伝承

おとぎ話の定番『桃太郎』には、元ネタになったとされる伝承がいくつか存在します。そのひとつが「温羅伝説」という岡山県の吉備地方に伝わる伝承で、ここに登場する古代の鬼こそが温羅です。

温羅は身長が約4メートルもある鬼で、髭は生え放題で目は獣のように輝いていたといいます。異国から海を渡り吉備地方へとやってきた温羅は、王として一帯を支配していました。本拠地となる**鬼ノ城**を建て、女子供や金品を略奪し、人々に怖れられたといいます。

民の苦しみを知った大和朝廷は、温羅を討伐するために皇族の将軍、**吉備津彦**(きびつひこ)を派遣します。彼こそあの桃太郎のモデルとなった人物で、**『日本書紀』**や**『古事記』**といった古代の文献にも登場しています。

吉備津彦が放った矢によって左目を射抜かれた温羅は、雉や鯉に化けてその場を逃がれようとしますが、吉備津彦も負けじと鷹や鵜になり追いかけます。ついに討ち取られた温羅は首を刎ねられますが、首だけになっても目を見開き、唸り声をあげて人々を怖れさせたそうです[注1]。

このように伝承では悪者として描かれている温羅ですが、一説には吉備国に製鉄技術をもたらしたともいわれ、吉備津彦神社には文化発展の象徴として温羅の和魂が祀られているそうです。

[注1] 温羅の首はその後13年間も唸り続けたが、吉備津彦命が夢のお告げどおり神事を執り行うと収まったという。これが吉備津神社に伝わる「鳴釜神事」のはじまりである。

山奥に住む老婆の鬼

山姥（やまんば）

関連

鬼 →P.90

人を喰らう凶悪性と意外な一面

人里離れた山奥に住み、一見老婆のような姿をした鬼女、それが山姥です[注1]。山姥が登場する伝承は日本各地に残っていますが、中でも青森県に伝わる昔話**『三枚のお札』**[注2]は絵本やアニメにもなっており、全国的に有名です。夜の山越えや道に迷って困っている旅人に優しく声をかけ、一宿一飯を振る舞いますが、旅人が油断して寝入ったところを襲いかかり、食べてしまうといいます。

恐ろしい伝承がある一方で、山姥の支払ったお金には福があるとか、山姥が持ってきた徳利を売ったら大金持ちになったなど、福を授けてくれるありがたい存在として語られることもあります[注3]。

ちなみに山姥には、ヤマンバの他ヤマウバとも読みますが、このふたつには下記のように違いがあるとされます。

[注1] 若い女性の姿をしている場合は「山女」「山姫」とも呼ばれる。

[注2] とある小僧が栗拾いに山に行くが、夢中になりすぎて夜になってしまう。そこで、山小屋に泊めていくれるというひとりのお婆さんと出会うが、実はその正体は山姥だった。小僧は和尚に貰った3枚の札を使って、和尚のいる寺まで逃げてくる。山姥と対峙した和尚は、山姥を口車に乗せて豆に変化させ、最終的に食べて退治した。

[注3]『金太郎』のモデルとされる坂田金時は、育ての母が山姥であるともいわれている。

■ヤマンバとヤマウバの違い

ヤマンバ

・基本的に人を襲う攻撃的な妖怪

・民話などに登場するヤマンバは人を襲うと言われることが多い

ヤマウバ

・豊穣神の末裔だと言われている

・ある農家がヤマウバを怖がり追い出したところ、土地が痩せて不作になってしまったという伝承がある

九つの尾を持つ伝説の妖狐

九尾(きゅうび)の狐(きつね)

関連

安倍晴明 →P.10

稲荷 →P.56

美女に変化し人々の心を惑わす

かつて日本では、狐は神の使いとして神聖視される反面、人を化かす妖怪としても見られていました。このような狐を妖怪として見る考え方は中国にもあり、長い年月を生きると尻尾が徐々に分かれていき、最終的に９本まで増え[注1]、高い妖力を持つ「九尾の狐」になると言われていました。

九尾の狐にまつわる伝承の中でも、もっとも有名なものといえば「**白面金毛九尾の狐**(はくめんきんもうきゅうびのきつね)」[注2]です。「**妲己**(だっき)」や「**玉藻前**(たまものまえ)」という名前を聞けば、思い浮かぶ人も多いでしょう。

白面金毛九尾の狐は、姿を自在に変えることのできる変化術や、幻を見せる幻術、人心を掌握する魅惑術などの妖術と同時に、さまざまな分野に精通する知識も持ち合わせており、影から人を操って国や組織を内側から崩壊させるのに最適な能力を備えていました。

能力の強大さや見栄えの良さなどから、九尾の狐をモチーフにしたキャラクターはかなり多くの数が存在します。特に『NARUTO -ナルト-』に登場する九尾などが有名です。

[注1]「空狐」や「天狐」と呼ばれる妖狐たちは、力を付けるほど尻尾の数が減っていき、最終的には尻尾がなくなるといわれる。これは神に近づくにつれ、狐の姿を保つ必要がなくなるためだという。しかしこれには諸説あり、2000代後半にインターネットを中心に広がった噂であるとされている。妖力と尻尾の関係性がはっきりと記されている文献などは存在しない。

[注2] 高井蘭山による江戸時代に成立した読本『絵本三国妖婦伝』などでの呼び名。

変化をはじめとした妖術の数々

白面金毛九尾の狐は、インドでは「**華陽婦人**」、中国の殷では「**妲己**」、周では「**褒姒**」として、それぞれの国で美貌と悪知恵を駆使して時の権力者に取り入り、国を抱懐・破滅へと導いてきました。

その後、白面金毛九尾の狐が狙ったのは日本でした。「**玉藻前**」という名の女官に化けて、当時の朝廷に取り入ります。鳥羽上皇から気に入られた玉藻の前でしたが、稀代の陰陽師・安倍晴明によって正体を見破られたうえ、変化を解かれてしまいます。

玉藻前はなんとか逃走しますが、特別に編成された討伐軍についには討伐されてしまいます。すると、とっさに周囲に毒気を放ち続ける**殺生石**[注3]に変化して、周りにいる生き物の命を奪うようになります。

その後、**源翁和尚**という僧の法力によって殺生石は破壊され、毒気を放つことが無くなったといいます。

[注3]「生物を殺す岩」と恐れられた岩。実際は岩の周囲から噴出する火山性の毒ガスが原因とされている。殺生石の伝承は各地にあるが、栃木県の那須湯本温泉にあるものが有名。

■各国に現れた白面金毛九尾の狐とその名称

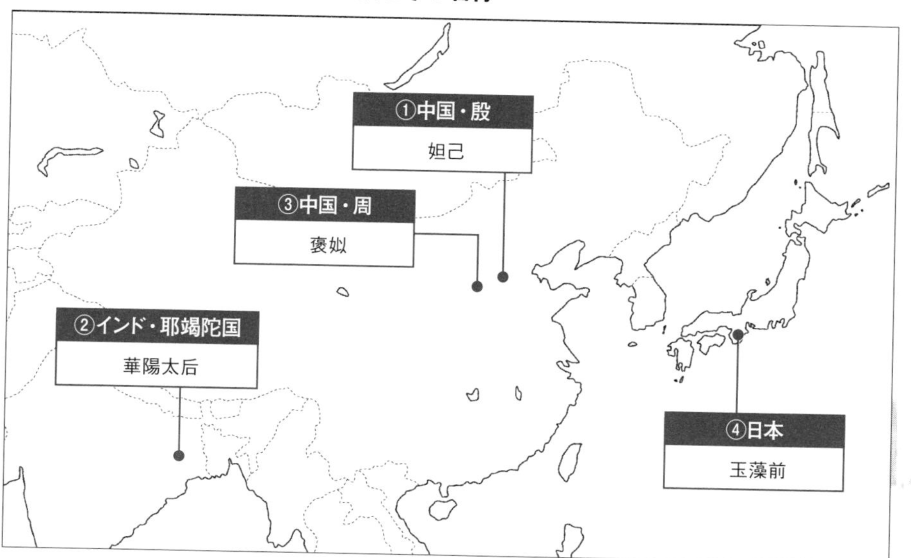

人間を化かす妖怪化した動物たち

狐狸

化かし方から見る狐と狸の相違点

日本では古くより、長く生きた動物は怪しげな力を持つようになると考えられていました。そうした妖怪は俗に「**動物妖怪**」と呼ばれます。この代表的な存在が狐と狸です。

狐と狸といえば、昔話などでは変身して人間を化かすのが有名ですね。実はこの「**人間の化かし方**」には、かなりの違いがあるのです。

どちらも姿を変えることで人間を化かしますが、狸は元々化けるのが好きで、その理由の多くも人を馬鹿にするためといわれています。妖狸に由来する逸話や伝承も腹太鼓を鳴らす狸囃子をはじめ、滑稽で愉快なものが多く見られます。一方、狐は「**九尾の狐**」に代表されるように人を誘惑することが目的で、ただ驚かせるだけでは終わらず、人間に危害を加えるケースも多く、逸話などにおいては冷酷な性格で描かれています[注1]。

[注1] 狐は7つのものに化けられるが、狸は8つのものに化けられるという「狐七化け、狸は八化け」意味のことわざがあるように、人間を化かす能力を比べると狐よりも狸の方が秀でているといわれる。ただし、比較の基準は定かでなく、場合によって狐と狸が入れ替わったりする。

■人を化かす、妖怪化する動物

哺乳類

キツネ、タヌキ、サル、ネコ、オオカミ、イタチ、ネズミ、カワウソ、ブタ、イノシシなど

その他

ヘビ、カエル、ヤモリ、カニ、ゴキブリ、クモなど

全国に伝わる様々な狐狸

「狐狸」の伝説やいい伝えは全国各地に存在し、とくに日本の四国付近には狸にまつわる伝承が多くあるといいます。特に徳島には狐を祀る稲荷神社が少ない代わりに、狸を祀る場所がたくさんあり、ジブリ映画『平成狸合戦ぽんぽこ』のモデルとなったと言われる阿波狸合戦（あわたぬきがっせん）をはじめとした伝承などが多く伝わっています。また、この阿波狸合戦を仲裁したという太三郎狸（たさぶろうたぬき）などは、今も神社や祠などに祀られ、信仰の対象になっています。

一方、狐は稲荷神に代表されるように神の遣い、或いは神自身とされていましたが、前述した中国からのいい伝えにより妖怪としてのイメージが強くなりました。とくに妖狐に関連するエピソードには中国から伝わったものが多いとされます。江戸時代の頃には、狐はその能力に応じて4つの位にわけられ、人を騙すものや人に憑くものといった**ランク付け**[注2]がなされたといいます。

［注2］狐の格付け自体はさまざまな人の間で説かれており、奇談集『兎園小説拾遺』に記された理論書には、「天狐」「空狐」「白狐」「地狐」「阿紫霊」の５つの格付けが挙げられている。その最上位が「空狐」とされているが、これにも諸説がある。

■江戸時代の儒学者「皆川淇園（みながわきえん）」による妖狐のランク（階級）の上がり方

野狐

妖狐としてはもっとも下位にあたり、神格は持っていません。なお、妖狐には２つのタイプがあり、人に悪さをする野狐と善い行いをする善狐に分類することができます。

↓

気狐

野狐の上位に当たる狐で、祟りを引き起こしたり、人に取り憑いたりする妖狐です。気狐より上のランクに至った妖狐は肉体を持たないともいわれます。

↓

空狐

千年以上生きた妖狐で、気狐の倍の力を持つとされます。三千年を超えると「稲成空狐」となり、神通力を自在に操る神の域に至るといわれ、妖力ではさらに上位の天狐をも上回るとされています。

↓

天狐

最上位の妖狐で、神に近い存在ともいわれています。『日本書紀』では流れ星を「天狗」と書いて「あまつきつね」と読ませたことから、天狗を天狐と同一視する説も存在するようです。

人間と魚の特徴を併せ持つ伝説の生物

人魚（にんぎょ）

世界各地に伝わる伝承の類似と相違

人魚と聞いてよくイメージされるのは『リトル・マーメイド』に登場するアリエルのような、上半身が人間、下半身に魚類の尾ひれが付いている姿でしょう。このイメージは西洋における人魚のものです。世界各地にある人魚の伝承ですが、主に西洋[注1]では美しい姿の精霊や妖精として登場し、東洋では明確に人間の頭に魚の胴体という、妖怪のような姿と、異なる存在として描かれています。

しかし、**不吉の象徴**という点は共通しており、人間を惑わせたりする存在として恐れられていたといいます。

[注1] 西洋の人魚には性別があり、女性をマーメイド、男性をマーマンと呼ぶ。

■世界各所に伝わる人魚

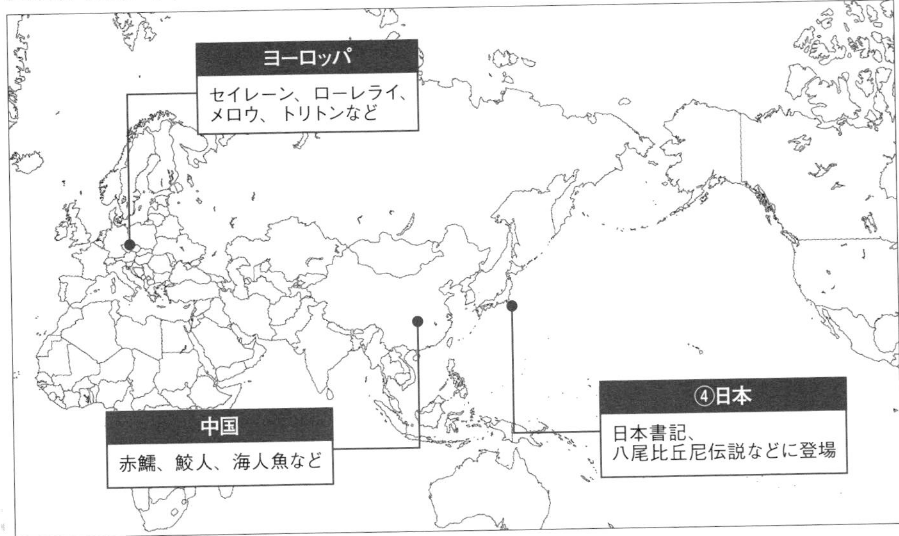

使い古された道具に宿る神

付喪神(つくもがみ)

関連

安倍晴明 →P.10

呪物 →P.184

百鬼夜行 →P.210

長い年月が産み出す「九十九神」

日本では、道具は百年の年月を経ると魂が宿って動き始めるという「**付喪神**」の逸話が古くより伝わっています。日本刀を擬人化したゲーム『刀剣乱舞-ONLINE-』に登場する刀剣男士も、刀から生まれた付喪神という設定です。ただし、元々の付喪神は人間をたぶらかす妖怪的な側面が強い存在。対して、刀剣男士はしっかり神格を持った神様であるという部分で性質がまったく異なります。

古道具に魂が宿るという事象と付喪神という名前が初めて登場するのは、室町時代に成立したとされる『付喪神絵巻(つくもがみえまき)』[注1]です。捨てられた古い道具たちが人間へ復讐するという話で、徐々に妖怪へと変化していく古道具たちの姿が描かれています。また、この中で描かれた行列が有名な『百鬼夜行絵巻(ひゃっきやぎょうえまき)』の元になったともいわれています。

付喪神の別の表記として「**九十九神**」があります。これは、平安時代に成立した『伊勢物語』の和歌にある老女の白髪のことを示す言葉「**つくも髪**」を元としており、長い時間(九十九年)を象徴しています。さらに多種多様なもの(九十九種類)という意味合いもあるのだとか。

付喪神をはじめとした「物にも魂が宿る」という思想や文化は、物品の供養やお焚き上げなど、道具に感謝するのと同時に付喪神を生み出さないようにする風習として、現代でもさまざまな場所で見ることができます。

[注1]『付喪神絵巻』内にて、『陰陽雑記』という書籍を出典として付喪神という名前を出しているが、この書籍が実在するかは不明とされている。また、付喪神の存在自体を示唆する文献・絵巻などは多々あるが、付喪神という名称を使用しているものは『付喪神絵巻』以外にはほとんど存在しない。

高い鼻と翼を有する妖怪

天狗（てんぐ）

関連
源義経 →P.26
鬼 →P.90
修験道 →P.204

善悪の両面性と多種類の存在

天狗といえば、真っ赤な顔に突き出た高い鼻と、日本人なら誰もがご存知のメジャーな妖怪です。ところがその存在は一言では言い表せない存在で、人間に対して悪さを働くものがいたり、逆に危険から守ってくれるものなど、個体によってさまざまな面を持っています。

天狗という言葉は元々中国が発祥で、流れ星を「**空駆ける犬**」と表現したことから生まれました。それが日本に伝わり、仏教や修験道に取り込まれる中で独自の解釈が進み、現在の天狗らしいイメージが形作られていきました。

日本における天狗は、自分の能力を過信して修行を怠った**僧侶が変化した妖怪**[注1]とされ、他の修行僧に悪事を働いて修行の邪魔をするといわれます。しかし中には源義経に剣術を教えた**鞍馬天狗**（くらま）のように、良い心を持つ天狗も存在します。こうした天狗は「**善天狗**」と呼ばれ、一部では神として信仰する**天狗信仰**も生まれました。こうして天狗の**山神**としての一面も追加されたといいます。

[注1] 自身の能力を過信する性質と、鼻が高いという特徴が転じて、いい気になってうぬぼれるという意味の「天狗になる」が使われるようになった。

■おもな天狗の種類

大天狗（おおてんぐ）/鼻高天狗（はなたかてんぐ）	赤い顔に高い鼻という天狗らしい外見をしている、神に近い天狗です。数ある天狗の中でもとくに強い神通力を持ち、手に持った扇で風や天候を操るとされています。
小天狗（こてんぐ）/烏天狗（からすてんぐ）	空を飛ぶ翼とくちばしが特徴的な天狗で、大天狗の手下とされます。一般的に天狗といえば烏天狗であり、大天狗のような高い鼻の天狗は後から現れたといわれています。
木の葉天狗（このはてんぐ）/白狼天狗（はくろうてんぐ）	老齢の狼が変化するともいわれる天狗。狼や人間などさまざまな姿をしています。天狗の中でもっとも位が低く、他の天狗のために資金稼ぎをしているといいます。
女天狗（おんなてんぐ）	人間の女性そっくりの美しい天狗で、背中の羽を見なければ人と区別がつかないといいます。天狗になる前は尼僧だったという説もあり、尼天狗とも呼ばれています。

日本全国に伝わる川や沼に潜む妖怪

河童（かっぱ）

関連
安倍晴明 →P.10

ポピュラーなイメージとは裏腹な、凶悪な一面

河童といえば、マスコットやゆるキャラにもなるなど、日本人には馴染みの深い妖怪です。川の中に棲み、肌は緑色。亀のような甲羅を背負っていて、顔にはくちばし。さらに頭頂部は毛がなく、平らな皿のようになっているのが特徴といわれます。妖怪でありながら人の仕事を手伝ったり、ときには子どもと相撲をとったりと微笑ましいエピソードも多くありますが、一方で妖怪らしく人間に害をなす凶悪な一面も記録として残っているようです。

河童が人間を襲うエピソードの中でよく出てくるのが「**尻子玉**（しりこだま）」というキーワード。これは人や動物の肛門あたりに存在するといわれる架空の臓器で、川辺などを歩いていると河童に水中へ引きずり込まれ、この尻子玉を抜かれるといわれています。尻子玉を抜かれた人は腑抜けになり、そのまま溺死してしまうこともある[注1]そうです。

河童の起源は、**陰陽師**が仕事を手伝わせるために作った人形から来ているという説や、戦に負けた**落ち武者の霊魂**が変化したなど諸説あります[注2]。また、その容姿の元になったのは**子どもの遺体**とする恐ろしい説もあるそうです。現在の河童の姿が成立したとされる江戸時代は、子どもの間引きが頻繁に行われており、川に浮かんだ子どもの遺体を他の子供に悟られないよう、「あれは河童だ」と嘘をついてごまかしたといわれています。

[注1] 溺死した死体の多くは腹が膨れて肛門が開いてしまうらしく、この様子を見た当時の人々は、河童が尻子玉や肝を抜き、内臓まで引き出されてしまったと考えた。

[注2] 河童は元々水神だったが、落ちぶれてかっぱになったという説もある。水神信仰の供物であるきゅうりが好物だったり、神事である相撲を好むのもその名残ではないかといわれている。

関連
悪魔
→P.118

畏怖と信仰の対象である伝説の存在

龍（りゅう）

西洋の竜と東洋の龍

ファンタジーにおいて外すことのできない強大な力を持つ存在、それが龍（ドラゴン）です。世界中にさまざまな伝承の残るポピュラーな伝説上の生物ですが、東洋と西洋のもので、在り方や性質が大きく異なっています[注1]。

西洋における龍は、トカゲなどの爬虫類がベースとなっており、中には翼を持ち、空を飛ぶ個体もいます。見た目は**ゴジラ**や**ティラノサウルス**に近いイメージです。また、金銀財宝などの宝を守る番人的な存在である北欧神話のファフニールや、スペインのクエレブレといった個体も、西洋の龍に見られる特性です。さらに、西洋ではドラゴンが力の象徴として紋章に使われたり、流星（隕石）を龍だと見ることもあったといいます。

一方、東洋の龍は中国で発展した巨大な蛇のようなイメージが浸透しています。前後の脚は小さく、頭部には長い髭や角が生えていて、翼はありませんが空を自由に飛び回る能力を有していて、**神秘的な力**を行使する龍もいます。

[注1] 創作作品などにおいて西洋龍と東洋龍は、前者が竜、後者が龍というように使い分けられる場合が多い。

さまざまな条件で異なるその善悪性

地域ごとにある程度、外見の統一性はありますが、その性質、性格はじつに多様性に富んでいて、伝説や伝承によって善悪が明確にわかれています。

西洋、とくにヨーロッパの龍は、キリスト教の聖典『新約聖書』の『ヨハネの黙示録』に登場する「黙示録の赤い龍」に代表されるように悪魔と同一視されることも多く、人間に敵対する怪物として描かれるケースがほとんどです。創作においては、財宝を守る番人であったり、世界を恐怖に陥れる征服者、支配者であったりと、人智を超えた畏怖の象徴として描かれるケースが多く見られます。

一方、中国などのアジア圏では、龍は聖なる存在として扱われています。日本でも龍は水を司る水神であり、恵みの雨をもたらすものとして崇められています。他にも仏教における竜王など、神格化されている龍は数多くあります。

特殊な存在のドラゴンたち

地域によってその特徴を変える龍ですが、国や距離を超えて共通点を持つものもいます。

たとえば、**人間と龍の嵌合体(かんごうたい)である竜人(ドラゴニュート)**。これは人間の身体に龍の特徴を持つ半人半龍で、ヨーロッパのドラゴンメイドやメリュジーニュ、中国の伏羲(ふっき)や女禍(じょか)、ロシアなどに伝わるズメイに見られる要素です。

また空にかかる虹を龍に見立て、精霊や水神のような存在として扱われたり、異形の蛇を龍扱いするということがあるといいます。

なお、近年の創作では、ティアマトやバハムートのように本来は龍ではない、あるいは外見が不明な存在が、ドラゴン扱いされることもあります[注2]。

[注2] ティアマトはメソポタミアの神話に登場する女神、バハムートはイスラムの伝説における巨大な魚だが、TRPG『ダンジョンズ&ドラゴンズ』や、コンピュータゲーム『ファイナルファンタジー』などの影響により、ドラゴンと設定する作品が増えた。

主人に服従し働くしもべ

使い魔

関連
魔女 →P.120
陰陽道 →P.154
魔女狩り →P.220

主の意のままに動く存在

「使い魔」とは、その名のとおり魔術師や魔女に従属する使いのこと。多くの場合、使い魔となるのは催眠状態にした動物や召喚した魔物、精霊などですが、ときには幻獣や悪魔、人間などを使役することもあり、その種類や方法は多岐にわたります。

使い魔の中でも悪魔から遣わされたカラスや黒猫などの小動物は、多くの**魔女**に用いられ、伝言や届け物、留守番といった雑用をやらされていました。一方で、高い知能を持つ使い魔は主人に悪事を示唆して、それを実現するための手段や魔法を享受したといいます。こうした使い魔は、主人が改心して魔道から離れることのないよう、逐一監視していたともいわれています。

よく「黒猫は不吉の象徴」といわれるのは、魔女の使い魔であったことに由来しています。17世紀までヨーロッパを中心に行われていた**魔女狩り**では、被疑者と共に黒猫が処刑されるケースも多かったそうです。黒猫を忌避する風習は現在でも

[注1] 日本における黒猫は、夜目が利くなどの理由で商売繁盛や幸運をもたらす「福猫」といわれ、黒い招き猫は魔除けや厄除けの意味を持っている。反対に縁起が悪いとされるのは、黒猫が目の前を通り過ぎる(福が通り過ぎる)ことであり、黒猫が不幸の前兆というものではない。

一部の国や地域に根付いている[注1]といいます。

では、なぜ**魔女が黒猫を使う**というイメージが付いたのでしょうか。その理由はいくつかあり、魔女が信仰するのは**月の神**で、夜行性である黒猫が月と関連付けられたためであるとか、キリスト教にとって邪教であるエジプト神話の発祥・エジプトにおいて神聖な動物だったからということが挙げられます。さらに、シンプルに黒かったからという点もあり、暗闇での活動に長け、黒衣を纏う魔女のパートナーとして最適だと考えられました。これらのイメージは、文学作品において魔女が使役するのが猫だったために広がり定着していったといいます。

主人との関係性

使い魔が主人に従う理由は、催眠状態によるもの、契約した内容に従っているもの、目的の一致などが一般的ですが、その多くは絶対的な主従関係にあり、仲間や相棒、パートナーなどとは異なる関係性で成り立っています。

また、使い魔は知性や感情を持たないケースも多く、主人に力量にかなわず、屈服して従っているというパターンも存在し、多くの場合、主人以上の力を持つことはないとされます。ただし、近年の創作作品ではその限りではなく、『Fate』シリーズに登場するサーヴァントや、RPG『ファイナルファンタジー』シリーズの召喚獣などは、術者よりはるかに強大な力を持つ使い魔です。

■よく使い魔として扱われる存在の例

動物系	ネコ、イヌ、カラス、コウモリ、カエル、ヘビ、フクロウなど
精霊系	ウンディーネ、サラマンダー、シルフ、ノームなど
神話系	八咫烏、ムニンとフギン、ゴーレム、ソロモン72柱の悪魔など
鬼・妖怪系	式神、藤原千方の四鬼、前鬼・後鬼、孫悟空・猪八戒・沙悟浄など

大きすぎる災禍をもたらした疫病の神

疱瘡神（ほうそうしん）

ただ祈るしかないほど抗う術がなかった

「疱瘡」とは「**天然痘**（てんねんとう）」のこと。人類が初めて地上から根絶させることに成功した唯一の感染症です。流行するたびに何百万、何千万人もの命を奪ってきた恐ろしい病気で、その致死率は20 ～ 50％ほど。ワクチンが普及するまでは「感染したら最期。神に救いを祈るしかない」とまでいわれていました。その**祈りの対象**として生まれたのが疱瘡を**擬神化**した「疱瘡神」です。

疱瘡神は日本画の題材としても多く描かれましたが、その容姿はさまざまで、子どもを背負った老女や赤い肌をした鬼など外見的な共通項は見られません。

当時の人々は疱瘡神を送り出す祭事を行ったり、患った人の周囲に疱瘡神が嫌う赤色の物品を飾ったりと祀り上げることで疱瘡の脅威を抑えようとしました[注1]。その一方で、地方によっては良い神様として人々の信仰を集めていたり、疱瘡を除け、さらに福をもたらす伝承が残っていたりと、まったく違う受け止められ方もあり、単純に善悪を判断するのは難しいようです。

[注1] 疱瘡神以外にも疱瘡の被害を免れるために祀られた神様は存在する。当時、疱瘡のルーツが朝鮮半島にあるといわれたことから三韓征伐の神である「住吉大明神」が祀られた例もある。

災禍の中に現れた妖怪・疱瘡婆

疱瘡に関連のある“人ならざる者”の存在は、じつは疱瘡神だけではありません。19世紀初頭、現在の宮城県にある七ヶ浜村大須という村で疱瘡が大流行します。そのタイミングに合わせて墓荒らしの被害が多発、遺体が食い散らかさせるというような事件が起こりました。人々はそれを妖怪「**疱瘡婆**（ほうそうばばあ）」の所業だとして、死体を食うために疱瘡を流行らせていると噂し、恐怖することになります。

このエピソードは江戸時代に『奥州波奈志（おうしゅうばなし）』に掲載されたもので、疱瘡婆は赤い顔に白髪をなびかせ、身長が3メートルもある化け物だったと記されています。わずか一字違いですが、疱瘡を鎮める神である疱瘡神とはまったく異質の存在として怖れられたそうです。

人間の歴史は疫病との戦い

人類の歴史は疫病との戦いでもありました。735年頃、日本で疱瘡が大流行したときは、当時政権を担当していた藤原四兄弟や貴族たちが感染によって死去[注2]、政治を行える人が誰もいなくなり、当時の朝廷は混乱を極めたといいます。また、疱瘡と同じく世界で猛威を奮ったペスト（黒死病）は、ヨーロッパだけで約2500万人が死亡したといわれています。

こうした疫病は、交通手段の発達と共に一気に世界中へと広がっていきましたす。大航海時代、スペイン軍が中米に到着した際、抗体がなかった現地の人々は疱瘡に感染し、結果パンデミックを起こしてしまいました。2021年現在、世界中で猛威を奮う新型コロナウイルス（COVID-19）もまた、人々の移動によって感染が広がったといえるでしょう。はるかに文明の進歩した現代においても、人類は再び同じ過ちを繰り返してしまったのです。

［注2］これらは、昌泰の変にて謀反を計画したとして左遷され、実の子供たちも刑に処されたという藤原道真の呪い・怨念によるものだともいわれている。

動き続ける死物

生(い)ける屍(しかばね)

関連

吸血鬼 →P.122

「死んでいるものは動かない」という常識を崩す存在

生ける屍（アンデッド）と聞いて真っ先に思い浮かぶものといえば、やはり**ゾンビ**です。生きた人間を獲物にする動く死体、死の超越者という設定情報だけでも恐ろしい存在なのですが、最近では人気海外ドラマ『ウォーキングデッド』シリーズや、映画やゲームでお馴染みの『バイオハザード』、さらにはゾンビのアイドルが登場する『ゾンビランドサガ』など、ありとあらゆるバリエーションが生み出され、もっとも身近な架空の怪物となりました。

ゾンビの起源とされているのは、コンゴで信仰される神「**ンザンビ**」です。「ンザンビ」とは目に見えないもの、不思議な力を持つものという意味ですが、海を渡ってインドへと伝わる過程で「ゾンビ」へと変化したとされています。

また、ゾンビは現実に存在したという説もあります。西アフリカの一部地域では伝統的な処刑法として「**ゾンビ・パウダー**」という毒が用いられており、これを使って仮死状態にして意思を奪い、生きても死んでもいない状態の人間＝ゾンビを作り出していたといいます[注1]。

ゾンビが題材作品は1930年代に存在していましたが、現在のゾンビ像を形成したのは、1968年公開の映画『ナイト・オブ・ザ・リビングデッド』に他なりません。蘇った死体が人々を襲い、噛まれた人も怪物になるという衝撃的な内容は、現代のゾンビ映画の基礎を作ったといわれます。

［注1］1980年代に民族植物学者ウェイド・デイビスが提唱した仮設。「ゾンビ・パウダー」の効果はハリセンボンの毒に含まれるテトロドトキシンによるものとされたが、ハリセンボンはテトロドトキシンを持っておらず、信憑性に乏しいという声もある。

中国の動き回る死体・キョンシー

さまざまな生ける屍の中でもゾンビに近い性質を持っているのが、**中国の妖怪キョンシー**です。死体が道士[注2]の術や恨みなどで動き出したものとされ、死後硬直のために関節を自由に動かせないため、腕や足の関節を伸ばしたままジャンプして移動するユーモラスな動きをします。

長い年月を経たキョンシーは自由に動けるようになり、神通力を覚えて空を飛んだり、生前に習得していた場合は武術を使い、毒素を含んだ爪で攻撃します。さらに身体が硬化しているため、銃や剣にも強いという特長も持ち、単体の戦闘力はゾンビよりはるかに強そうです。弱点としては、目が見えず相手を嗅覚で察知しているため、対象が息を止めると見つけられません。また、**額にお札**を貼られると動きが止まり、道士の意のままに操ることができます。

このような動く屍の話は世界の伝承・逸話に数多くあり（下表参照）、それぞれに特徴や個性が異なっているため、比較してみるのも面白いでしょう。

また死体を利用する技として、中国の宗派のひとつである茅山派に伝わる道術「**ヤンシャオグイ**」というものがあります。亡くなった赤子や子供の遺体を利用して霊を使役するもので、**凶悪な禁術**とされています。

［注2］中国の思想のひとつ「道教」の教義に従う者。しばしば、悪霊や妖怪を退治する者として描かれるが、これは映画『霊幻道士』シリーズなどの影響が強い。

■ゾンビやキョンシー以外の生ける屍

スケルトン	ヨーロッパの伝承に登場する動く骸骨です。呪いや魔術によって使役されている、怨念が動かしているなどのパターンがあり、騎士の亡霊として生前の武器や鎧を身にまとったものもいます。
ドラウグル	北欧やアイルランドの神話に登場する死霊で、一見死体のようですが、身体を巨大化させて超人的な力を発揮します。墓に住み、秘められた宝物を守っているといいます。
ワイト	スカンジナビアの伝承などに出てくる悪霊で、モンスターとしてのワイトは『指輪物語』が元になっています。『ドラゴンクエスト』シリーズのワイトキングもこのワイトがモデルと思われます。
ゴーレム	主人の意のままに動く忠実な人形。ゴーレムの中には人間の死体を素材に作られたものもあり、こうした個体はフレッシュゴーレム（肉人形）と呼ばれています。
マミー（ミイラ男）	ピラミッドや古代遺跡などで発掘される、全身を包帯で巻かれた死体。ミイラが不死者やモンスターとして扱われるようになったのは1930年代のアメリカ映画がきっかけとされています。
吸血鬼	吸血鬼もまた死から蘇った存在で、アンデッドという単語は小説『ドラキュラ』で初めて使われました。噛んだ人間を仲間に取り込むという設定は、この吸血鬼から着想を得たとされています。

死をつかさどる神

死神（しにがみ）

関連
終末 →P.77
地獄 →P.134
天国・極楽 →P.136

手にした大鎌で魂を刈り取る

「死神」とはその名のとおり、死を司る神のことです。西洋における死神の一般的なイメージは、黒いローブをまとった骸骨で、その手には**大鎌（デスサイズ）**を持ち、その姿は「**死**」を**擬人化**しているともいわれます。

その大鎌を一度振り下ろせば、必ず誰かの魂を刈り取るといわれ、この鎌から逃れるためには他者の魂を捧げなければなりません。「**刈り取る**」という描写は死神の異名である「**最高神に仕える農夫**」から来ており、その繋がりで英語の「**Reaper（＝刈り取る人）**」や「**Harvester（＝収穫する人）**」は、死神の代名詞となっています。

日本ではあまり一般的ではないですが、江戸時代以降、人形浄瑠璃や古典の書籍などに死神の名前がよく見られるようになります。仏教において人の命を奪う「死魔」や、江戸時代に刊行された『絵本百物語（えほんひゃくものがたり）　桃山人夜話（とうさんじんやわ）』における死神は、人が死にたくなるように仕向ける憑き物のような存在で、西洋の死神とはだいぶ性質が異なります[注1]。

[注1] ちなみに、落語の演目に「死神」があるが、これは明治期に初代三遊亭円朝がグリム童話の『死神の名付け親』、またはイタリアのオペラ『靴直しクリピスノ』を翻案して創作したもの。

神話・伝承に登場する、死神として扱われる存在

死を司る存在は、世界各地の伝承や神話などさまざまに存在し、その種類は多岐にわたるため、はっきりした起源は不明とされています。

その役目もさまざまで、死を運ぶものだけでなく、死者がたどり着くとされる冥府の主、またはそこに住まう者を死神と呼ぶ場合もあります。仏教、ヒンドゥー教における冥界の王、閻魔や獄卒の牛頭馬頭、ギリシア神話における冥府の神・ハデス、死そのものを神格化したタナトスなども死神の一種といえるかもしれません。黄泉国を統べる神イザナミを死神とみる場合もあります。

ちなみに中南米を中心とするメキシコなどでは「死の聖母」と呼ばれるサンタ・ムエルテを信仰する人々もいて、死神、または死そのものを信仰する「**死神信仰**」も世界中に非常に広く浸透しています。

キリスト神話における死神は？

キリスト教において神はひとり（一神教）であるため、死神という概念は存在しません。その代わりに悪を象徴する「悪魔」がいて、死を司る役目を担っているのは「天使」とされます。この「死の天使」という概念はキリスト教のサリエルを始め、ユダヤ教のサマエル、イスラム教のアズラエルというようにさまざまな形で見られますが、新約聖書には「死を司る者」の存在は記されていないといいます。主の命令に従って死をもたらすことはあっても、自ら死を司るということはないそうです。

ただし『新約聖書』の最後に記された聖典の『ヨハネ黙示録』には、「死神」という直接的な記述こそないですが、第一～第三の封印が解かれた際の災厄を逃れた人類に対して、第四の封印が解かれ、青ざめた馬に乗った「死」が神によって遣わされると記されています。この死と表現された第四の騎士は主に「ペイルライダー」と呼称されます。ペイルライダーの後ろには死者のたどり着く場所「ハデス」が付き従うとされ、これがキリスト教における死神といえるのかもしれません。ちなみにこのペイルライダーは、占いなどに使用するタロットカードの中の13番目である死神のデザインの元になっているといわれています。

天使と対を成す存在

悪魔（あくま）

関連
ソロモン王 →P.28
サタン（ルシファー） →P.68
魔除け →P.182

人々が罪を犯すように仕向ける悪の代名詞

悪魔は悪行を働いたり、人々をそそのかして罪を犯すように仕向けたりする存在のことです。日本では何かよくないことや悪意の概念を表す言葉でもあります。さらにファンタジー世界における定番の悪役でもあり、数々のゲームやアニメにも登場しています。ちなみに悪魔という言葉は、元々インドの悪魔「マーラ」[注1]のことを指す仏教用語です。仏教が中国へと伝わり、中国の人々が仏典をサンスクリット語から中国語に翻訳したときに「マーラ」を「悪魔」と訳したのがきっかけとされています。

キリスト教における悪魔は、神に背いた堕天使や悪霊を指しています。その多くは**古代宗教の神々**ですが、キリスト教は「善」の存在である唯一神の対となる「悪」の存在を説明するため、かつて神だった過去を否定して悪魔として取り入れたのです。そして、「これまで信じられてきたそれは悪魔であり、神ではありません。正しい神を信じましょう」と説き、多くの人々をキリスト教に改宗させました。

13世紀に入ると、ヨーロッパでの魔女狩りをきっかけに悪魔や魔女を研究するための悪魔学が盛んになり、同時に悪魔にまつわる書物「魔道書」を作る動きも出てきました。19世紀には**『地獄の辞典』**[注2]が発行され、そこに掲載されている悪魔の挿し絵が現代の悪魔観に大きな影響を与えたといわれています。

[注1] 釈迦のガウタマ・シッダールタの修行を邪魔した悪神で煩悩の化身。

[注2] フランスの文筆家コラン・ド・プランシーの著書。悪魔学や占い、迷信、それらに関連した人物のエピソードなどをまとめた辞典である。

世界の悪魔

悪魔といえば、地獄の王サタンやソロモン王に使役された「**ソロモン72柱の魔神**」がとくに有名ですが、それ以外にも世界中には数多くの悪魔が存在します。ここでは、民話や伝承に登場する魔族や、信仰が廃れたことで悪役にされた神々など、さまざまな悪魔を紹介していきます。

■世界のおもな悪魔

名称	概要
アスラ	インド神話の魔族で、元々は神の眷属。日本の仏教では阿修羅と呼ばれています。
アダンク	ウェールズに伝わるビーバーに似た海の魔族。人間を水中に引きずりこんだり、洪水を起こしたりしたといわれています。
アニャンガー	ブラジルに伝わる悪しき精霊。見た目を自由自在に変えることができ、その幻影で人々に恐怖を与えます。
アンラ・マンユ	善悪二元論のゾロアスター教の最高善である神アフラ・マズダーに対抗する悪神。光の世界を創造したアフラ・マズダーに対抗するべく、病気や悪といった16の災難を創造したとされています。
ウトゥック	メソポタミア神話に登場する善と悪を併せ持つ悪魔。人間のような体に、牛の頭と大きな翼を持っています。善は神と人間のあいだを取り持ち、悪は人間に苦痛を与えます。
ゴブリン	イギリスの家に住み着く精霊の1種。醜い容姿をした邪悪な小人で、イタズラをするのが好きです。
サマナ	子どもや売春行為を行う人を襲うメソポタミアに伝わる悪霊。ライオンの頭、竜の牙、ワシの爪、サソリの尻尾という特徴的な見た目をしています。
サルワ	ゾロアスター教の悪魔で、人々を混乱に陥れることがおもな役割です。
シャイターン	地獄の業火で作られた悪魔で、シャイターンとはヘブライ語でユダヤ・キリスト教の魔王を指す言葉ですが、階級は悪魔です。変身能力を使って人間に近づき、罪を犯させて捕らえたのち、永遠の苦しみを与えます。
ダエーワ	ゾロアスター教の悪神アンラ・マンユに仕える悪魔の総称。善行を行う人間を妨害するのがおもな仕事です。
チョールト	黒い毛で覆われ、角と尻尾を持つロシアの悪魔。
ティアマト	メソポタミアの海の女神。淡水の神アプスーと交わり、数々の神と怪物を産み落とします。のちにバビロニアの創世叙事詩で混沌の象徴である悪魔になりました。
テューポーン	大地を震わすほどの巨体を持ったギリシア神話の怪物。妻のエキドナと交わり、多くの怪物を創りました。
ナイトメア	インキュバスやサキュバスの仲間。寝ている人に恐怖と、胸の圧迫感を与えて苦しめます。ナイトメアの悪夢を見てしまうと、夢から覚めたときに強い倦怠感や疲労感に襲われるといわれています。
バロール	ケルト神話の魔神。目を見た者を殺す力を持っています。
プーシュヤンスター	両手が非常に長いゾロアスター教の女悪魔。人に眠気を与えて怠け者にします。
ベヘモス	旧約聖書に登場する巨大な怪物。中世以降になってから悪魔として扱われるようになりました。
マーラ	インド神話に登場する、幻術に秀でた悪魔。瞑想するブッダのもとに不満、飢え、楽しさを象徴する3人の娘を送り込んで誘惑しますが、ブッダはそれを拒み、善の道へと進みました。
モンタニャール	フランスの山の坑道に潜む恐ろしい顔の悪魔。侮蔑した相手をひどい目に遭わせます。
ユゴン王	フランスの悪霊。幼い子どもを怖がらせるとされています。
ランダ	インドネシアのバリ島に伝わる死んでも蘇る能力を持つ魔女。人間に災いをもたらす魔術を使います。
レヤック	インドネシアのバリ島に伝わる魔女ランダの従者。姿形を変える黒魔術が得意で、赤子や妊婦が大好物です。

魔術を使う人々

魔女（まじょ）

関連
使い魔 →P.110
悪魔 →P.118
魔女狩り →P.220

精霊信仰を行う呪術師が魔女へと発展

魔術や呪術を得意とする女性の魔法使いを魔女[注1]と呼びます。元々彼女たちは、古代の世界各地で見られた精霊信仰を行うシャーマンのような**呪術師**をルーツとしています。呪術師は超自然的な力を借りて、魔術の原型とされる雨乞いの儀式や豊穣祈願などを行い、利得を得ていました。さらに薬草を使った治療や占いによる悩み相談といった、人々に心の安定をもたらす重要な役割も担っていたのです。しかも現代の調査では、治療に用いられていた薬草には**実際の薬理効果が確認**されています。

しかし、時が経つにつれ、その力を不気味に感じたり、危険視したりする声が出始めます。その声がとくに盛んだったのが15世紀頃です。この頃は小氷期の不作による飢餓やオスマン帝国の台頭といった社会不安が増大しており、人々はその原因を魔女に押し付け、魔女の力の源は悪魔との契約によって得たものと考えるようになりました。これを機に魔女を糾弾する声が高まり、**魔女狩り**へと発展していくのです。結果、魔女と悪魔は結びつけられ、悪者のイメージが定着していきます。こうした差別と迫害の対象となった魔女ですが、アメリカのコメディドラマ『奥様は魔女』や、日本では俗に「魔女っ娘もの」とも呼ばれる魔法少女が主役のアニメなどの影響もあって、徐々にそのイメージも変化してきています。

[注1] 森の奥深くに住む醜い老女、黒のローブ、三角帽、空飛ぶホウキといった、お馴染みの魔女像は、民間医療の知識を持つ老賢女やジプシーなどのイメージが幾重にも混交した結果、生まれたものとされている。

人々の不安感が魔女と悪魔を結びつける

魔女が本格的に糾弾されるようになった流れ

14世紀にペストが大流行

●"黒死病"と呼ばれるペストが大流行。ヨーロッパでは3割もの人々が亡くなりました。

小氷期が到来

●小氷期によって農作物が大きな被害を受け、人々が飢餓に苦しみます。

オスマン帝国の台頭

●小氷期の不作による飢餓に加えて、東ローマ帝国がオスマン帝国に吸収。その結果、社会不安が増大します。

人々が理由を求めようとする

●理由が分からない度重なる事件によって社会不安が増大した人々は、その原因を探り始めます。そこで槍玉に上がったのが魔女。悪魔との契約で力を得た魔女たちが雹を降らせて作物を台無しにしたと考えたのです。

ローマ教皇が魔女を糾弾

●1484年に、ローマ教皇インノケンティウス8世が教皇教書『いと深甚なる懸念を以て』で、魔女を糾弾。その後、その書簡が広まり、ハインリヒ・クラーマーの『魔女への鉄槌』の序文にも掲載されました。

本格的な魔女狩りが始動

●翻訳された魔女狩り推進派の著書も出回るようになり、それを読んだ人々が魔女狩りの声を上げ始めます。15世紀に入り、魔女狩りが本格的に始まり、多くの被害者が生まれることになるのです。

魔女の集会"サバト"とは

悪魔が夜間に開く秘密の集会、宴のことを「サバト」と呼びます。山の上や寂れた場所といった、ひと気のない場所で密かに催されていました。悪魔に呼び出された魔女と魔術師は、鳥やコウモリの血、スス、銅の削り屑などを煮込んで作った軟膏を性器に塗って、参加者同士で性行為を繰り返していたそうです。

血を吸って生き永らえる化け物

吸血鬼(きゅうけつき)

関連
生きる屍 →P.114
人狼 →P.222

現代の吸血鬼像は創作物によるもの

吸血鬼とは、人の生き血を吸って生きる怪物です。そのルーツは、ギリシア神話に登場する子殺しの女怪物ラミア[注1]だと考えられています。ラミアの語源は貪欲の意味を持つギリシア語「**ラミュロス**」とされ、この名前はのちの女吸血鬼の別名に用いられます。ラミアから発展した吸血鬼の伝説はとくに東欧で数多く見られるようになり、その中でも「**生きた屍**」の伝説がのちの創作に活かされ、吸血鬼を題材にしたさまざまな作品が作り出されました。「生きた屍」とは、死後も腐敗せずに生前の姿を保ち続ける屍[注2]のことで、その活動を維持するために生き血を求めてさまようという伝説です。

ちなみに吸血鬼といえば、黒いマントを羽織った貴族のような風体や鋭い牙、複数の弱点（十字架、聖水など）などの要素が有名です。これらのイメージは19世紀にイギリスの劇作家ブラム・ストーカーが書いた小説『**吸血鬼ドラキュラ**』に登場するドラキュラ伯爵が元になっています。

[注1] 女性の頭と胸を持ち、首から下は蛇という怪物。かつてはゼウスの寵愛を受けていたが、それを嫉妬するゼウスの妃ヘラに殺され、怪物となった。

[注2] 東欧では地質的な条件などにより棺内での遺体の腐敗速度が遅く、ほぼ生前の姿を保った遺体が見つかることがあった。また、東方正教会には不自然な死に方をした者、神の教えに背いた人間には、土に還らず安息を迎えられないという教義があり、それと腐敗しない屍が結びつき、吸血能力を持つ生きた屍が誕生したといわれている。

さまざまなタイプの吸血鬼が存在

吸血鬼の代名詞であるドラキュラ以外にも、世界中には多種多様な吸血鬼伝説が残っています。一般的な吸血鬼は人間や動物に噛みつき、生き血をすすりますが、中にはギリシア神話の怪物**エンプーサ**のように相手を食い殺してしまう、より凶暴な者も存在します。また、肉体を持たない**ルガド**や、生首の状態で飛行しながら獲物を狙う**ペナンガラン**、ゴキブリのような姿をした**ルウ・ガル**、生き血を吸うと巨大化する**吸血巨人**など、ユニークな見た目や能力を持つ吸血鬼も多いです。

■世界のおもな吸血鬼

名称	概要
ヴコドラク	オオカミの姿をしたユーゴスラヴィアの吸血鬼です。
ウプイリ	ロシアの伝承に登場する人の顔をした巨大なコウモリの怪物です。
ウピオル	ポーランドの吸血鬼。吸血鬼ですが、太陽が出ている日中も行動できるのが特徴です。
ウピル	子供の血を好むチェコの吸血鬼。ウピオル同様、日中も行動します。
エンプーサ	ギリシア神話に登場する女神ヘカテに従う怪物。男性を誘惑して食い殺します。
カーリー	ヒンドゥー教の殺戮と破壊を象徴する女神。ラクタヴィージャとの戦いでは、血をすべて吸い尽くして倒したとされています。
吸血巨人	人間の生き血を吸って巨大化する中国に伝わる妖怪です。
クイ	中国の伝承に登場する鬼の姿をした妖怪。子どもの血を好みます。
クドラク	黒いオオカミの姿をした吸血鬼で、スラブ人の伝承に登場します。
ストリゴイ	ルーマニアの伝承に登場する吸血鬼。ふたつの心臓を有しています。
チュパカブラ	南米で目撃例の多いUMA（未確認動物）。1〜2メートルの大きさで口元に牙、背中にトゲが生えています。基本的にはヤギなどの家畜の血を吸いますが、ときには人間を襲うこともあります。
チョンチョン	病人の血を吸う、二枚の大きな翼を持つ南米の魔物です。
ブルーハ	ポルトガルの魔女。夜になると怪鳥に変身し、子どもの血を吸います。
ペナンガラン	ペナンガルとも呼ばれている、マレー半島やボルネオ島の伝承に登場する女吸血鬼。首の下に露出した胃袋と内臓をぶら下げ、生首のまま空を飛び回ります。
マナナンガル	フィリピンの伝承に登場する魔女。日中は人間の姿で、夜になると翼を生やし、下半身を切り離して人間を襲います。
モルモー	ギリシア神話に登場する怪物。エンプーサ同様、女神ヘカテに従っており、子どもを襲うとされています。
ラミア	ギリシア神話に登場する怪物。上半身が女性で、下半身がヘビの姿をしています。神ゼウスとのあいだに生まれた子を女神ヘラに殺されて精神が病み、子どもを攫って食らう怪物と化しました。
ラングスウィル	猿に似た容姿を持つフィリピンの吸血コウモリ。ジャングルに迷い込んだ人間の血を吸いますが、子どもの場合は吸わないとされています。
ルウ・ガル	インドに伝わる、おぞましい姿をしたゴキブリのような吸血虫。姿を見ると目が腐り落ち、そこからルウ・ガルが侵入して繁殖するといわれています。
ルガト	アルバニアの吸血鬼。肉体を持たない霊的な存在です。

超自然的な存在

妖精（ようせい）

“妖精＝善”という訳ではない

「妖精」とは、神とも人間とも異なる超自然的な存在です。妖精と近しい存在に「**精霊**」がいますが、こちらは自然界のエネルギーが実体化したもので、妖精とは明確な違いがあります。しかし、近年さまざまな作品で妖精や精霊が取り上げられていく中で、両者の違いが次第にあやふやになり、作品や書籍によっては精霊と妖精が混同してしまっているケースも増えています。そのため、ここでは精霊を妖精の仲間として紹介します。

妖精や精霊が登場する作品としては、ディズニーのアニメ『ピーター・パン』が有名。本作に登場する主人公ピーター・パンと、彼の相棒であるティンカー・ベル[注1]はいずれも妖精です。さらにアニメ『プリキュア』シリーズには、少女に魔法の力を与えてサポートを行う妖精が登場します。こちらはシリーズによって容姿が異なるため、さまざまな妖精や精霊をモチーフにしているものと推測されます。このように姿形はバラバラですが、創作作品において妖精は人間に友好的な存在です。伝承でも家事を代行する**ブラウニー**や陽気で明るい**ノーム**など、善良な妖精が数多く登場します。ですが、中には人間を溺死させようとする**ルサールカ**や、自分の子どもを人間の子とすり替えてしまう**トロル**など、悪事を働く者もいます。妖精は必ずしも善なる存在ではないということを覚えておきましょう。

[注1]原作小説『ピーター・パン』に登場するティンカー・ベルは、嫉妬心が非常に強く、本作の登場人物であるウェンディを殺そうとしたこともある。

■世界のおもな妖精の種類

名称	概要
ウンディーネ	水を司る妖精で、四大精霊の1体。性別の概念があり、いずれも人間のような容姿をしています。また人間と結ばれると魂を得るといわれています。
エルフ	ゲルマン人の伝承などに登場する森の妖精。不死または長寿とされており、人間よりも美しい容姿をしています。
ゴブリン	西ヨーロッパの伝承などに登場するイタズラ好きの妖精。太陽が苦手で洞窟や坑道など、薄暗い場所を好みます。
コボルト	ドイツの民話に登場する子どものような容姿の妖精。非常にイタズラ好きですが、人間を好みます。パンやミルクを与えると、家事や馬の世話をしてくれます。
サラマンダー	炎を司る妖精で、四大精霊の1体。トカゲのような容姿をしており、どのような高温にも耐えられる皮膚を持っています。
シルフ	風を司る妖精で、四大精霊の1体。美麗な女性の姿をしており、その風はシルフの声であるといわれています。
ジン	アラブ世界の妖精・精霊の総称。変幻自在でどのような姿にも変身でき、善良な者と邪悪な者がいます。
デュラハン	アイルランド伝承に登場する首なし騎士の妖精。首がない馬に跨がり、死期が近い人間に死を宣告するといわれています。
ドワーフ	長い髭が特徴的な小人の妖精。洞窟や井戸といった地下世界に住んでいます。
トロル	北ヨーロッパなどの伝承に登場する妖精。人間の子どもを盗み、代わりにトロルの子どもを置いていくチェンジリングという悪さを働きます。
ノーム	大地を司る小人の妖精で、四大精霊の1体。老人のような風貌で、陽気で明るい性格をしています。
パック	イギリスの伝承に登場する子どもの容姿をした、イタズラ好きの妖精。人間に対しては好意的で、持っている笛で美しい音色を奏でて人間を踊らせることがあります。
ピクシー	イングランドの伝承に登場する妖精。陽気でイタズラ好きな性格で、歌や踊りが大好きです。輪になって踊ると、周囲に妖精の輪という模様を残すこともあります。
ブラウニー	スコットランド伝承に登場する小人の妖精。人間が寝ている間に、家事をしてくれる働き者です。
ペリ	ペルシア伝承に登場する火から生まれた人型の妖精。背中に羽を生やし、天使のような見た目をしています。日本の昔話『天女の羽衣』の元ネタといわれています。
ルサールカ	ロシアの伝承などに登場する女性型の精霊。水辺にいる人間を水中へと誘い、溺死させます。
レプラホーン	アイルランド伝承に登場する小人の妖精。妖精たちの靴屋といわれています。

コティングリー妖精事件

1907年、イギリスのコティングリー村に住んでいるふたりの従姉妹が写真を複数枚撮影したところ、そのうちの1枚に「ノーム」が、ほかの写真には「羽根の生えた妖精」が写り込み、その真偽を巡ってさまざまな論争や騒動が起こりました。『シャーロック・ホームズ』シリーズの生みの親であるコナン・ドイルは、写真の妖精を本物と信じていましたが、のちに捏造写真であると判明したのです。

奈落の王が率いる害虫

イナゴ

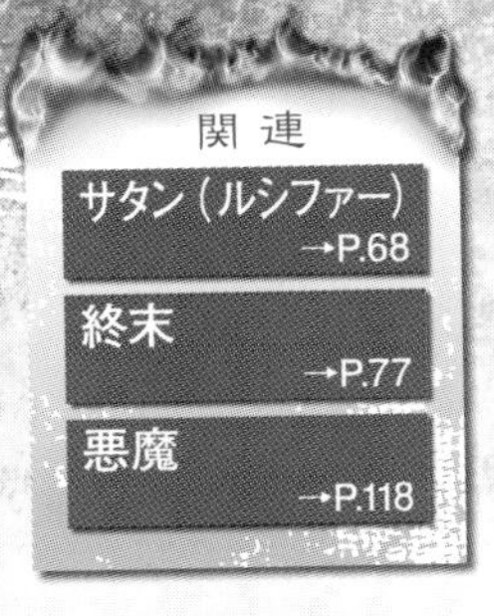

大群で押し寄せ人々を強力な毒で苦しめる恐怖の虫

イナゴはバッタ目イナゴ科の昆虫で、日本では稲を食い荒らす害虫として有名です。2019年以降、アフリカ北東部ではイナゴの仲間である**サバクトビバッタ**が大量発生し、農作物や牧草地を食い荒す**蝗害**が拡大。数千万人分の食糧供給が不安定になり、食糧危機の可能性も示唆されています。ちなみに『旧約聖書』には、古代エジプトの奴隷とされていたイスラエル人を救出するために、神がエジプトにもたらした10の災害のひとつとして、サバクトビバッタの蝗害が描かれています。

『新約聖書』の『ヨハネの黙示録』に記された最後の審判[注1]には、イナゴが「奈落の王アバドン」[注2]と共に登場します。「**アバドンのイナゴ**」と呼ばれるこの虫は、金色の冠を被り、人の顔と女性のような長髪、獅子の歯、サソリの尾を持っているとされています。イナゴは**神の命令**を受けており、自然の草木を食べない代わりに人間の作った穀物だけを食い荒らすそうです。

また、神の意志に従わない者には、サソリの尾を突き刺して猛毒を注入し、死ぬほうがマシと思えるほどの耐えがたい苦痛を与えます。この毒による苦しみは半年近く続きますが、死ぬことはありません。このことからイナゴやバッタといった害虫の大量発生は**“神が人間に下した罰”**と考える地域もあったようです。

[注1]『ヨハネの黙示録』に記された世界の終末に関する預言のこと。復活したイエス・キリストが死者を蘇生させて最後の審判を行い、生前の行いに応じて人々を天国と地獄に振りわけたとされている。

[注2] キリスト教の堕天使、または神に従う悪魔でアバドーンやアポリオンなどの異名を持つ。金色の冠、長髪、馬のような体、コウモリの羽、サソリの尾を持つ。最後の審判の日に天使のラッパによって姿を現し、大量のイナゴと共に人々を苦しめる。地獄にいるときは神の命を受け、ルシファーを見張ることも。

黒山羊の頭と黒翼を有する悪魔

バフォメット

関連
悪魔 →P.118
魔女 →P.120
十字軍 →P.228

高い知性を持ち、魔女に知能を授ける存在

バフォメットとはキリスト教の悪魔です。その名はイスラム教の創始者マホメット（ムハンマド）に由来するという説がありますが、異説も多くはっきりとしていません。他にも「**暗闇の皇帝**」や「**サバトの牡山羊**」の異名を持ちます。悪魔の中でもとくに高い知能と魔力を有し、ルシファーやアスタロトに仕える大悪魔サタナキア[注1]、またはサタンと同一視されることもあるようです。バフォメットはおもに魔女の集会「**サバト**」に参加し、魔女たちに邪悪な知恵を授けます。さらに信仰心の厚い者に富やさまざまな利益をもたらすともいわれています。

黒い山羊の頭と翼、炎の冠、額に五芒星マーク、ときには胴体に女性の乳房が付いているなど、悪魔の中でもかなりインパクトの強い容姿が特徴的です。この容姿は19世紀にフランスの魔術師エリファス・レヴィ[注2]が公開したエジプト発祥である山羊の神とバフォメットの伝承を組み合わせて描いた絵「メンデスのバフォメット」がベースとされています。

1300年代にフランス国王のフィリップ４世[注3]が「テンプル騎士団はバフォメットを崇拝している」というデマを流し、団員を悪魔崇拝などの罪状で告発する事件がありました。この一件で多くの団員が処刑され、テンプル騎士団は解散の憂き目に遭うこととなります。

[注１] ソロモン王の著書とされる『大いなる教書（グラン・グリモワール）』に登場する悪魔で、階級は大将。アモン、バルバトス、プルスラスという悪魔を支配下に置いていたとされる。

[注２] 本名はアルフォンス・ルイ・コンスタン。隠秘学者として錬金術や魔術を研究。のちのオカルト文化に多大な影響を与えた。

[注３] 1285年頃に即位。テンプル騎士団が中央集権を目指す王権の障害となっていたため、当時の総長ジャック・ド・モレーを含む団員を異端者として処刑した。一説ではテンプル騎士団が有する資産が狙いだったともいわれている。

召喚者を巧みに欺く悪魔

メフィストフェレス

関連
悪魔 →P.118
契約と誓約 →P.172

魂を奪うために召喚者に知恵や魔力を与える

メフィストフェレスは16世紀後半にドイツで広まった「**ファウスト伝説**」に登場する**変身能力**を持つ悪魔です。ファウスト伝説とは、知識欲が旺盛な錬金術師ヨハン・ゲオルク・ファウスト[注1]がメフィストフェレスと契約し、さまざまな知識と快楽を得ますが、最後には魂を奪われてしまうという伝承です。

のちにこの伝承をベースとして、数多くの作品が生み出されていきました。その中でもとくに有名なのが、1592年頃にイギリスの劇作家クリストファー・マーロウが手がけた戯曲『フォータス博士』と、ドイツの文豪ヨハン・ヴォルフガング・フォン・ゲーテが1808年と1833年に公表した2部構成の長編戯曲『ファウスト』です。

『フォータス博士』では、メフィストフェレスがルシファーに従事し、ときには彼の仕事を代行する姿や、物語のラストでファウストの魂が地獄に堕ちて永遠の罰を受ける結末などが描かれています。

ゲーテの『ファウスト』では、巧みな話術で契約者を誘惑する悪魔として登場。神を相手にファウストを自分の側に引き入れられるかどうかの賭けを行い、持ち前の話術でファウストを誘惑します。こちらもラストでメフィストフェレスに魂を奪われそうになりますが、結果的にファウストの魂が救済される結末[注2]となっています。

[注1] 1400年代後半に実在したとされている錬金術師。放浪中にドイツの神学者マルティン・ルターから「ファウストは悪魔の力を借りている」と非難された逸話がある。のちに錬金術の実験中に爆死し、その身体はバラバラになった。この出来事がきっかけで「ファウスト伝説」が誕生したといわれている。

[注2] ゲーテの『ファウスト』には、ファウストの最愛の女性マルガレーテが登場する。マルガレーテは劇中で死亡してしまうが、物語のラストでメフィストフェレスに魂を奪われそうになるファウストのために聖母に祈りを捧げ、彼の魂を救済する。

風を司る悪霊の王

パズズ

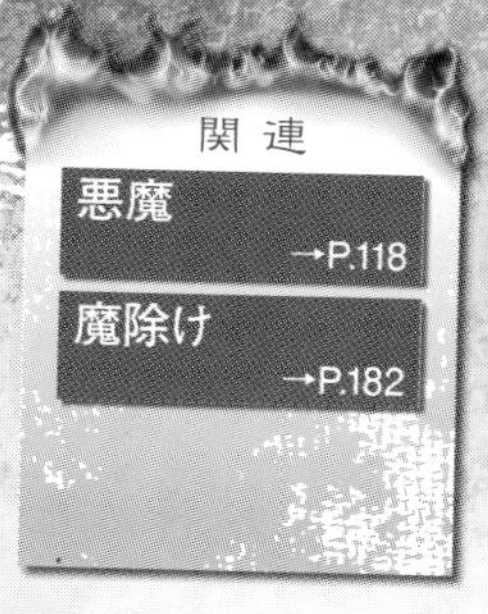

熱病をもたらし、人々を苦しめる

パズズといえば、アメリカのホラー映画の金字塔『エクソシスト』[注1]で少女に取り憑いた悪霊です。少女の首を360度回転させたり、ブリッジしたまま階段を駆け下りたりと恐ろしい奇行の数々は、人々に衝撃と恐怖を与えました。本作で有名となったパズズは、ゲーム『ドラゴンクエスト』や『女神転生』シリーズなどにも登場します。

そもそもパズズとは、メソポタミアの伝承に登場する地下世界に住む悪霊の王です。獅子の頭と腕、人間の胴と脚、鳥のような４枚の翼とサソリの尾を持ち、強烈な熱風を巻き起こして人々に熱病をもたらします。その妻は胎児や乳児を殺す魔の女神「**ラマシュトゥ**」[注2]です。

パズズが起こす熱風は弱い細菌を死滅させるため、細菌をばら撒く悪魔を遠ざける存在とされています。さらに流産や乳児の誘拐といった悪行を働くラマシュトゥを、地下世界へと連れ戻すと考えられており、妊婦たちはパズズの小像を御守りとして部屋に置いたり、吊したりしたそうです。この小像はルーヴル美術館にも展示されています。他にもパズズを模したさまざまな魔除けグッズが存在しており、かつて信仰の対象だったことがわかります。

映画『エクソシスト』で恐ろしい悪霊として一躍有名になったパズズですが、その正体を調べてみると防疫や妊婦の守護者という意外な一面があることがわかります。

[注1] 1973年に公開されたアメリカのホラー映画。少女に取り憑いた悪霊と、エクソシスト(悪魔祓い師)の闘いを描いた内容で、その後もさまざまな続編・派生作品が作られている。

[注2] 獅子の頭にロバの胴体と牙、猛禽の爪を持つ。胎児や乳児の死はラマシュトゥの仕業とされている。その一方で犬とブタを守護する神でもあった。

神から降格した炎の精霊

ジン

関連
悪魔 →P.118
妖精 →P.128

ポピュラーなイメージとは裏腹な凶悪な一面

ジンは中東各地に伝わる**妖精や精霊の総称**です。創作作品においてもっともポピュラーなジンは、ディズニーアニメ『アラジン』に登場するランプの魔神（魔人）ジーニーでしょう。魔法の力を持ち、自身の身体を自由自在に変えることができます。ジンは他にもアニメ『ハクション大魔法』や『大魔王シャザーン』などにも登場し、ジーニー同様、人間のよきパートナー[注1]として描かれています。

のちにジンはイスラム教にも取り入れられ、アッラーが水と土から人間を作るより2000年以上前に、煙の出ない火や砂漠を吹く風から作ったとされています。人間よりはるかに**優れた知能**とどんな物にでも化けられる**変身能力**を持ち、**体のサイズも自在に変える**ことができます。また、ジンは個体によって性格が異なり、善良なジンはイタズラ好きかつ友好的で、まさにジーニーのような性格です。対して邪悪なジンは人間に危害を加え、捕食することもあります。すべてのジンが友好的で愉快な存在というわけではないのです。

[注1] ディズニーアニメ『アラジン ジャファーの逆襲』では、悪しきジン・ジャファーがアラジンの宿敵として登場。ジーニーと対照的な存在として描かれており、強大な魔法を使って自身の野望を阻んだアラジンを殺そうとする。

イスラム教に取り込まれ、立場が変わる

元々、ジンは古代アラビアにおいて砂漠（または自然）を司る神として崇拝されてきました。人々はアラビアのすべての砂漠にジンがいると信じていたのです。

しかし、前述のとおり唯一神アッラー[注2]を崇拝するイスラム教が中東各地に広がっていくと、ジンは**アッラーの被造物**とされてしまいます。このことはイスラム教の教典『クルアーン』[注3]に記されており、そこには善良なジンが預言者ムハンマドによってイスラム教徒になる姿や、邪悪なジンがイスラム教徒になるのを拒否する様子が描かれています。

邪悪なジンはのちに**5つの階級**に分けられました。強いものから順にマリード（女性名：マリーダ）、イフリート（女性名：イフリータ）、シャイターン、ジン、ジャーンとされており、それぞれ魔霊、鬼神、悪魔、妖精、悪霊と訳されています。そして、これらのジンを統べるのが**イブリース**です。イブリースとは、アッラーが土から創造した最初の人間アダムに跪拝することを拒否し、神に背いたとされる**イスラム教唯一の堕天使**です。ルシファーと同一視されており、キリスト教における地獄の王であるサタンのような存在といえます。

上記の階級はポピュラーなものですが、伝承によっては内容が異なり、階級名や順番が違っている場合もあるので注意が必要です。

[注2] イスラム教、キリスト教、ユダヤ教の唯一神。アッラーはヤハウェのアラビア語である。全知全能で世界を創造したとされる。

[注3] イスラム教の聖典。ムハンマドが神から受けた啓示をまとめたもの。

■ジンの階級

強弱	階級
強	マリード／マリーダ（魔霊）
	イフリート／イフリータ（鬼神）
	シャイターン（悪魔）
	ジン（妖精）
弱	ジャーン（悪霊）

黙示録の獣に乗る者

バビロンの大淫婦(だいいんぷ)

関連
ネロ →P.47
アレイスター・クロウリー →P.40

比喩的表現であり、その正体は諸説ある

そもそもバビロンの大淫婦とは、キリスト教における終末の様子が描かれた『**ヨハネの黙示録**(もくしろく)』に登場する謎の女性です。ゲーム『ペルソナ』や『真・女神転生』シリーズの魔人・マザーハーロット（直訳で“売春婦の母親”）のモデルにもなっています。

バビロンの大淫婦は「**大いなるバビロン**」とも呼ばれ、美しいドレスと装身具を身にまとい、手には姦淫(かんいん)で穢された金の杯を持ち、７つの首と10本の角を持つ黙示録の獣に跨がっています。彼女は栄華を極めますが、乗っていた黙示録の獣に引き裂かれ、喰われた挙げ句、神の裁きによって焼け死ぬのです。

バビロンの大淫婦と**黙示録の獣**には、**隠喩**が含まれているとされ、異国民に操られたローマ帝国がキリスト教徒を迫害している風刺[注1]という説や、権力の癒着や力のある者が堕落している姿を意味するといった意見もあります。この他にもさまざまな説が存在しますが、人によって解釈が大きくわかれるうえ、政治的な問題も抱えているため、すべての人間が納得する明確な答えは出ていません。

ちなみにトート・タロットを手がけたイギリスの魔術師アレイスター・クロウリーは、一般的な「力」にあたるタロットカードにバビロンの大淫婦を採用し、「欲望」という名前をつけています。

[注１] とくに第5代皇帝のネロは、ローマが大火事になった事件をキリスト教になすりつけ、初代ローマ教皇であるペテロをはじめ、多くのキリスト教徒を処刑した。

chapter 4 場所

天国と対になる場所

地獄（じごく）

関連
天国・極楽 →P.136
黄泉平坂 →P.144

死者の魂が行き着く場所のひとつ

世界各地の宗教や民間信仰には、死後の世界として天国や地獄と呼ばれる場所、或いは概念が存在します。一般的な地獄のイメージとしては、生前に悪事を働いた人間の魂が集められ、何かしらの刑罰を受けさせられる場所といった感じでしょうか。創作物では北欧神話の「ヘルヘイム」[注1]やギリシア神話の「タルタロス」[注2]がよく用いられますが、これらの場所には刑罰らしい刑罰が存在せず、死者の魂や神々が幽閉されているに過ぎません。典型的な地獄に近いものとしては、仏教の「**八大地獄**」[注3]やキリスト教の地獄[注4]などが挙げられます。

仏教では、亡くなった人間は三途の川を渡り、「十王（じゅうおう）」[注5]による7回の裁きを受けたのち来世に旅立ちます。このとき、罪の重い者は生まれ変わることができず、地獄に落とされてしまうのです。この地獄は全部で8つあり、犯した罪に応じて服役すべき地獄が決まるといいます。

キリスト教における地獄は、「**最後の審判**」[注6]後に、神に背いた者たちが何らかの罰を受ける場所とされています。聖書によると、終末の日にすべての人々が肉体を得て復活。神による審判が下され、その教えに従った者は天国へ、それ以外の者は「**ゲヘナ**」と呼ばれる地獄へと移されます。ちなみにイスラム教にも天国（ジャンナ）と地獄（ジャハンナム[注7]）が存在します。

[注1] 北欧神話に登場する死者の国。霧の世界ニブルヘイムと同一視されることもある。名誉の戦死を遂げた者はヴァルハラ、それ以外はここに移される。

[注2] ギリシア神話に登場する神、あるいは冥界の下に広がる奈落を指す。ヘカトンケイルという巨人族や、ティターンという神の一族が幽閉されていた。

[注3] 仏教の教えに登場する死後の世界。全部で8つの階層があり、それぞれ対応する罪や罰が異なる。

[注4] イギリスの詩人ダンテ・アリギエーリの叙事詩『神曲』をもとに視覚化されたものがよく知られている。

[注5] 仏教や道教における、地獄で亡者に審判を下す10の尊格。

[注6] ユダヤ教、キリスト教、イスラム教などで見られる終末論的な世界観。世界滅亡後、神の手で死者の魂が裁かれ、それぞれが天国、或いは地獄に移されるという。

[注7] 全部で7つの階層があり、犯した罪によって向かう先が異なる。

■八大地獄の詳細

名称	詳細
等活地獄 （とうかつじごく）	【対応する罪】殺生 争いが好きなものや殺生を犯したものたちが堕ちる地獄で、死ぬまで戦うことを強いられます。死んでも獄卒（鬼）に生き返され、再び殺し合いをすることになるそうです。
黒縄地獄 （こくじょうじごく）	【対応する罪】殺生、盗み 黒縄（墨をつけた縄）で体に升目状の線を引かれ、それにそって斧やノコギリで体を切断されます。ほかにも釜茹での刑や、熱した鉄で焼かれる刑などが用意されています。
衆合地獄 （しゅうごうじごく）	【対応する罪】殺生、盗み、邪淫（じゃいん） 刃のような葉をつけた木があり、そのてっぺんには淫らな姿をした美人がいます。罪人は彼女に誘われる形で木を登り降りし、、体を裂かれて血だらけになるそうです。
叫喚地獄 （きょうかんじごく）	【対応する罪】殺生、盗み、邪淫、飲酒 熱した鉄の上を走らされたり、鍋で煮られるほか、口のなかに熱した銅を流し込まれて五臓を焼かれます。また、巨大な獄卒が罪人を追い回し、弓矢で射ることもあります。
大叫喚地獄 （だいきょうかんじごく）	【対応する罪】殺生、盗み、邪淫、飲酒、妄語 先の罪に加え、嘘をついた者が落ちる地獄。罪人がここに入ると全身が燃えて焼け死にますが、そのたびに生き返って再び焼かれます。獄卒に目や舌を抜かれる刑もあります。
焦熱地獄 （しょうねつじごく）	【対応する罪】殺生、盗み、邪淫、飲酒、妄語、邪見 先の罪に加え、邪見（因果の道理を無視する誤った考え方や行動）を行った者が落ちる地獄。焼けた鉄の棒で打たれたり、鉄串で串刺しにされるほか、地獄の劫火で焼かれます。
大焦熱地獄 （だいしょうねつじごく）	【対応する罪】殺生、盗み、邪淫、飲酒、妄語、邪見、犯持戒人 先の罪に加え、尼僧や童子を犯した者が落ちる地獄。罪人は獄熱の海に放り込まれ、延々と焼かれ続けます。炎の刀で皮を剥がれて焼かれ、熱した鉄を注がれる刑もあるそうです。
阿鼻／無間地獄 （あび／むげんじごく）	【対応する罪】殺生、盗み、邪淫、飲酒、妄語、邪見、犯持戒人、父母・阿羅漢（聖者）殺害 八大地獄の最下層にあるため、罪人がここに落ちるまで2000年かかります。舌を抜かたり、釘を打たれたり、毒や火を吐く虫やヘビに襲われるなど、延々と責め苦を受けます。

■『神曲』における地獄

名称詳細		名称詳細
地獄	第一圏 辺獄	洗礼を受けなかった者は天国にも地獄にも入れず、この場所で無為に過ごすことになります。
地獄	第二圏 愛欲	肉欲に溺れた者が落ちる地獄で、罪人は荒れ狂う暴風に吹き流されます。
地獄	第三圏 貪食	大食の罪を犯した者は、この地獄で多頭獣ケルベロスに食われる→排泄されるを繰り返します。
地獄	第四圏 貪欲	浪費と吝嗇の罪を犯した者たちが落ちる地獄。両者で延々と罵りあうという罰を受けます。
地獄	第五圏 憤怒	怒りに支配された者が落ちる地獄。彼らは血の色をした沼でお互いを責め苛むといいます。
地獄	第六圏 異端	その機会があったのにキリスト教に改宗しなかった者が、燃え盛る墓に葬られるという地獄。
地獄	第七圏 暴力	自他に暴力をふるったものが落ちる地獄。罪の内容に応じて3つの領域のどこかに移されます。
地獄	第八圏 悪意	生前に悪意をもって犯した罪によって、10の領域のいずれかに移され、責め苦を受ける地獄。
地獄	第九圏 裏切り	裏切りという最も重い罪を犯した者がたどり着く地獄。首から下が氷つく極寒の地です。
煉獄山	第一冠 高慢	高慢の罪を犯した者は、この地獄で重い石を背負わされ、苦痛を味わうことになります。
煉獄山	第二冠 嫉妬	嫉妬という醜い感情を抱いた者は、ここで瞼を縫い合わされ、視覚を奪われてしまいます。
煉獄山	第三冠 憤怒	怒りに囚われた者は、ここでそれを悔い改め、祈りを捧げねばなりません。
煉獄山	第四冠 怠惰	怠惰な日々をおくっていた者は、第四冠を走り回ることで罪を贖います。
煉獄山	第五冠 貪欲	生前に欲深かった者は、このエリアで地に伏して嘆き悲しみ、欲望を消滅させるそうです。
煉獄山	第六冠 暴食	暴食の罪を犯した者は、決して口にできない果実を前に、空腹を耐え忍ぶことで罪を償います。
煉獄山	第七冠 愛欲	不純な愛欲に塗れた者たちが、抱擁を交わすことで罪を悔い改めるそうです。

善人や義務を果たした者が行く世界

天国・極楽（てんごく・ごくらく）

関連
終末 →P.77
地獄 →P.134
寺社・教会 →P.138

ゾロアスター教から伝わった天国

一般的に天国は天上にある理想的な世界で、善人が死んだのちに行く場所とされています。こうしたイメージはキリスト教の「天国」から来ていますが、その大元は**ゾロアスター教**[注1]にあります。

ゾロアスター教では、現世とあの世が「チンワト」[注2]と呼ばれる橋で繋がっています。死者の魂はすべてこの橋を渡り、無事に渡り切った魂のみが天国へと至り、甘露でもてなされ、天国の住人の証である不死を獲得して永劫の至福を楽しむのです。こうした審判と天国、地獄の概念はバビロン捕囚（ほしゅう）[注3]を通じてユダヤ人に伝わり、ユダヤ教での終末論が誕生しました。ユダヤ教から派生したキリスト教にも取り入れられており、天国は罪を赦された者が神と共にいる場所とされます。ただ、天国の様子についてはアダムとイブが住んでいた**楽園**（**エデン**）がイメージされることも多いようですが、さまざまな教派が存在することもあるのか、一致した見解はないようです。

一方、イスラム教での天国は**聖典『クルアーン』**に記述があり、本当に信仰して善行に励んだ者だけが永遠の生を得て、歓待される楽園とされています。彼らはアッラーの側近にはべり、いくら飲んでも泥酔しない飲み物、好きなだけ採れる果実やさまざまな鳥の肉、そして美しい天女たちがいる世界で楽しく暮らすのです。

[注1] ペルシア（現在のイラン）で紀元前12～10世紀頃、もしくは前7世紀頃に誕生したとされる宗教。善悪二元論と、善の勝利後に「最後の審判」があるという終末論が特徴。

[注2]「検分する」という意味。善人の魂が渡る際は幅が広がり、中級の神々の助けもあって渡りやすくなるが、悪人の魂が渡る際は幅が狭くなり、転落するとそのまま地獄へ落ちる。

[注3] 紀元前598年に新バビロニアによって征服されたユダ王国が、紀元前586年に滅ぼされた事件。新バビロニアに連れ去られていた多くの住人は、アケメネス朝が新バビロニアを滅ぼした際に解放された。

仏教における極楽とは?

大乗仏教には、仏や菩薩[注4]が住む浄土[注5]があります。薬師如来の「東方浄瑠璃世界」や毘盧遮那仏の「蓮華蔵世界」など教主となる仏によってさまざまな浄土があり、このうちのひとつが阿弥陀仏の「西方極楽世界」、すなわち「**極楽**」でした。「極楽」は苦しみがなく、楽しみのみが存在する世界とされ、日本や中国ではもっとも信仰を集めたため、浄土といえば「極楽」を指すのが一般的になりました。この「極楽」への往生を説いたのが**浄土宗、浄土真宗**です。『仏説阿弥陀経』などの記述では、この世界の西方、十万億土を過ぎた先にあり、整然と並ぶ数多くの建物や庭園は金銀宝石の類で飾られて豪華絢爛。人々には住居や財産への執着がなく、「誰のもの」という所有者を区別する心すら生じない世界とされています。

[注4] いずれは仏（悟りを開いた如来）になる存在。まだ修行中だが、人々に現世利益を授けてくれる。

[注5] 煩悩や穢れが存在しない清浄な世界のこと。大乗仏教では多くの菩薩が修行して仏となり、それぞれの国土＝浄土で無数の人々を救うとされる。

そのほかの天国的な概念

天国に似た概念は、宗教以外でも存在しました。たとえば中米のアステカ文明では、文明の神であり農耕神でもある**ケツァルコアトル**の教えを実践できた者、雷に打たれた者は、専用の天国へ行けるとされました。また、北欧神話ではアースガルドに**主神オーディン**の宮殿ヴァルハラがあり、ここへ招かれることが名誉[注6]とされました。フィジーでは、死者が現世と同じような「**ブル**」という冥界に行くとされますが、耳に穴を空けなかった者、刺青をしていない女性、戦場で敵を殺さなかった男性は差別され、独身だった男性に至っては「ブル」に入ることすら許されず、これらに該当する人々は幸せになれないとされていました。

宗教での天国は、善悪の倫理観によって行けるかどうかが決まるのに対し、それ以外の天国は共同体の防衛など社会の一員としての義務を果たした者が行けるようです。

[注6] オーディンは神話における終末ラグナロクに備え、戦乙女ヴァルキュリアに勇者の魂エインヘリヤルを集めさせている。ヴァルハラはエインヘリヤルが集う場所で、ここへ招かれるのは勇者と認められた証であり、戦士にとっての名誉となる。

神聖なる施設に落ちる影

社寺・教会

関連

聖地 →P.148
遺物 →P.188
魔女狩り →P.220

神仏への祈りを捧げる場所

人間の歴史と宗教は切り離せない存在であり、太古の昔から神や霊的な存在を崇め、あるいは畏怖してきました。そして、こうした神々を祀り、祈りを捧げるための場所も作られています。**神道の神社、仏教の寺院、キリスト教の教会**[注1]、**イスラム教のモスク**などが神仏への祈りを捧げる建物に該当します。また、古代の宗教における神殿も、宗教的な儀式や礼拝を行う場所です。ほとんどの場合、宗教施設は各地域にひとつは建立され、孤児院や学校のような施設が併設されているなど、現代でも生活の中心となっています。こうした神社や教会は周囲の人々が信仰を身近に感じる場所であり、規模の大きい建物はより宗教的な重要度が高い傾向にあります。

[注1] キリスト教では、建物そのものを指す場合は「教会堂」「聖堂」と呼ぶことが多い。

かつてあった聖職者の腐敗

一方、こうした建物はときに恐ろしい出来事の舞台になることもありました。

日本では、**比叡山延暦寺**（ひえいざんえんりゃくじ）への焼き討ちが有名でしょう。延暦寺への攻撃は歴史的に3回行われていますが、これらはいずれも延暦寺の僧侶たちと朝廷や織田信長などの有力な武家が対立したためです。

西洋では、しばしば聖職者による卑劣な行いが取りざたされたことがあります。その立場を利用して、教会に礼拝にきた信者や併設した施設の子供などにいかがわしい行為を行っていたというのです。近年では、こうした犯罪が表ざたになり、大問題に発展しています。

権力を持った者たちの腐敗

神聖な場所で痛ましい事件が起きたのは、宗教関係者が大きな権力をもつようになったためです。

日本の場合、地域コミュニティや経済の中心である寺院は「**寺社勢力**（じしゃせいりょく）」として独自の勢力を持ち、比叡山延暦寺のような規模の大きな社寺は、朝廷や幕府に対抗しうるほどの権力をもつようになりました。しかし同時に、強い権力は内部腐敗を招き、僧侶が周囲から金品を巻き上げたり、禁止されている酒や女性に手を出すなどしたのです。

西洋においても、一般市民に比べて裕福だった聖職者は、華美な生活を送って堕落した時期がありました。その極めつけともいえるのが、聖職者の地位を買う「**聖職売買（シモニア）**」という制度です。信心のない者が高い地位を買って権力を手に入れ、結婚など聖職者には禁止されていることも平然と行われていました[注2]。

［注2］なお、10世紀に入ると、キリスト教本来の信仰に戻るべきという機運が高まり、「聖職売買」や聖職者の妻帯などは厳しく非難され、禁止されることになる。

■おもな宗教施設

神社	日本固有の神を祀る建築物です。一口に神といっても、アマテラスをはじめとした神道に登場する「天津神」と「国津神」のほか、その地域特有の「土着神」や「氏神」、亡くなった人を神として祀る「人格神」、民衆の生活から生まれた「民間神」など、祀られる神の種類は様々です。
寺院	仏教における宗教施設を指します。基本的には仏像を安置し、僧侶が住み込みで儀式や礼拝、または修行などを行います。日本の場合は、寺院の周囲に住む信者（檀家）と一緒に境内にある墓地の管理を行っているケースもあります。
教会堂（教会）	キリスト教の信者が礼拝や集会を行うための宗教施設です。規模の大きいものそれぞれの地域で中心となる教会堂は「大聖堂」と呼ばれます。ほとんどの場合、内部にはステンドグラスや宗教画が設置されていて、視覚的にキリスト教の教えを説いています。
シナゴーグ	ユダヤ教における宗教施設です。信者が集まり、聖書の朗読や祈祷を行うほか、教育や信者たちの交流の場所でもあり、ユダヤ教徒の生活の中心にある施設といえます。なお、シナゴーグという名称はギリシア語の「集会（シュナゴーゲー）」に由来しています。
モスク	イスラム教における礼拝堂です。祈りを捧げるための主堂は長方形に広がっており、唯一神であるアッラー以外を崇拝しないよう、ほかの施設には見られる、像や祭壇は設置されておらず、比較的シンプルな内装となっています。
神殿	神に祈りを捧げる場所全般を指します。世界中の信仰に神殿の存在はあり、たとえば、ギリシアのパルテノン神殿は非常に有名です。狭義には移してはいけないご神体などの崇拝対象を祀るための建物が神殿であり、上記の神社や寺院などの祈祷を捧げる場所と、神殿は区別されています。

恐ろしき原始林の真実

樹海（じゅかい）

関連
霊峰 →P.143
境界 →P.146
都市伝説 →P.206

数々の伝説に彩られる森

樹海とは「空から見ると海のように樹木が広範囲に広がっている場所」というような意味の言葉です。日本の場合、森林は多いですが、ほとんどが山岳ということもあり「樹海」とみられないことがほとんどです。

そんな数少ない「樹海」でもっとも有名なのが、富士山の北西に広がる樹海「青木ヶ原」です。その有名さから「**樹海＝青木ヶ原**」とすることもあります[注1]。

青木ヶ原樹海は、日本を代表する原始林で、地面は溶岩のため固く、表面には苔むしています。さらにその上に生えている樹木は固い地面に深く根っこを伸ばせず、地表付近をはっているため、とてもデコボコしています。

こうした日本にはあまりない風景も手伝って、青木ヶ原樹海には「コンパスが狂って入ったら出られない」「自殺者が多く死体がたくさんある」など、怖い都市伝説がいくつもあります。こうした噂は海外にも広まっているようで、英語では青木ヶ原樹海を「Suicide Forest」（自殺者の森）と呼ぶこともあるようです[注2]。

［注1］ほかには北海道の三国峠に「樹海ロード」と呼ばれる場所がある。

［注2］2017年、アメリカのとある有名インフルエンサーが樹海に立ち入り、偶然にも死体を発見。その様子を撮影した動画を全世界に配信したことも青木ヶ原が「自殺者の森」として広まる一因となった。

青木ヶ原樹海にまつわる迷信の真実

前述のような青木ヶ原樹海にまつわる逸話は、ほとんどがデマ、或いは誇張されたものです。まず樹海というと鬱蒼とした大森林を想像しがちですが、実際には樹海を突っ切るように道路があり、散歩道もあります[注3]。また、岩場の磁鉄鉱(じてっこう)のせいでコンパスが狂うことはまれはあるようですが、迷って出られなくなるほどではないようです。また、近年はGPSが身近になったこともあり、装備がしっかりしていれば、まず迷うことはないでしょう。

「樹海には死体が多い」という都市伝説については、残念ながら、実際に死体が見つかることはあるようです。ただ、これについては、都市伝説のことを知った人が訪れてしまうという側面もあり、自治体が相談サイトを立ち上げたり、定期的な巡回、自殺を踏みとどまるように促す看板の設置など、さまざまな予防策を講じています。

[注3] また青木ヶ原は1983年に「21世紀に残したい日本の自然100選」に選出されており、観光地でもある。

入ったら出られない? 八幡(やわた)の藪知(やぶし)らず

人間が生活する都市部にも樹海のような「入ったら出られない」という迷信の残る場所があります。千葉県市川市、本八幡駅からほど近い場所にある「八幡の藪知らず」と呼ばれる竹林です。

この藪は、敷地面積がおよそ100坪ほどしかなく、一見すると迷いそうな場所には見えません。しかし、少なくとも江戸時代にはこの地に足を踏み入れると二度と出ることができないといわれていました。現在この地は周囲をフェンスで囲まれており、誰も立ち入ることはできません。

「八幡の藪知らず」がいわゆる「禁足地(きんそくち)」となった由来にはさまざまな説があります。

「藪はもともと平将門など偉人の墓所で、立ち入ると祟りが起きると考えられた」というオカルトに由来する説のほか、「藪の中に毒ガスを発生する場所があって人が亡くなる、または底なし沼があってむやみに踏み込むのは危険だった」という土地の特徴に由来する説、さらには「かつて藪は複数の所有者がいた"入会地"で、勝手に立ち入ることが許されなかったが、時代とともに現在の都市伝説に変化した」という説もあります。

ほかにも、水戸黄門こと水戸光圀がこの地に立ち入り、迷ってしまったことがきっかけとする説もあります。

境界の先にある不思議な屋敷

マヨヒガ

うまくいけば大金持ちになれる？

明治時代の民俗学者・**柳田國男**は、1910年に岩手県遠野出身の佐々木喜善から聞いた民話をまとめた物語集『**遠野物語**』を発表しました。このなかに「マヨヒガ」（迷い家）と呼ばれる不思議な建物の物語があります。

山を歩いていると立派な門構えの屋敷を発見。家の中は茶碗が並び、お湯の沸いた鉄瓶や火鉢もありますが、人の気配はない……『遠野物語』では、マヨヒガについてこのように描いています[注1]。いかにもホラーの１シーンに登場しそうな怪しげな光景ですが、じつはマヨヒガは人間を呼び寄せて屋敷内にあるものを持ち帰らせ、財を与えるというとてもラッキーな場所なのです。

『遠野物語』にはマヨヒガに関する物語がふたつあり、その不気味さに逃げ出すところまでは似た流れとなっています。そして、一方の物語では後日、川で洗い物をしていたところマヨヒガから流れてきたお椀を手に入れ、これによって幸運に恵まれるようになります。しかし、もう一方の物語ではお椀が流れてくるというようなことはなく、財を成すこともなかったという、正反対の結末を迎えます。

創作物では、不気味な場所のモチーフとしてマヨヒガが使われることがあります。2016年放送のテレビアニメ『迷家-マヨイガ-』では、バスツアーの参加者が人の気配がない謎の集落で起きる事件と向き合う内容となっています。

［注１］マヨヒガの伝承は東北や関東地方の各地に残っている。『遠野物語』は作者の柳田が脚色している部分があるとされ、佐々木喜善は他の書籍で『遠野物語』とはストーリーの異なるマヨヒガの伝承を記している。

いるのは神か、それとも悪魔か

霊峰（れいほう）

関連

境界 →P.146
聖地 →P.148
ヴァルプルギスの夜 →P.226

国によって違う山の在り方

日本には、「山岳信仰」という民間信仰があります。山を神聖な場所と考え、山に住む神、或いは山そのものに畏敬の念を抱き、「**霊峰**」として崇めたのです。

こうした「霊峰」は各地にありますが、代表的なのはやはり「**富士山**」でしょう。古くから富士山は「**富士信仰**」と呼ばれる崇拝の対象でした。今でこそ山頂の火口部分を回る「お鉢巡り」をしたり、御来光を拝んだりとアクティビティとして人気ですが、元々は富士山を参拝する方法のひとつだったのです[注1]。

奈良県にある大神神社（おおみわ）では、オオクニヌシと共に国造りを行った**オオモノヌシ**という神を祀っていますが、その御神体は霊峰として崇める三輪山そのものであり、本殿がないという特殊な形態をとっています。

西洋でも山を神聖視することはありますが、少し事情が違います。ユダヤ教の**預言者モーセ**が神と契約したというシナイ山や、ギリシア神話において12柱の神が住むという**オリュンポス山**など、宗教的に重要な山が霊峰として重要視されています。一方、ヨーロッパでは「山には悪魔や亡霊がいる」と考えられ、積極的に立ち入ることはありませんでした。スポーツや趣味としての登山は、1786年にふたりの冒険家がイタリアとフランスの国境にある山「モンブラン」[注2]を初登頂したのがはじまりとされます。

[注1] お鉢巡りやご来光を拝むことは、富士山だけではなくほかの山でも行われている。

[注2] 当時のモンブランには、登れば命がない山という迷信があり、登頂を目指した者もいたが失敗していた。そこに、ジャック・バルマとミッシェル・パカーのふたりが登頂を果たしたことで迷信が崩れ、登頂へのルートが確立したことで山に登るものが増えた。

生と死を結ぶ場所

黄泉平坂（よもつひらさか）

関連

三貴子 →P.50
地獄 →P.134
境界 →P.146

かつては生きていても通行できた

多くの神話では、基本的に人は死ぬと死者たちが住む国に向かいます。日本神話では死者は**黄泉国**（よみのくに）という地下にある国[注1]で暮らすことになりますが、その黄泉国とこの世を結んでいるとされるのが「黄泉平坂」です。

神話に描かれる物語では、日本列島を生み出した神の1柱**イザナギ**が亡くなった妻**イザナミ**に会うため、黄泉平坂を通って黄泉国を訪れ、いっしょに帰るようにお願いします。しかし、イザナギがイザナミとの約束を破ったことがきっかけで、ふたりは離縁[注2]。黄泉国から戻る途中のイザナギが黄泉平坂に巨石を置いて道を塞いだことで、その後は生者が黄泉国へ行くことはできなくなりました。

日本神話の原典のひとつ『古事記』によると、この黄泉平坂は、「根堅洲国」（ねのかたすくに）（根の国）という場所にも繋がっています。黄泉国と同じく地下にあり、**英雄神スサノオ**が「母（イザナミ）の国」と口にするなど、黄泉国と同じ場所であるかのような表現もありますが、大岩で塞がれたのちにスサノオや国造りを行った神オオクニヌシが訪れていることから別の場所だとも考えられ、謎が残ります。

いずれにせよ黄泉平坂は「死者の国への入口」という認識が強く、和風RPG『俺の屍を越えていけ』では、地獄への入口として「黄泉坂」の名称で登場。神道と仏教の概念が混ざった設定になっています。

[注1] 黄泉国は地下ではなく地上にあるという意見もある。島根県松江市東出雲町には神話に登場した坂と同名の坂があり、黄泉国への入口だったと伝えられている。

[注2] イザナミが「地上に帰ることについて黄泉の神と相談してくるので、姿を見るな」といったが、イザナギは言いつけを守らず、イザナミが冥府のものとして腐った体になっているのをみてしまう。怒ったイザナミは逃げるイザナギへ追手をけしかけるが、なんとか逃げ切ったイザナギは巨石で坂をふさぎ、その石ごしに、2神は決別の言葉を交わす。

怖い場所の代名詞

墓地（ぼち）

関連
生ける屍 →P.114
境界 →P.146
結界 →P.158

墓地には幽霊は出ない？

怪談やホラー作品に登場する定番スポットといえば、まず間違いなく墓地が挙げられるでしょう。死という概念と直接関わるからか、霊的なものが集まると考えられることが多く、**生と死が交わる「境界」**だと考えられることもあります。創作でも墓地に幽霊が出たり怪物が潜んでいたりという話や設定は珍しくありません。

しかし、こうした考えへの反論もあります。日本の場合、墓地にあるのは、葬儀を終えて供養された人物のお墓です。一般的に幽霊は、この世に強い未練を残していたり、供養されなかったりした魂が迷い出たものですから、たとえば交通事故の起きた場所や、殺人事件が起きた建物、或いはかつて合戦があった地域などが「曰くつきの場所」になることはあっても、正しく埋葬された人々が眠る墓地に霊が出てくるとは考えられないわけです。

キリスト教の場合も、死者の魂は天国か地獄に行くとされ、この世に残ることはありません。生前に悪魔と契約するなどし、天国や地獄に行けなかった魂はこの世をさまようという伝説もありますが、必ず墓地に留まるということはありません。墓地に出る怪物で考えられるのは、幽霊よりも**「生ける屍」（ゾンビ）**でしょう。土葬を行う国では「死体が蘇って人を襲う」という伝承が少なくなく、死体に「蘇らないように処理する[注1]」こともありました。

[注1] たとえば死体の心臓に杭を打ち込んだり、足の腱を切り裂いたり、手足を縛る、など。またキリスト教圏では、棺の中に十字架や聖水をいれるといった方法をとることもあった。

異界との境目にあるもの

境界（きょうかい）

関連

樹海 →P.140
霊峰 →P.143
結界 →P.158

身近にたくさんある境界

我々の生活はじつはさまざまな「境界」に囲まれています。国境や県境、住所や地域を区切る境界線、さらにはお隣の家との土地をわける塀なども境界です。

こうした境界は地理的な考え方ですが、人々は昔、自分たちが生活する現実世界と、「**物の怪**（もののけ）」の類が住む異界はわけ隔てられていると考えられていました。この２つの世界の境目もまた、境界です。山や森林、海など人智の及ばなかった未開の地は境界の代表的な場所でした。だからこそ森や海に立ち入って仕事をする人々は、自分に厳しいタブーを課したり、魔除けを持ったりして用心していました。漫画『呪術廻戦』では、境界を渡って異形と対峙していましたが、実際に昔の人々は境界の先にあるものを強く意識していたわけです[注1]。

こうした境界は我々の近くにも存在します。「辻」や「門」、「川」「橋」など、内と外、こちら側と向こう側を結ぶ場所は不安定な空間であり、かつてはこうした境界を通じて**異界のもの**がやってくると考えられていました[注2]。

[注１] 人間の手が入っていない原野、野生動物たちが生活するエリアを恐れたという側面もあった。

[注２] 一条戻り橋の鬼や山姥、トイレの花子さんなど、境界に現れる妖怪や幽霊の話は数多い。

西洋における異界

西洋においても昔は人間が生活する場所とそれ以外の場所は別世界と認識されていました。山には悪魔や亡霊がいると考えられていましたし、里のすぐそばに広がる森は恵みを与えてくれる場所であると同時に、神々や妖精、精霊たちが住む「異界」でもありました。

のちにこうした異界としての森は「**悪魔から取り戻すべき対象**」だと考えられるようになり、開墾が進められ、森の面積はどんどん狭くなっていきました。

■人の住む「里」の周辺にある「境界」の例

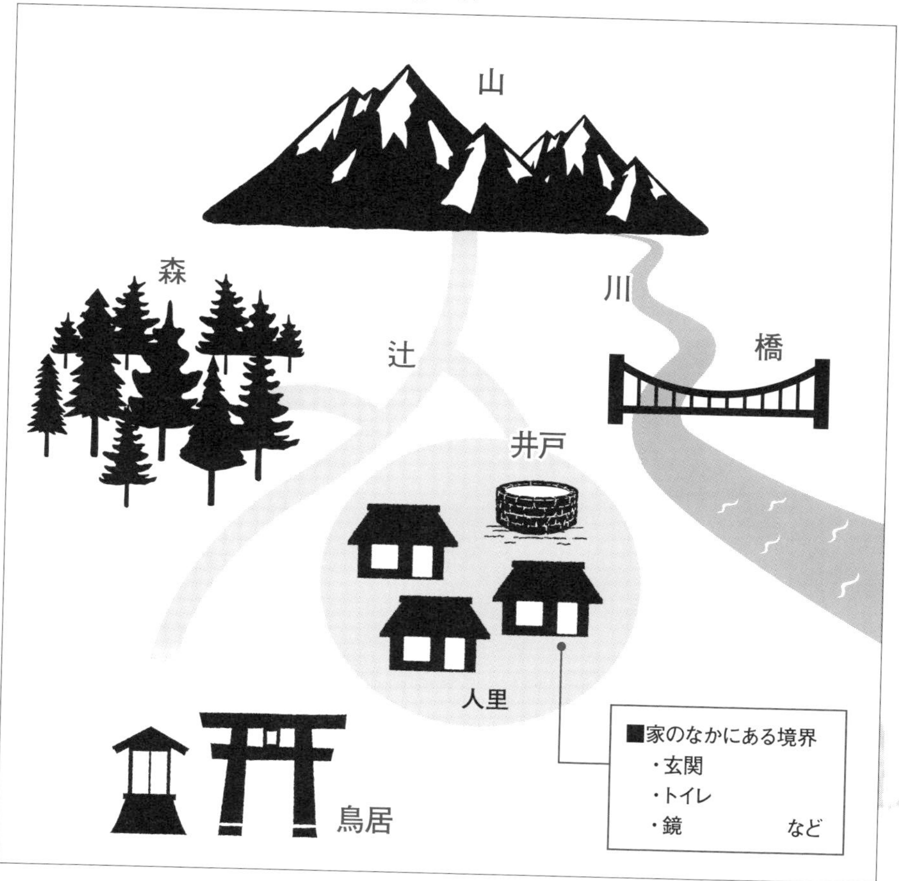

信者たちが集まる聖なる地

聖地(せいち)

関連

社寺・教会 →P.138
霊峰 →P.143
十字軍 →P.228

発祥は宗教的に重要な場所

最近では、創作作品の舞台になった都市を「聖地」と呼ぶことがあります[注1]。また、その土地を巡ることを「聖地巡礼」といい、中には町おこしや作品の宣伝目的で作品の舞台を明確にし、ファンに聖地化してもらおうとする動きもあるようです。

元々この聖地という言葉は、宗教から生まれた用語です。聖人が生まれた場所やお墓がある場所、宗教的に重要な出来事が起きた場所を聖地と呼び、信者が聖地を巡って祈りを捧げることを**聖地巡礼**といいました。

もっとも有名なのはユダヤ、キリスト、イスラムと3つの宗教で聖地であるエルサレムでしょう。ユダヤ教の「**嘆(なげ)きの壁**」[注2]、キリスト教の「**聖墳墓教会(せいふんぼきょうかい)**」[注3]、イスラム教の「**岩のドーム**」[注4]と、それぞれの宗教にとって非常に重要なものがあり、この地を巡っては、何度も武力衝突が起こっています。

現在ではユダヤ教、イスラム教、キリスト教に加え、キリスト教ながら独立を保つアルメニア人地区の4つの区画にわけられ、それぞれの信者が同じ都市に集まって、それぞれ祈りを捧げているという場所になっています。

日本では伊勢神宮や出雲大社、延暦寺、金剛峰寺(こんごうぶじ)といった神道、仏教において重要な神社や、山岳信仰における富士山などが聖地として有名です。

[注1] 創作以外にも高校野球なら甲子園球場、高校ラグビーは花園ラグビー場と、特定の分野における重要な施設、憧れの場所を指す言葉として用いられることもある。

[注2] ソロモン王が建設した神殿の一部であり、預言者モーセが神から授かった石板を収めた「契約の櫃が安置されていた。

[注3] イエス・キリストの墓とされている教会。

[注4] 建物内部にある岩に触れた預言者ムハンマドが昇天し、神の声を聞いたという伝説がある。

聖地のようで違う場所

聖地と似た単語に「禁足地（きんそくち）」があります。これは簡単にいえば「立ち入り禁止の場所」を意味しますが、「立ち入りを禁止されている聖なる地」を指すこともあります[注5]。たとえば、島そのものが御神体とされている福岡県の「沖ノ島」は、神職以外の立ち入りが禁じられ、たとえ許可を得られても、多くの禁則事項に従わなければなりません。

[注5] むやみに立ち入ると祟られるなどの伝承があり、「呪われた場所」という意味で「禁足地」と呼ばれるケースもある。

■世界各地にある聖地の例

聖地	場所	宗教	解説
伊勢神宮	日本	神道	天皇家の祖先とされるアマテラスが祀られ、すべての神社のトップにあたる本宗です。なお、正式な名前は「神宮」であり、伊勢神宮はほかの神社と区別するための呼び名です。
出雲大社	日本	神道	神話において、国造りを行った神オオクニヌシを祀っています。神無月（旧暦の10月）になると、日本中の神がこの大社に集まり会議を行うという伝説があります。
カムイコタン	日本	アイヌの信仰	北海道を中心に居住するアイヌ民族の信仰に登場する神聖な場所です。旭川の「神居古潭」が有名ですが、同じ名前の地区が道内に複数あります。
久高島	日本	琉球の信仰	琉球（現在の沖縄）独自の信仰では、海の向こうからやってきた女神アマミキヨが天地を作りました。この女神が降り立ったのがこの島と伝えられています。
エルサレム	イスラエル	ユダヤ教、キリスト教、イスラム教	イスラエルのヨルダン西岸地区にある地域です。もともとユダヤ教の聖地でしたが、イエス・キリストがこの地で処刑された背景からキリスト教の聖地、さらにイスラム教の開祖ムハンマドは、この地にある岩に触れて天に登り、神の声を聞いた預言者にあったといわれ、イスラム教の聖地ともなったのです。
シナイ山	エジプト	ユダヤ教、キリスト教、イスラム教	エジプト西部に位置する「シナイ半島」にそびえる山です。海を割った逸話で知られる予言者モーセは、この山で神から、人間が守るべき10の戒律「十戒」を授かったといわれています。
バチカン	イタリア	キリスト教	キリスト教の宗派のひとつ「カトリック」の総本山であり、世界でもっとも国土が狭い国としても有名です。カトリック最高位の存在である教皇が元首を務めています。
アトス	ギリシャ	キリスト教	ギリシャ北部にある島で正式には「アトス自治修道士共和国」といいます。キリスト教の宗派のひとつ「正教」の聖地であり、今現在も女人禁制を敷き、多くの聖職者が修行しています。
メッカ	サウジアラビア	イスラム教	サウジアラビア東部にある、イスラム教最大の聖地。イスラム教徒は1日に5回、メッカの方角を向いて祈りを捧げます。また、一生に一度は巡礼を行うべきともされています。
エユップ・スルタン・ジャーミィ	トルコ	イスラム教	トルコの首都「イスタンブール」にあるモスクです。イスラム教の開祖ムハンマドの盟友アイユーブ・アル・アンサーリの墓所があり、重要な聖地のひとつとされています。
バラナシ	インド	ヒンドゥー教、仏教	インド最大の宗教都市であり、付近を流れるガンジス川での沐浴も有名です。また、郊外には仏教の開祖である釈迦が初めて仏の教えを説いた場所であるサールナートがあり、こちらは仏教の聖地とされています。
ルンビニ	ネパール	仏教	仏教の開祖である釈迦が生誕したとされる地です。彼が産湯につかったという池が現存しており、世界遺産にも登録されています。
テーベ	エジプト	古代エジプトの信仰	世界遺産にも登録されている古代都市のひとつです。古代エジプトで広く信仰された神アメン（アメン・ラー）は、元々このテーベにおける豊穣の神でした。
セドナ	アメリカ	ネイティブアメリカンの信仰	アメリカ先住民族のひとつナバホ族が聖なる地と崇めていた場所です。大地から強いエネルギーが噴出していると考えられる場所が複数あり、神聖な儀式が行われていました。

狂気の魔女裁判の舞台

セイラム

関連
降霊術 →P.164
魔女狩り →P.220

罪を認めぬ者が処刑される矛盾

アメリカ西部のマサチューセッツ州には、かつてイギリスで宗教の改革を訴えた**ピューリタン（清教徒）**たちが興した「**セイラム**」という村がありました[注1][注2]。そして、この場所では1692年2月から1693年5月にかけて、忌まわしい魔女狩りが行われたのです。

発端は、村の少女たちが遊びで降霊術を行ったことでした。この後、参加者たちは奇怪な行動や発作、肌の違和感などを訴えるようになります。そして「この症状は村にいる3人の女性のせい」と訴えたのです。普通ならば一笑に付すような話ですが、なんと大人たちはこの告発を信じ、女性たちを逮捕してしまいます。

こうして捕えられた3人のうち、奴隷身分だった女性は「悪魔の命令で魔術の練習をした」と罪を認め、さらに他の2人に強要されたと告白しました。結果、否認していた2人は処刑され、罪を認めた奴隷の女性は釈放されます。以降も少女たちによって近隣を含む村の人々が告発され、罪を認めた者は解放され、認めなかった者は処刑されてしまいました[注3]。

こうして1693年の春には**200人近くが告発**されることとなりました。事態を知った地域統括者は裁判を中止させ、さらなる逮捕を止めさせたことから事態は収束していきましたが、すでに**20名が処刑**されていました[注4]。

[注1] ラヴクラフトらが書いた「クトゥルフ神話」には、このセイラムをモデルとした都市「アーカム」が登場している。

[注2] 現在もマサチューセッツ州には「セイラム」という都市があるが、実際の「セイラム村」があったのはこの場所から北にある「ダンバース」と呼ばれる地域である。

[注3] ピューリタンには「罪は認めれば軽くなる」という教えがあった。なお、裁判では「被告人の前で少女が暴れだした」「少女たちが夢や幻影で犯行を見た」というような、現在ではありえない証言や行動が「魔術を使った証拠」として認められた。

[注4] セイラムは貧しい家庭が多く、他の入植者との対立もあって非常にぎくしゃくした雰囲気だった。こうした状況が少女たちの言葉を鵜呑みにし、集団ヒステリーを引き起こしたといわれる。

chapter 5
まじない

式神を従え、鬼を払う

陰陽道（おんみょうどう）

関連
安倍晴明 →P.10
蘆屋道満 →P.12
牛頭天王 →P.58

「陰陽師」は官人のことだった

陰陽道の基となっているのは、古代中国の**陰陽五行説**（いんようごぎょうせつ）です。自然界に存在する物質は「陰」と「陽」の要素から成る「**陰陽説**」と、木・火・土・金・水の五要素に由来する「**五行説**」が結合したもので、これらは自然現象の因果関係を表し、天文や暦法、医学などに大きな影響を与えています。この考えが日本に伝わり、**十干十二支**（じっかんじゅうにし）[注1]などを取り込みながら独自に解釈されて形成したのが**陰陽道**です。

陰陽道は天文、暦、占い、祭祀を司り、平安時代の陰陽寮（おんようりょう）もそうした職務を担っていました。役職の中には「陰陽師」の名もありますが、現在のいわゆる「陰陽師」とは異なり、追儺（ついな）[注2]などの祭祀や占いを行う役人だったのです。

[注1] 古代中国から使われる暦法の用語で、干支のこと。後に時刻や方角にも用いられるようになった。十干は甲、乙、丙、丁、戊、己、庚、辛、壬、癸。十二支は子、丑、寅、卯、辰、巳、午、未、申、酉、戌、亥。

[注2] 古くは大儺とも。節分のルーツともいわれる宮廷行事で、疫病をもたらす鬼を追い祓うもの。

安倍晴明からはじまった「陰陽師」

鬼を祓い、式神を従える陰陽師像が生まれたのは平安時代中期、**安倍晴明**の登場がきっかけといえるでしょう。当時すでに、腕の立つ術師が退官後も個人的に依頼を受けていたり、僧でありながら陰陽道に通じた「**陰陽法師**」「**法師陰陽師**」など、職業としての「陰陽師」は存在しました。晴明は在野の陰陽師として、新たな陰陽道の作法を編み出すことで「鬼才の陰陽師」として一躍有名人となっていきました。その偉業を表すかのように、五行説を表す五芒星（ごぼうせい）の別名・セーマン[注3]は晴明の名から取られているといわ

[注3] 晴明桔梗紋とも。木・火・土・金・水の相克関係を示す他、一筆書きですべての部位が閉じていることから、魔物の入る余地がない魔除けと、魔物を閉じ込める結界の意味を持つ。

■陰陽道のシンボル

ヤーマン

兵 者 陣 在

臨 闘 皆 列 前

▲刀印を結び、唱えながら縦横に動かすことで結界を作る。早九字とも呼ばれる。

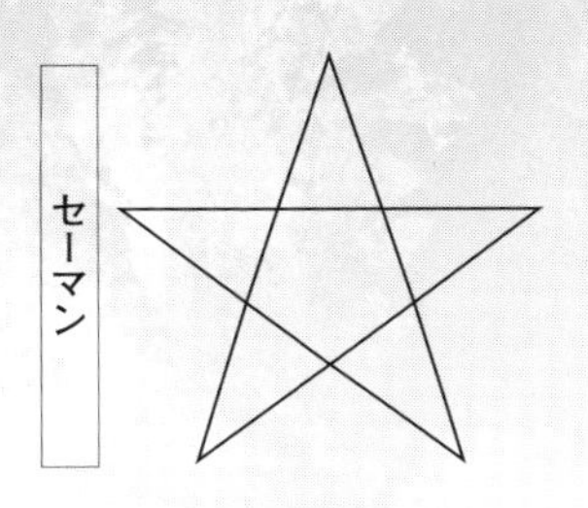

▲五行の相克関係を示す五芒星。魔除け・魔封じの効果がある。

れています。また、魔除けの呪文・護身術として知られる九字はドーマン（ヤーマンとも）[注4]と呼び、晴明と同時期に活動していた陰陽法師・**道摩法師**（**芦屋道満**）に由来しているという説があります。

中でも陰陽道の中枢を担う神である冥府の神「泰山府君」を祭る泰山府君祭は晴明が考案したものだと伝わっています。人間の寿命を管理する神である泰山府君に、祭文[注5]を通して病気平癒や長命を願う祭祀ですが、これによって瀕死の高僧を蘇生したという逸話も残っています。

[注4] 元は道教に伝わる呪文。刀印を結び、「臨兵闘者皆陣列在前」と唱えながら縦横に印を切ることで結界を作る、魔除けの効果があるとされる。

[注5] 神道でいう祝詞のようなもの。陰陽道では祭文という。

陰陽師の「使い魔」は実在した？

陰陽師といえば、式神や護法童子を伴って業魔調伏を行うイメージがあります。『今昔物語』では晴明が式神を用いて呪いの主を探したり、カエルを殺して見せる場面があったり、『枕草子』では護法童子を病人に憑依させることで、取り憑いた鬼を退治しようとする場面があります。もしかすると呪詛は式神、憑き物は護法童子のような、目的に合わせた使いわけがあったのかもしれません。

史料の陰陽師を紐解いていくと、呪詛をかけたり除けたり、鬼を祓ったり、見えぬものを占ったりと、生活に密接した怪異の専門家だったことが垣間見えてきます。

霊地に入り、神通力を得る

修験道(しゅげんどう)

関連
役小角 →P.18
天狗 →P.106
霊峰 →P.143

古代日本に集結した宗教たち

「修験道とは何か」の前に、仏教、密教、道教、陰陽道の違いについて簡単に説明します。インド初期仏教は輪廻転生(りんねてんしょう)の考えの下、「**修行**」に重きを置き、悟りを開いて「阿羅漢(あらかん)」[注1]という聖者になることを目指したものでした。のちに生まれた大乗仏教では、修行の他に如来(にょらい)や観音(かんのん)などの仏を信仰することで救済を得る、西洋宗教的な「信仰」の分野が足されました。密教は仏教の最後期に生まれ、真言(しんごん)・陀羅尼(だらに)[注2]という呪文を唱えることで仏の力を得るという、呪術的な行為を用いて現世利益を求めるものです。道教・陰陽道は「救済を求める」というよりは、宇宙観や哲学的な要素が強く、世の理を知り、現世での幸福を求める考え方です。乱暴にいってしまえば、仏教は輪廻転生の果てに悟り（成仏）を求めるもので、密教・道教・陰陽道は現世でよりよく生きるための考え方と分類できます。

[注1]「尊敬を受けるに値する者」の意味。小乗仏教においては目指すべき最高位とされる。羅漢とも。

[注2] どちらも密教における諸仏菩薩の言葉、秘密語。短いものを真言、長いものを陀羅尼という。

山岳信仰＋その他の宗教＝修験道

密教・道教・陰陽道、さらにシャーマニズムを日本古来の山岳信仰に取り込み作り上げたものが「**修験道**」です。特定の神や仏に帰依するというよりは、真言や陀羅尼、経文を唱えて神仏の加護を得、山岳での修行や加持祈祷(かじきとう)、呪法、符呪(ふじゅ)などの呪術宗教的な活動を主としています。

山岳信仰において、山は精霊や神々の住処であり、天と地を結ぶ場所であり、山自体が神体と扱われます。その神体の中に入り修行することにより、呪術的な力を会得し、出家しないままに**即身成仏**[注3]を目指します。

修験道に属するものを**山伏**といいますが、これは文字どおり山に伏して修行することから名づけられました。同義語の「**修験者**」は、修行の成果として効験（加持祈祷などの効果があること）を得た「験を修めた者」という意味の言葉だそうです。山伏は鈴懸、結袈裟を身に着け、頭には斑蓋と頭巾、腰に貝の緒と引敷、背には笈と肩箱を負って、金剛杖や数珠を手にしています。この衣装にはすべて宗教的な意味合いがあり、全部身に着けることで曼荼羅と同じような効果を得るといわれています[注4]。

修験道は奈良時代あたりから広まり、鎌倉〜室町時代の中世期に盛んに行われました。熊野（和歌山）や吉野（奈良）、北は山形県の羽黒山、南は福岡県の英彦山など、修験道が行われた山は日本各地に存在します。山伏は戦乱の際、従軍祈祷師や間諜としても活躍しました。明治時代に入ると政府より「修験道廃止令」[注5]が出され、一時は密教系の宗派に取り込まれましたが、現在は独立して再興を果たしています。

[注3] 仏教における最終目標である仏陀に、現世でその身のまま成ること。

[注4] 鈴懸・結袈裟は金剛界と胎蔵界、頭巾は大日如来、数珠や錫杖の他、法螺貝・引敷・脚絆は成仏過程、斑蓋・笈・肩箱・貝の緒は仏としての再生を意味する。

[注5] 神道の国教化を目指し、明治政府が作った法令のひとつ。1868年には神道と仏教を分ける神仏分令が、1872年には修験道廃止令が発出された。

天狗に悪党、ニセ山伏にご用心？

山伏を見ると天狗を思い出す人も多いと思います。実際、絵画に残される天狗の多くは山伏に似た法衣を身に着けています。これは山伏に猛禽類の印象を重ねたものから発展したそうです。険しい山の中を飛ぶように歩む姿から着想を得たのでしょうか。山伏の扮装は変装にも使われていたため、山伏のフリをした天狗に騙されるという逸話は、じつは変装した悪党の仕業だったのかもしれません[注6]。

[注6] 現在、法衣には細かいルールがあり、鈴懸や結袈裟を見れば宗派や修行の度合いなどがわかるようになっている。

仏の名を唱え、その力を得る

密教(みっきょう)

関連
天部（仏教） →P.64
修験道 →P.154

三密により仏との一体化を図る

密教はインド仏教の最後期の姿です。日本には9世紀に本格的に持ち込まれ、「**真言宗**」[注1]として広がりました。仏教のなかでも呪術的な儀礼によって如来(にょらい)や菩薩(ぼさつ)の力を借り、修行や諸願成就を行うことが特徴です。

密教といえば手指を使った印(印契(いんけい)とも)や梵字(ぼんじ)のイメージがあるかと思いますが、これはどちらも神仏を表す「形」になっています。手で仏を表し（身密(しんみつ)）、さらに梵字によってつくられた真言[注2]を唱え（口密(くみつ)）、強く意識する（意密(いみつ)）ことで仏との一体化を図り、力を得るのです。この修行を「**三密**」といいます。仏と一体化することで加護を得てパワーアップしたり、仏教における修行の目的である仏陀[注3]にその身のまま成ること（**即身成仏**(そくしんじょうぶつ)）を目指します。

[注1] 空海（弘法大師）によって開かれた仏教の宗派のひとつ。遣唐使として中国に渡った際、密教の第7祖といわれる恵果より得た教えを日本に広めた。

[注2] サンスクリット語で「文字」「言葉」を意味する。呪、神呪、明呪とも。長いものは陀羅尼と呼ばれる。

[注3]「目覚めた者」という意味。仏、如来とほぼ同義。また、「菩薩」は仏陀を目指す者を指した言葉。他の宗教における「神」と異なり、仏は元人間で、修行者が目標とする存在、先達という立ち位置にいる。

密教の呪文・真言の成り立ち

「真言」は「マントラ」の漢訳で、宗教的には賛歌、呪文を指す言葉です。基本的には「帰命句＋種字」で構成されます。帰命句は主に「オン」または「ノウマク」で、「あなたに帰命します」という意味になります。種字は仏の名を梵字一字で表したもの。つまり真言は「●という仏に帰命します」と念じることで、仏と一体化し、力を得るための呪文なのです。なんとも不思議な響きの真言ですが、読み解いていくことできちんと意味を成した呪文だとわかります。

■仏を表す真言・梵字の一例

仏	天部・大黒天	天部十二天・帝釈天	天部十二天・閻魔天
真言	オン・マカキャラヤ・ソワカ	オン・インドラヤ・ソワカ	オン・エンマヤ・ソワカ
印			
梵字	マ	イー	エン
解説	摩訶迦羅天とも。福神として知られるが、起源は死と破壊、再生の神として知られるシヴァ神の化身。	ヴェーダ神話では天空の支配者である最高神。雷鳴や天候を司る豊穣神であり、最強の軍神ともされる。	ヴェーダ神話における人類最初の死者にして死の国の支配者。道教や浄土教では閻魔大王として知られる。

創作に見られる印と真言

「仏と一体化することで力を得る」という効果から、創作では仏の力を身に宿す方法、一種の神降ろしのような効果を得るために印や真言が使われています。『呪術廻戦』では大技のひとつである「領域展開」を行う際、キャラクターはその手で印を結んでいます。たとえば作中で「最強」と謳われる五条悟は、天部十二天である帝釈天（たいしゃくてん）の印を使用しています。帝釈天とはヴェーダ神話[注4]において天空の支配者で、「**最強の軍神**」としても有名です。雷神としての一面もあることから、同じく雷神と結びついた菅原道真（すがわらのみちざね）公[注5]の子孫である五条とは相性が良いのかもしれません。

[注4] インド神話のひとつ。インドラ（帝釈天）、サラスパティ（弁財天）などが有名。仏教の神々はヴェーダ神話をルーツとするものが多い。

[注5] 平安前期の政治家、文人。非業の最期を遂げたことから死後の祟りを恐れ、天満天神として祀られる。日本三大怨霊のひとり。詳しくはP.22。

魔を防ぎ、魔を閉じ込める境界

結界（けっかい）

関連

境界 →P.146
魔除け →P.182

線によって空間を分かつ

結界は元々仏教用語で、修行を行う聖域と俗世を区切る境界線、または区切られた聖域のことを指します。この結界によって、修行を妨げるものや不浄の侵入を防ごうとしたのです。女性の侵入を禁ずる「**女人禁制**」や、酒や臭いの強いものの持ち込みを禁ずる「**不許葷酒入山門**（ふきょくんしゅにゅうさんもん）」[注1] などは馴染みがあるのではないでしょうか。また、密教では魔障の侵入を防ぐために七里四方に結界を設ける「**七里結界**」という法が存在します。

結界というと円や三角、四角など、端が閉じた図形を想像しますが、元来結界は「線」が主流でした。たとえば仏式の葬式で見られる**鯨幕**（くじらまく）や、神道の**注連縄**（しめなわ）は不浄から聖域を守る結界ですが、これらは単なる区切り、「線」でしかありません。密教でも本堂の外陣と内陣をわけるのは木の柵ですし、茶道具として使われる「結界」も小さな木の衝立です。「**囲い**」として閉じることよりも、地続きの場を隔てる「**境界線**」としての意味合いが求められたのかもしれません。

[注1] 寺の山門のそばには「不許葷酒入山門（この山門の先には臭いの強いものと酒を持ち込むべからず）」と刻まれた結界石がよく置かれている。

閉じた図形による結界

では何故、円や三角など「閉じた図形」のイメージが定着したのでしょうか。結界とはまた違いますが、陰陽道では閉じた図形が魔除けとして利用されています。**セーマン**（**五芒星**）や**ヤーマン**（**九字**）[注2]がそれで、隙間なく閉じた図形の中に魔を閉じ込める意味合いがありました。閉じた図形は身を守るためのバリアでなく、悪いものを閉じ込める檻の役割があったのです。田辺イエロウの漫画『結界師』でも、結界術は空間を立方体の形に区切り、内部に対象を捕えるために使われていました。

閉じた図形で魔を閉じ込め、身を守る事例は西洋にもあります。『**レメゲトン**』に掲載されている悪魔を召喚するための魔法陣は、術者が入る魔法円と、悪魔や精霊を呼び出す三角陣に分かれています。魔法円は呪文や記号などで召喚を補佐する意味合いもありますが、三角形は完全に悪魔をその場に閉じ込めるためのものなのです。

［注2］陰陽道についてはP.152を参照のこと。

物理的な線に頼らない結界

「線で区切る」だけでなく、拠点に呪術的な力を置くことで囲われた場所を守るのもまた「結界」の一種になります。故意か偶然か、日本では寺社が三角を描くように配置されていることがあり、都市伝説的考察は後を絶ちません。寺社以外にも拠点には石や木、池など自然物が使われます。

エノク魔術[注3]においては、二重円と４つの三角形を組み合わせた魔法円を用いますが、魔法円が書けないときは強く念じることで代用できるといいます。

道具や物理的な線を用いずに結界を発生させる方法として、創作では呪文を唱えることで結界を張る方法がよく見られ、『呪術廻戦』の囲った内部の出来事を隠ぺいする「帳」などがあげられます。

［注3］占星術師ジョン・ディーが天使と交信して授かったという言語「エノク語」の記録（エノキアン・タブレット）を解析し、黄金の夜明け団が独自に編み出した魔術形体。

間接的に作用する攻撃法

呪詛（じゅそ）

関連
言霊 →P.165
依り代 →P.190
穢れ →P.216

紀元前から人は人を呪っていた

「呪い」という言葉は、「**まじない**」とも「**のろい**」とも読みます。一般的に「まじない」は害を除けるもの、「のろい」は害を与えるものという印象がありますが、このどちらも「被害をコントロールする」という点では同じだと言えるでしょう。「呪詛」とは「呪い」という字に、誓う、呪うという意味の「詛」を重ね、人間が何かに害を与えるために超常的な存在に請い願うという強い意味合いの言葉です。

呪詛といえば、平安時代の陰陽師や丑の刻参り（うしのこくまいり）[注1]など、日本古来のものをイメージしがちですが、人形や釘といった道具、呪文を使った呪詛は、紀元前21世紀エジプト中王国時代頃から行われていた形跡があります。蝋人形に対象の名を彫り込み、釘を刺したり手足を切断したりして、他人の目に触れない場所へ隠すことで呪いをかけていました。ヨーロッパでは紀元前6世紀頃からカタデスモイなどと呼ばれる「呪詛板」[注2]が使われていました。鉛や陶片などの薄い板に相手の名前を書き、川や海に流したり、埋めたりしていたそうです。

[注1] 丑の刻（午前2時頃）に神社に参拝すること。現在では、神社の境内で藁人形を五寸釘で木に打ち付け、特定の相手を呪う行為のことを指す。連夜行うと、7日目の夜に成就するようだ。

[注2] ディフェクションとも。初期の呪詛板は対象の名前のみを記載していたが、名前をアナグラム（バラバラ）にしたり、逆順に書くなどの呪術的な様式も存在した。徐々に具体的な罰や神の名も添えられるようになり、呪術師による代筆も増えていったようだ。

道具を用いて呪う「共感呪術」

相手に直接手を下すことなく、間接的に効果を狙う呪術の形態を「**共感呪術**」[注3]といいます。この共感呪術はふたつに分けられ、相手を模した依り代を傷つけたり、呪いの言葉を吐きかけることで対象に害を与えるものを「**類感呪術（模倣呪術）**」、入手した相手の体の一部や衣服の一部を傷つけるものを「**感染呪術（伝染呪術）**」といいます。『呪術廻戦』に登場する釘崎野薔薇は、対象の体や持ち物の一部を藁人形に仕込み、釘を打ち込むことによって攻撃する「芻霊呪法（すうれいじゅほう）」[注4]を得意としていますが、これは類感呪術と感染呪術の合わせ技と言えるでしょう。

[注3] J.G.フレーザー（1854 - 1941年）が提唱。イギリスの社会人類学者。呪術と宗教の区別や関連についてや、呪術の諸類型について記した。代表作は『金枝篇』。

[注4] 芻霊とは中国の祭祀で用いられる草人形のこと。藁人形・五寸釘・トンカチを用いて対象を攻撃する。古今東西、釘を使用する呪詛は多く、これは相手を固定し、縛り付ける（コントロール下に置く）という意味合いがあるようだ。

道具を使わない呪詛

道具を使った呪いでは特別な準備や手順が必要な場合が多く、方法を間違えると自分自身に呪いが跳ね返ってくる恐れがあります。では、他の方法はないのでしょうか。

方法のひとつに「**呪**」[注5]があります。これは「**言霊**」の一種で、対象に直接言葉をかけることで相手を縛る呪いです。日常でも、他人に言われた言葉が気になって行動や思考が阻害された経験がある人は多いでしょう。直接相手に聴かせる必要はありますが、道具を用いずとも、専門的な文言を使用せずとも、さらに言えばその気がなくとも、相手を「呪う」ことができてしまうのです。

意図しない呪詛として、強い思念が特定の場所に溜まることで無差別に人間に作用することもあります。自殺や事故が多発する場所などに、人間の負の思念が澱のように溜まることで場を穢し、呪詛となるのです。逆に言えば、故意に場所を穢すことで呪詛を生み出すことも可能といえます。小野不由美の『残穢（ざんえ）』では溜まった呪詛を「**残穢**」と呼び、この呼称は後続作品にも取り込まれています。

[注5] 夢枕獏『陰陽師』などで登場。名称も一種の「呪」と言われる。たとえば「先生」と呼ばれると、先生らしい行動をしなければならないと思い込んでしまうのも「呪」による縛りなのだ。

現れたのは神か天使か

コックリさん

関連
狐狸 →P.102
降霊術 →P.164
都市伝説 →P.206

教室の片隅で行われた降霊会

「コックリさん、コックリさん、おいでください」。地域によって差はあるようですが、こうした呼びかけからその儀式ははじまります。1970年代以降のオカルトブームの中で、コックリさんは小～中学生に爆発的な人気を誇った「おまじない」でした。用意するものは赤い鳥居と平仮名五十音、数字、はい・いいえが書かれた紙と、1枚の10円玉[注1]。紙を中心に置き、参加者全員で10円玉に指を触れさせ、冒頭の呼びかけを行います。10円玉が動き出したら「呼び出し」は成功、「コックリさん」へさまざまな質問をしていきます。「コックリさん」の正体は「**狐狗狸**」と当て字がされるとおり、低級の動物霊だといわれていました。

文字盤を使用するこの儀式の源流は、西洋のテーブル・ターニング[注2]を起源とするヴィジャ盤[注3]だといわれています。アルファベットとYES・NOが書かれた文字盤に、ハート形の小さな板「プランシェット」を置いて指で触れるという作法は、コックリさんとそっくりです。

「コックリさん」自体は江戸時代頃から存在していました。明治時代の花柳界(かりゅうかい)では**お座敷遊びのひとつ**として、3本の竹や割りばしなどを紐でまとめて三脚にし、上に置いたお盆に手を触れさせ、どの足が上がるかという占いが行われていたそうです。その名前だけが現在の「コックリさん」に引き継がれたのです。

[注1] 1本の鉛筆を全員で握るというローカルルールも。口コミで広がる中、使用したものはすぐに破棄しないと「憑かれる」などのルールが増えていき、エンジェルさん、キューピッドさんなどの亜種も生まれていった。

[注2] 1850年頃に流行した交霊会。テーブルに手をついて回転し、質問に対してどうテーブルが動くかで精霊との交流を行う。

[注3] 1892年に発売された降霊術・心霊術のための文字盤。ヴィジャボードとも。名前の由来は「はい」のフランス語「oui」とドイツ語「ja」を合わせたもの。ギターのピックに似た「プランシェット」とともに使用する。

犯人は天狗か狐か、それとも

神隠し（かみかく）

関連

天狗 →P.106
因習 →P.209
チェンジリング →P.224

明治頃まで頻発した神隠し

ある日突然、何の前触れもなく人が姿を消すことを「神隠し」といいます。神隠しに遭うのは子どもが多かったようですが、ときには女性や成人男性も姿を消し、数日から数年後に突然元の場所に帰ってきたり、山の中で発見されたりしました。帰ってきた人は呆然自失の状態で発見され、話を聞くと姿を消している間のことを覚えていなかったり、空を飛んだと語ったりしたといいます[注1]。

現代でも行方不明者の足跡がまるで掴めないと「神隠しにでもあったようだ」という表現を使います。江戸時代、忽然と姿を消した子どもは、人ならざるものに連れ去られたのだと考えられていました。犯人は天狗[注2]や鬼、狐狸（こり）[注3]の他にも、「**隠し神**」や「**隠し婆さん**」という今でいう都市伝説的な存在もあったそうです。当時は子どもがいなくなると、夜ごと鉦や太鼓でお囃子を奏でながら「返せ、戻せ」と声かけをしたり、「呼び出し山」へ子どもが帰ってくるよう詣でる風習があったといいます。

明治以前、子どもは家庭にとって重要な労働力である一方、飢饉（ききん）の際には間引きされる存在でもありました。また、地方では特定の条件下で生まれた子どもは不吉とされ、秘密裏に殺されてしまうこともありました。神隠しという事象の闇の中には、人為的に行われた子攫いや子殺しも少なくなかったのではないでしょうか。

[注1] 姿を消して数年経っているのに服が一切劣化していないこともあれば、裸に足袋だけの姿で見つかったという記録も残っている。

[注2] 修験者が男色のために男児を攫ったという説もある。天狗に攫われ、占いなどの秘術を教わって帰ってくる例もあった。

[注3] 狐に攫われたときは稲荷神社に詣でると、攫った狐に罰が下るためすぐに帰ってくるという。

呼び出すのは神か死者か、それとも

降霊術(こうれいじゅつ)

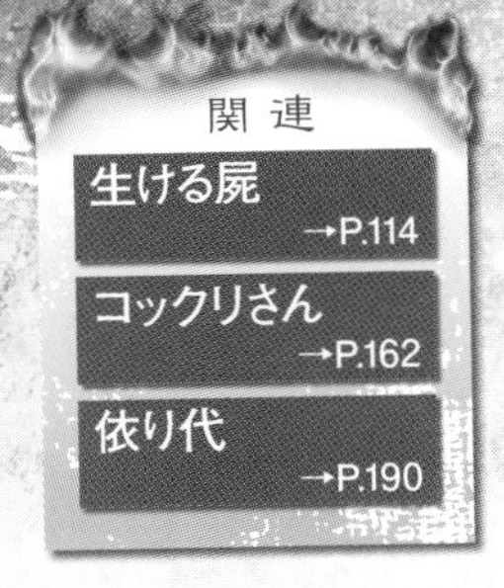

関連
生ける屍 →P.114
コックリさん →P.162
依り代 →P.190

神や霊を現世へと連れ出す術

降霊術といっても、大雑把に3つの意味が含まれます。死者の霊を降ろして交流を図る「**口寄せ**」、神や精霊の言葉を授かる「**シャーマン**」、そして創作などで登場する「**死霊使い**（**ネクロマンサー**）」[注1]です。人間の体に人ならざるものを降ろすという意味では、「口寄せ」と「シャーマン」はほぼ同義となります。霊媒トランス状態となって神や霊を降ろす人のことを、霊と生者を媒介することから「**霊媒**」と呼び、日本では女性（巫女）が担い手になることが多いです。他にも宇宙外生命体とコンタクトをとる人物のことを「**チャネラー**」と呼びます。19世紀の西洋では、こうした媒介者抜きで行われる交霊会も盛んに行われていました。

「死霊使い」はJ・R・R・トールキンの『指輪物語』にも登場し、死者の霊や悪霊を呼び出して使役したり、動物に乗り移らせて下僕としたりしています。また、死者を肉体ごと蘇らせたアンデット、ゾンビを操ったり、自身がゾンビになる例もあります。これはブードゥー教のゾンビ[注2]やエジプトのミイラなど、死者復活の概念から生まれたものと考えられます。

[注1] 死霊魔術師、ネクロマンシーなど。死者を使役するという倫理に反した行いから、創作では悪役になることが多い。

[注2] ハイチを中心に信仰される、キリスト教と融合した多神教。犯罪者を死後、ゾンビとして生き返らせて奴隷にする。

■降霊術を担う人々の名称

名称	地域	役割
イタコ	日本（東北）	巫女
ユタ	琉球	巫女
トゥスクル	アイヌ	祈祷師
シャーマン	シベリア、北東アジアなど	霊媒師
チャネラー	アメリカなど	媒介者

事に通じる「言葉」に宿る呪力

言霊（ことだま）

関連

呪詛 →P.160
呪術療法 →P.179
魔除け →P.182

言葉は強い「意思」の表明手段

「言霊」とは、言葉に霊が宿るという考え方で、古代日本から伝わる信仰です。万葉集には、日本は「言霊の幸わう国」[注1]と歌われています。古代は「言（こと）」と「事（こと）」が同義で扱われていたことから「言挙げ」「言立つ」など、とくに改まったいい回しをすることで「言」に「事」を成す呪力が宿るという考えが根底にあるようです。

祝詞（のりと）や寿（ことほ）ぎ（言祝）などで積極的に言霊を活用する考えと同時に、別の言葉にいい換えて使用を避ける言霊もあります。「**忌み言葉**」と呼ばれ、たとえば冠婚葬祭では「たびたび」など音を重ねる言葉は控えたほうが良いといわれるのもそのひとつです。他にも漁師の「**沖言葉**」、猟師の「**山言葉**」[注2]など、職業や場所に合わせた言葉もあります。

海外でも「Power Of Words」といった、言葉に力があるという考え方があります。実際、西洋ファンタジーにおいても、魔法の発動条件には多く「呪文」が利用されています。呪文は直接的な言葉よりも、直喩・暗喩、古代語など特別ないい回しが利用されます。これらは実行する意思を籠めるため、まさに「言」に「事」を成す力を与えるために、わざわざ特別な言葉を用いているとも考えられます。難しい魔法ほど呪文は長くなり、強い魔力を持った魔法使いほど呪文を省略しがちなのも、「言葉」というプロセスの重要性を示しているのかもしれません。

[注1] 奈良時代の歌人・山上憶良の和歌。「そらみつ倭の国は皇神の厳しき国言霊の幸わう国と語り継ぎ言い継がいけり」。

[注2] 忌み言葉を避けるために作られた。山・海で獲物の名そのものを呼んだり、忌み言葉を使うと獲物が捕れなくなると言われた。山言葉・沖言葉共通で、ヘビは「長モノ」、サルを「エテコウ」と呼ぶ。

罪の証か、信仰の証か

タトゥー

関連
契約と誓約 →P.172
魔除け →P.182

世界各地に見られるタトゥー文化

タトゥー、刺青の歴史は古く、エジプトでは紀元前2000年頃のミイラにもその痕跡が見られます。どの文化圏でも古代より存在が確認・推測できますが、その用途は身分の証明、通過儀礼、魔除けなどさまざまです。

日本で刺青といえば、中国から伝わった**黥罪**（げいざい）・**墨刑**（ぼっけい）があります。罪を犯した者にその罪状に合わせて刺青を彫り、刑罰の印としたのです。のちにこれらの刺青を誤魔化すためや、はみ出し者が背中などに図柄を施し、箔をつけるための刺青が流行しました[注1]。日本で今も刺青の印象が良くない原因は、こうした歴史的背景によるものです。

中国や日本だけでなく、古代ギリシア・ローマも刺青は囚人や奴隷に施すものでした。かと思えば東ヨーロッパでは高貴の証とされ、各国で扱いはさまざまなようです。ただ、ヨーロッパの刺青文化はキリスト教の禁止令によって衰退していきます。オセアニアでは成人として認められるための通過儀礼や、成婚を示す証としてタトゥーが用いられています。アイヌや日本南西諸島では女性だけが成熟の証としてタトゥーを彫っていました。こうした通過儀礼としてのタトゥーは魔除けや死後の安寧を祈る呪術的・宗教的意味合いもあり、そのためかタトゥーを施している間のタブーを設ける文化圏もあります。目に見える形で印を刻み、「痛み」を乗り越えることで得る力があるようです。

[注1] 遊女たちの間では「指切り髪切り入れ黒子」と呼ばれ、好いた男への誓いのために「●●命」と相手の名前を彫り込む行為が行われていた。どうにせよ「はみ出し者」の印象が強い。

恨み死んだモノは呪具と化す

蠱毒（こどく）

人為的に作られた生ける呪い

中国に古くから伝わる呪術のひとつに「蠱毒」があります。隋（ずい）[注1]の時代に国がまとめた書物の中に使用した者を罰する法律があることから、この呪術はそれ以前から存在していたことがわかります。「蠱毒」とは壺などの狭い容器に毒虫や蛇などの小動物を閉じ込め、最後の1匹になるまで殺し合いをさせます。残った1匹は「蠱」といい、強い呪力を持つとされます。これを用いて相手を呪うのです。「蠱」を作る行為は「造蠱」というそうです。日本でいう狐持ち[注2]のように、中国には「蠱」を使った呪術「蠱術」[注2]を行う一族がありました。継承するのは女性で、各地から女児を養女にして「蠱」を継いでいったといいます。

「蠱」は「蟲（虫）」の他に、単体で「まじなう」、とくに「災いをもたらすまじない（＝呪術）」の意味も持ちます。「巫蠱（ふこ）」は他人に危害を与える呪術という意味の言葉ですし、日本で「蠱毒」というと「気づかれないように毒を盛ること」、またその毒を指します。日本では蠱毒に似た手法として、「**犬蠱**（けんこ）」があります。繋いだまま餓死させた犬の首を落とし、祀ることで相手を呪うという呪術で、これは日本独自のものです。日本では昔、「蟲」は人間を含めたすべての小動物を指していました。その考えから苦しみや恨みを持って死んだものすべてに、そうした呪術が宿ると考えたのかもしれません。

［注1］中国の王朝のひとつ。581～618年。

［注2］特殊な狐に憑かれた家筋のこと。オサキ狐、クダ狐など地方によって名称は異なるが、狐を祀り、ときに使役することで富み栄えたという。

［注3］中国では「蠱」を病気の原因、病名とする資料もあり、病気をもたらす呪術全般を「蠱術」とする解釈も存在する。

子どもが伝える歴史の闇

わらべ歌（うた）

関連
童話（昔話）→P.82
都市伝説→P.206
因習→P.209

解釈次第で妄想膨らむ歌詞

子ども向けの歌の中でも、手遊びなどとともに伝わったもの、特定コミュニティ内に口伝されたものをとくに「わらべ歌」と呼びます。数え歌や謎かけといった言葉遊びや、動作を伴った掛け声歌、早口言葉や風刺、地域の風習や伝承を歌うものなど、世界各国、各地域に多種多様なわらべ歌が存在しています。また、わらべ歌は作者不明のものが多く、元は同じ歌でも土地によって歌詞やリズムに差異が生じているケースも少なくありません。

昔から歌い継がれてきたためか、わらべ歌の中には意味が通らないもの、解釈の難しいものも存在します。単に古いいい回しのためにわかりにくいこともあれば、**暗喩**や**隠語**などを使うことで、まるで**暗号**のような作りになっている歌詞もあり、私たちの想像を掻き立ててくれます。広く人々に知られ、解釈に幅があるという性質から、アガサ・クリスティーの『そして誰もいなくなった』[注1]をはじめ、ミステリー作品ではわらべ歌を使った「見立て殺人」ものが一ジャンルとして確立しています。他にも有名なわらべ歌の『**かごめかごめ**』は、その歌詞が徳川埋蔵金の在り処を示す暗号だといわれ、一時テレビを賑わせました。英語圏ではわらべ歌を「**マザーグース**」と呼びますが、これは1765年にイギリスで刊行された伝承童謡集『マザーグースメモリー』から取られた名称だといわれています。

［注1］「10人のインディアン」の歌詞のとおりに、孤島に取り残された10人の男女が次々に殺されていく、見立て殺人ものの金字塔となった推理小説。

闇に葬られた因習を伝えた？

『グリム童話』の原文は残酷だった、というのはよく聞く話ですが、古い子ども向けの作品には、ときに驚くほど残虐な事実が隠れています。その類に漏れず、わらべ歌の中にも古い因習が隠れています。

日本でいえば『**はないちもんめ**』は、そのまま読めば「一匁の（価格の）花」ですが、じつは「**花**」**は娘**を指し、人買いに売り渡す娘を選ぶ歌だともいわれています。歌詞に出てくる「鬼」は娘を引き取りに来た人買いを指すのでしょう。マザーグースの『**ロンドン橋**』に歌われる「**マイフェアレディ**」も、橋に埋められた人柱の女性のことだといわれています。

わらべ歌に隠された史実と政治

日本でも有名なマザーグースのひとつに『ハンプティ・ダンプティの唄』があります。「卵」の謎かけ歌だといわれていますが、せむし[注2]で片足が不自由だったリチャード三世を風刺しているという説もあります。

他にもマザーグースには政治批判やペストの流行[注3]を歌ったと見られるものがあり、おおっぴらに苦言ができない大人に変わって、子どもたちが遊びで「悪口」を歌っていたと思うと、マザーグースの皮肉な一面が見えるようです。

日本では死んだとされる人物がじつは逃げ延びていたことを示唆するわらべ歌があります。有名なところでいえば大坂の陣で自刃したといわれる豊臣秀頼（とよとみひでより）、真田信繁（さなだのぶしげ）が鹿児島に逃げた[注4]という内容の歌が存在します。

[注2] 先天性の病気によって、背骨が後方へ弓なりに曲がり、背が盛り上がって見える状態。

[注3] マザーグース『Ring-a-ring o' roses（バラの花輪を作ろうよ）』。その歌詞はペスト発症から死亡までの様子を歌っているともとれる。

[注4] 大坂の陣のあと、上方では「花のようなる秀頼様を　鬼のようなる真田が連れて　退きも退いたり加護島へ」という歌が流行った。

金を生み、不老不死を求める

錬金術

不完全なものを完全に

「錬金術とは何か」を一言で表すとしたら、「**完全の追求**」が良いでしょう。卑金属を金に換えるのは「**金**」が完全な物体[注1]だと考えられていたからですし、不老不死の妙薬を求めたのは人間という不完全な存在を「神」という完全体に近づけようとしたからです。そして神のような完全な存在になれば、新たな人間も作り出せるとして「**ホムンクルス（人造人間）**」[注2]という考えが生まれました。

錬金術は紀元前3世紀ごろのエジプトで生まれ[注3]、11世紀には十字軍によってヨーロッパへと持ち込まれました。この際、錬金術を伝えたというエジプトのトト神とギリシア神話のヘルメスが同一視され、錬金術の祖といわれるヘルメス・トリスメギストスが誕生したのです[注4]。

錬金術の道具の中でも哲学者の卵（フラスコ）や蒸留器（アレンビック）は重要視されていました。錬金術の作業は煅焼・昇華・融解・結晶化・蒸留が主だったため、台所仕事で炉を扱い慣れていた女性も錬金術師として活躍したそうです。

[注1] 錬金術では金属は鉄→銅→鉛→錫→水銀→銀→金の順で変容し、完全体となると考えられていた。

[注2]「フラスコの中の小人」とも。3世紀にシモン・マグスが初めて生成に成功した。ゲーテの『ファウスト』で有名に。

[注3] 英語の「alchemy」は「エジプトの技術」が語源。他、錬金術に関する言葉はアラビア語の定冠詞「al-」から始まるものが多い。

[注4] 神とも王ともいわれる。錬金術の奥義として『ヘルメス文書』や『エメラルド板』を残す。

全は一、一は全

錬金術の大原則として「宇宙はひとつのものからできている」という「**全は一、一は全**」の思想があります。これはすべての存在は第一質料「プリマ・マテリア」であり、逆もまたしかりという意味なのです。第一質料に四性質（湿・乾・熱・冷）のうち、ふたつの性質が加わることで四大元素[注5]が生まれ、四大元素が組み合わさって物質が作られている。このとき、第一質量と四性質を結びつける力が第五元素「**エーテル**」であり、宇宙を動かす力、万物を作り替える力だとされます。この考え方が発展し、ヨーロッパでは「第五元素＝賢者の石」であると考えられるようになりました。

第五元素である「**賢者の石**」は万物の完成形でありながら、はじまりの第一質料と同一。この「始まりと終わりの一致」は円＝完全を意味し、このことから尾を飲み込む者・**ウロボロス**[注6]が錬金術の象徴となったのです。

［注5］古代ギリシアで生まれた物質観。この世の物質は火・気・水・土の4つの元素から構成されているという考え。

［注6］己の尾に食いついたヘビ（竜）は円環であり、始まりと終わりの一致を示す。生と死、再生、輪廻転生、無限などを象徴する。

世界各国の「不老不死の薬」

ヨーロッパでは錬金術によって得られる不老不死の物質を「賢者の石」と名付けましたが、元々エジプトでは万能薬「エリキサ」と呼ばれていました。

この「万能薬」の考えは、中国から伝わったのではないかという説があります。というのも、中国ではエジプトより前、紀元前数世紀の頃から錬金術が活用されていたのです。紀元前4世紀頃から信仰されていた中国神話の神・黄帝（こうてい）も錬金術師で、その修行によって仙人（不老不死）になったと伝わっています。中国では錬金術は「煉丹術（れんたんじゅつ）」と呼ばれ、不老不死の薬・金丹を求めた伝説が多く残っています。

中国の錬金術はインドにも影響を与えています。インドは紀元前10世紀ごろには冶金技術があり、薬草だけでなく鉱物や動物などから薬を作り出す医学も発達していました。2世紀ごろには「煉丹術」も伝わり、インドでも不老不死の薬の追求が始まったのです。インドの医学体系アーユル・ヴェーダにはラサーヤナという不老長寿法があり、これがインドの錬金術ではないかといわれています。

ただ、中国もインドも水銀を用いた薬の生成が中心だったため、中毒症状を起こす人が多く、中世後期にはこれらの術は衰退していきました。

誓いを立て、加護を得る儀式

契約(けいやく)と誓約(せいやく)

関連
ソロモン王 →P.28
メフィストフェレス →P.128
生贄 →P.213

宗教用語としての「契約」

法律用語としての「契約」は両者の合意の上で結ばれますが、宗教用語では神から一方的に与えられるものとされています。ユダヤ教、キリスト教は「**契約宗教**」に分類されます。神がイスラエル民族に対し、モーセを通して与えた契約を「シナイ契約（旧約）」[注1]、その後イエス・キリストを通して全人類に与えたものを「**新約**」と呼びます。聖書につけられた旧約・新約の「**約**」は、「**契約**」という意味なのです。ユダヤ教以前から存在するイスラエル宗教も契約宗教だったといわれており、のちの国家滅亡をはじめとする民族的苦難は、イスラエル民族が神との契約を履行しなかったためだとされています。

[注1] シナイ契約のうち、道徳律法（モーセの十戒）は2枚の石板に刻まれ、「契約の箱」に収められた。

神と個人が結ぶ「誓約」

神と個人が結ぶ場合は「誓約」といいます。「**契約**」が神から人へ降ろされるのとは逆に、「**誓約**」は人が神へ誓いを立てることで力を得たり、神意を窺ったりします。誓約は口頭で誓う誓言と、文章に残す誓文（起請文・誓詞とも）があり、これは神と人だけでなく、神を証人とする人と人の誓約にも使用されるようになります。

ケルト神話ではゲッシュと呼ばれる、「○○をしない」と自らにタブーを課すことで神の加護を得るものがあります[注2]。ゲッシュは禁止事項を誓うものなので、誓約という

[注2] クー・フーリンの「犬の肉を食べない」などが有名。ゲッシュは大きな力を得るが、ときに悪意あるものに利用されることも。

よりも「**禁忌**」と訳されることが多いです。

日本神話では占いの一種として「うけい（誓約）」が登場します。物事の吉凶や真偽、成否を神に窺う行為で、アマテラスとスサノオが行ったことでも有名です［注3］。また、中世頃からの習俗に、神前で神水を飲み交わすことで神を証人とする人と人の誓約「**一味神水**」があります。

［注3］スサノオがアマテラスの疑いを解くために川のほとりで行った儀式。

悪魔との契約は具体的かつ慎重に

魔術的な意味での契約といえば、悪魔や精霊といった人ならざるものとの約束事を指します。両者の合意という意味では法律用語の「契約」と同じ意味合いになります。漫画『魔法使いの嫁』［注4］には、魔法使いが弟子に対し、「（契約の際は）対価はできるだけ具体的に」と注意を促すシーンがあります。これは法律上の契約と同じく、具体性に欠けた約束事は悪用されやすいためです。契約とは言葉による「**縛り**」のため、いくら力のある悪魔といえども背くことはできないのです。たとえば「対価として自分の血をあげる」では、全身の血を抜かれても文句を言えませんが、初めから「カップ1杯分の血」といっておけば、それ以上取られる心配はせずに済みます。

［注4］ヤマザキコレによる漫画。イギリスを舞台に、魔法使い見習いの少女と人ならざるものとの交流を描く。

悪魔との契約といえばゲーテの『ファウスト』が有名ですが、悪魔との契約に際し、ファウストは賭けを持ちかけています。「賭け」は逃げ道のある契約で、時に策略として用いられます。

悪意ある魔術と悪魔信仰

黒魔術（くろまじゅつ）

黒魔術は秩序のアンチテーゼ

魔術はときに「黒魔術」「白魔術」と呼び分けられますが、両者に明確な線引きはありません。公共や他者のために使われる、または良い精霊に協力を仰ぐ魔術を「**白魔術**」、自身の欲望のために使われる魔術を「**黒魔術**」と呼ぶことが多いようです。しかしこの判断基準は極めて主観的です。たとえば反社会的な組織内で仲間のために行われる魔術は、世間から見れば「黒魔術」ですが、組織内では「白魔術」に該当してしまいます。どういった魔術であるかという区分けよりも、「黒＝悪いもの、害を成すもの」「白＝良いもの」という、色が与える印象を主観で当てはめているのでしょう。魔術とは異なりますが、ゲームなどでも回復を白魔法、攻撃を黒魔法とする作品[注1]が見られます。

[注1]『ファイナルファンタジー』シリーズ、『遊戯王』シリーズなど。

とはいえ、黒魔術といえば悪魔崇拝や悪霊の使役、妖術や呪いなど、悪意を持って行う魔術という印象があります。社会的に見れば、多くはキリスト教においての「異教徒」や「異端者」に対して使われることが多いため、西洋ではキリ

スト教社会に対するアンチテーゼこそが黒魔術なのかもしれません。実際、黒魔術に該当する悪魔崇拝や薬物の使用、エロティシズムや交霊会といったオカルティズムは、キリスト教の教義に反するものばかりでした。日本では呪詛が「黒魔術」に該当するとすれば、これは「人に害を成す」という、倫理へのアンチテーゼといえるでしょう。

ザ・黒魔術的秘密結社の存在

古くより秘密結社[注2]は宗教系のグループが多く、中でも異端的キリスト教徒、妖術者や呪医などの専門家など、社会からの弾圧や迫害から逃れるために秘儀集団として集結した傾向があります。これらがすべて「黒魔術」に該当するとは到底いえませんが、世間にとっての「異端」に対し、得体の知れない存在として「黒魔術」のレッテルを張って迫害する歴史は、どの国、どの時代でも繰り返し起きています。

秘密結社＝黒魔術ではないと断ったうえで、まさしく黒魔術的活動を行う秘密結社も存在しました。18世紀、イギリスの若い貴族の間で「グランドツアー」と呼ばれる国外旅行（日本でいう修学旅行）が盛んに行われ、イギリスには当時ヨーロッパで大流行していた黒魔術やオカルティズムの知識が蓄積されていきました。とくに「**地獄の火クラブ**」[注3]は有名で、さまざまな宗教様式をごちゃまぜにしたような修道院を建て、各国から持ち帰った珍品を所狭しと並べ立てました。この収集品の中には「**栄光の手**」[注4]もあったと伝わっています。隠し礼拝堂で彼らは夜な夜な黒ミサを開き、酒を飲みながらゲームをし、娼婦に修道女の格好をさせて乱交を繰り返すなど、ありとあらゆる背徳的な行いをしました。これらが「遊び」であったことも含めて、彼らはこの上なく「黒魔術」的な集団だったといえます。

[注2] 秘密の儀式（秘儀）を行うことで入社を認められる会員制の組織のこと。フリーメーソンなどが有名。

[注3] 18世紀初頭から密かに活動していた秘密クラブだが、とくに「聖フランシス修道士会」が母体になったものを指す。メンバーには「サンドウィッチ」の考案者であるサンドウィッチ伯爵も名を連ねた。

[注4] 絞首刑に処された罪人の手首を切り落とし、血抜きをしてミイラ化させた黒魔術の道具。これを持つと姿を消すことができるという。またこの手を燭台に、同じ罪人の脂肪で作った黒蠟燭を灯すと、相手の言動を操れるともいわれる。

関連
呪物
→P.184
見るなのタブー
→P.233

「視る」だけで相手を呪う力

邪眼(邪視)

じゃがん　じゃし

古より世界中で信じられてきた神秘

「邪眼」とは「視る」ことで対象に災いをもたらす瞳のことで、「魔眼」とも呼ばれます。一般用語として「凝視することで相手を呪う」という行為に対して「**邪視(evil eye)**」と呼ぶことが多く、他にも「**見毒**」「**悪魔の目**」などの呼称があります。その力が瞳に宿っているのか、それとも能力の発動条件が「視る」ことなのかによって使いわけができそうです。

邪眼の持ち主としてもっとも知られているのは、見る者を石に変えてしまうギリシア神話のメデューサ[注1]や、致死の邪眼を持つケルト神話の邪視の王・バロールでしょう。石化や致死、強制、誘惑といった力だけでなく、創作では千里眼や未来視、霊視など見えざるものが視える眼も邪眼・魔眼と呼ばれます。先天的な能力であることが多いですが、自らの瞳や義眼に何らかの魔術を施したり、他人の邪眼を移植したりすることで後天的に邪眼の力を得る設定も見られます。

古来、嫉妬や憎しみの視線によって災いを受けるという考えを「邪視信仰」といい、邪視から逃れるための護符は世界各国に存在します。とくに邪視を見返す目玉がモチーフになっているものが多く、**トルコのナザール・ボンジュウ**[注2]や**日本の蛇の目**などが有名です。自分から視線をそらすために「視られる力」の強いもの[注3]を身に着ける文化圏もあるようです。なお、中東では邪視はすべての人間が持ちうる力であると考えられています。

[注1] 邪眼の力でなく、あまりに恐ろしい姿をしているために恐怖で石になるという伝承もある。

[注2] 青いガラス製のお守り。平たい円形のガラスの表面に、内側から黒、水色、白の同心円が描かれている。ナザールは邪視、ボンジュウはビーズという意味。

[注3] 卑猥なものや醜いもの。たとえば男性器など。

見る者を惹きつける異色の瞳

虹彩異色症（ヘテロクロミア）

こうさいいしょくしょう

関連

邪眼（邪視）→P.176
忌み子→P.212

人間では非常に稀な「症例」

虹彩の色が左右で異なることを、バイアイ、オッドアイ、ヘテロクロミア[注1]などと呼びますが、医学的には「虹彩異色症」に当てはまります。猫や犬などの動物によく見られ、人間では非常に稀な症例です。これもまた稀ですが、事故や病気などによって後天的に発症することもあるそうです。先天性では遺伝子疾患が原因の場合が多く、遺伝性のものではありません。歴史上有名な虹彩異色症はマケドニアの**アレクサンダー王**[注2]で、伝承には「一眼は夜の暗闇を、一眼は空の青を抱く」と記されています。

そもそも瞳の色というのは、虹彩内のメラニン色素の割合によって決定します。おおむねヒトの瞳の色はブラウン、ブルー、ヘーゼル、グレー、グリーンに分類されます。とくにグリーンは北欧を中心に見られる非常に稀な色で、全人類の２パーセント程度しかいないといわれています。また、レッド、バイオレッドの瞳はアルビノ（色素欠乏）にのみ発現します。これは虹彩の色素が少ない、存在しないことから、血管の赤い色が透けて見えるため。他の色の瞳でも照明の関係で瞳が赤く見えることがあります[注3]。

日本ではヘテロクロミアを「金目銀目」とも書きますが、これは猫の虹彩異色症を指した言葉です。金と銀（実際は黄と青）は紅白と並んで縁起が良く、また珍しいものを吉兆とする日本では大切にされていました。

[注1] 正しくは「ヘテロクロミア・オブ・アイリス」。ヘテロクロミアは「異色症」の意味。

[注2] アレクサンドロス、イスカンダルとも。紀元前356年生まれ。20歳でマケドニア王となり、東征を行ってインド西部までまたがる大帝国を築いた。

[注3] 写真の赤目現象など。フラッシュなどの強い光が当たることで、網膜の血管の赤色が反射して瞳孔が赤く見える。

「厳命を持って」悪魔を制する

エクソシズム

関連

悪魔 →P.118
吸血鬼 →P.122
魔除け →P.182

本当のエクソシストは戦わない？

『新約聖書』の中では、イエス・キリストがその権威を持って命じることでさまざまな奇跡を起こし、悪霊でさえその言葉に従わざるを得なくなります。「**エクソシズム**」はギリシア語の「**厳命／権威を持って追い出す**」を語源とし、そのまま「悪魔祓い」に用いられるようになりました。『マタイによる福音書』の10章には、「イエスは十二弟子を呼び寄せて、汚れた霊を追い出し、あらゆる病気、あらゆる患いを癒す権威をお授けになった」という一説があります。これによって弟子たちは悪魔祓いの力を得、キリスト教では悪魔祓いの専門家を教会に置くようになりました。

悪魔祓いというと、映画『エクソシスト』[注1]や漫画『青の祓魔師(エクソシスト)』[注2]のような武器を使って悪魔と戦う武闘派のイメージがあります。しかし、前述したとおり、本来は人体の内部に入り込んだ悪魔を祓うことで病気を取り去る行為を指します。日本や中国でも古来病の原因は体内に入った鬼や蟲によるものとされていたので、「悪いものが取り憑いたことで体調を崩す」という考え方は世界共通だったのでしょう。キリスト教では聖人の遺品や墓に触れることで癒したり、悪魔祓いの専門家の言葉によって正気を取り戻したりしていたのです。むしろ当事者を叩く、舞うことで魔を祓う日本の「悪魔祓い」の儀式のほうが、エクソシストの「戦う」イメージに近いのかもしれません。

[注1] 1973年に制作されたアメリカの映画。少女に憑依した悪魔と神父の戦いを描いたオカルト映画の代表作。シリーズは3まで続編があり、他にもスピンオフ映画が多数存在する。

[注2] 加藤和恵による少年漫画。キリスト教だけでなく、多種多様な宗教に属するエクソシストが登場する。

儀式による治癒行為

呪術療法

関連

陰陽道 →P.152
言霊 →P.165
魔除け →P.182

かつて病は悪霊の仕業だった

現在では科学が発展し、多くの情報の蓄積ができたため、ほとんどの病に名がつき、予防と対策が取れるようになってきました。「不治の病」といわれるものも随分減ってきています。しかし、科学も情報もなかった時代はどうでしょうか。古代では病は人ならざるもの、多くは悪霊のせいだと考えられていました。かつて魔術と医学はとても近しい存在で、現在の医者の役割は呪術医、シャーマンドクター、ウィッチドクター、エクソシスト、陰陽師らが担っていたのです。

彼らは体から病の原因である悪霊を追い出すため、呪文を唱えたり、神楽を舞ったり、呪具を使ったり、祈祷を行いました。もちろん、呪術的な行為だけでなく、薬草を用いた治療も同時に行われていたといいます[注1]。麻薬を使用した例も多く、麻薬成分のある薬草を用いた治療は、心身の不調にも効いたのではないかと推測できます。メソポタミアでは病を動物に移す試みもありました。子ヤギを同じベッドに入れてから病人を殺すそぶりをし、子ヤギを殺して病人の服を着せ、手厚く埋葬することで病人の病と死の運命を子ヤギに肩代わりさせるというのです。

専門家を通さずとも、信仰によって回復を願う行為も一種の呪術療法といえます。超常的な存在へ健康を祈るという意味では、ご利益のある寺社に参拝する「**お百度参り**」といった行為もそのひとつといえるでしょう。

[注1]「薬草は神秘的な力を持っている」と考えられてのことで、科学的な薬効というよりは呪具の一種に近い。魔法の輪で囲ってから採取するなど、大地への礼儀が重んじられていた。

Column

今ドキの魔法の呼び方
「術式」とは何か？

近年の創作作品では、「術」や「魔法」のような特殊能力のいい換えに「術式」が使われることがあります。かつてはあまり一般的ではありませんでしたが、1995年連載開始の漫画『竜童のシグ』、1998年連載開始の『HELLSING』、2000年暮れ発売の同人ゲーム『月姫』など、少なくとも90年代中盤ごろの作品から使用例が確認できます。

■ そもそもは「医療用語」である ■

「術式」を辞書で引くと、「外科手術の方法」というような意味がでてきます。じつは本来の「術式」とは、医療用語なのです。

医学の世界では、同じ外科手術であってもその方法はいくつもあり、患者によって変えたり、より安全な新しい手術方式が日々生み出されています。こうした「手術の方法、手段」のことを「術式」というのです。医療を題材にした漫画『ブラック・ジャック』には、「術式」という言葉が何度もでてきますが、これは、当然ですが本来の意味で使われています。

■ 複雑な魔術体系につかわれやすい「術式」という言葉 ■

医療用語だった術式は、字面や語感の良さもあったのか、別な意味合いで創作に盛り込まれ、『とある魔術の禁書目録』『魔法科高校の劣等生』『呪術廻戦』などなど、2000年頃からはたくさんの作品に登場するようになります。これらから「術式」という言葉を知った人も多いでしょう。

こうした作品における「術式」の在り方はさまざまで、定義するのは難しいです。ただ、ある程度の傾向はみえます。自然現象を操ったり、神仏の力を用いたりするようなシンプルな場合はあまり使われず、「作中の理論に基づいて生みだされた魔術体系」、「術（魔法）同士を組み合わせて作成された魔術」というように、過程や説明が複雑な魔術体系について「術式」を用いることが多いようです。

chapter 6
アイテム

魔を祓う逸品

魔除け

関連
呪詛 →P.160

災いや呪いから身を守るアイテム

魔除けとは、所有者を厄災や呪詛（呪い）から守ったり、悪しきものを遠ざけるアイテムのことで、幸運をもたらす招き猫なども魔除けの一種として扱われます。

魔除けというと、日本ではお守りや御札といったものがわかりやすいでしょう。これは神仏の力を借りて悪いものから守ってもらおうという考え方で、他にも仏像や仏画、キリスト教ならロザリオやイコン（聖像）なども同じカテゴリの魔除けになります。こうした神仏、あるいは神仏を表す文字などを武器や防具に刻むことで、武具に加護を与えようとすることもありました。

この他、民間に伝わる伝承において「**悪魔や妖怪に効力がある**」と考えられたものも魔除けとされました。端午の節句の菖蒲、亡くなった人の体の上に置く刃物[注1]、西洋ならばニンニクや銀といったものが、邪悪なものに効果があると信じられていました。変わり種としては、**馬の蹄鉄**も魔除けとして知られています。

ゲームをはじめとしたファンタジー作品では、魔除けはアミュレット、チャーム、タリスマンなどの名前で装備品として一般的です。**アミュレット**は装着者を災いから守り、チャームはアクセサリのいい換え、**タリスマン**は魔法の力があるアイテムで装着者に利益を与える効力がある、というような意味合いで使用されることが多いようです。

[注1]「守り刀」と呼ばれる。この風習が誕生した経緯は諸説あり、死者を奪う妖怪から守るためとも、死者の世界に入るまでのお守りなどともいわれる。

■世界各地の魔除け・お守り

名称	内容
神札	材質はおもに紙や木で、表面に社寺あるいは神仏の名前が書かれています。神棚に祀って家内安全や無病息災、商売繁盛などを祈ります。神棚がない場合は、自身の目線より高い位置に祀るとよいそうです。ほかに札型のお守りとしては道教の符籙が挙げられます。
守札（守袋）	神や仏の依り代である護符を袋に入れたもの。日本人には馴染み深く、お守りと聞いてこれをイメージするひとも多いでしょう。古来より日本には新しいものほど穢れが少ないという考えがあり、神札や守袋は1年おきに新しいものと交換することを推奨されています。
招き猫	ネズミを駆除することから、養蚕の縁起物として重宝されましたが、今では商売繁盛などの願いを込めて飾られています。右手を挙げているものは金、左手を挙げているものは人間（客）を招くといいます。通常は白色ですが、黒色や赤色の招き猫もあり、それぞれ魔除けや厄除け、健康長寿などのご利益があるそうです。
千羽鶴	折り紙で作った複数の折り鶴を糸などで束ねたラッキーチャームの一種。その起源は定かではありませんが、おもに病気平癒や幸福を祈願する目的で作られます。千羽は「たくさんの」という意味なので、ぴったり1000羽の折り鶴を用意する必要はありません。
柊鰯	焼いたイワシの頭を柊の枝にさしたもので、節分の際に家の出入り口に飾ります。柊の葉の棘が鬼の目を刺し、イワシを焼く際の臭気が鬼を遠ざけるといわれており、古来より魔除け（鬼避け）として用いられてきました。
破魔矢	寺社で授与される縁起物のひとつ。射る対象が人間や動物ではなく魔（邪悪なもの全般）であるため、通常の矢のように矢尻は鋭く尖っていません。本来、破魔矢は破魔弓で射ることで初めて魔を清める効果が発揮されるのですが、破魔矢のみの縁起物も多数存在します。
ナザール・ボンジュウ	ナザール・ボンジュウは、青いガラス玉に目玉のような模様が描かれたトルコに伝わる邪眼・邪視避けの護符です。新居を建てたり、事業をはじめたとき、新しいものを妬む悪魔の目から身を守るために用いられます。身につけられるアクセサリーから置物タイプまで、種類も豊富です。
ラビット・フット	ウサギの脚を模して作られたラッキーチャームの一種です。材料にフェイクファーではなく、本物のウサギの脚を用いたものもあります。ウサギは多産で繁殖力が高いため、その脚をもつ人間に多産や繁栄をもたらすとされています
ドリームキャッチャー	北アメリカ大陸に住むインディアン・オジブワ族に伝わる魔除け。蜘蛛の巣にいくつかの羽がぶら下がったような独特な見た目をしています。悪霊や悪夢は蜘蛛の巣に捕えられて消滅し、いい夢は蜘蛛の巣から羽を伝わって持ち主のなかに入ってくるそうです。
食物	一部の食物には魔除けの効果があるとされます。例えばニンニクは世界各地で魔除けとして使われており、ヴァンパイアはニンニクを嫌うという伝承はファンタジー作品でも多用されています。また、中国にはトウガラシをお守りとする民間信仰も存在します。
宝石・金属	宝石や金属も魔除けとして用いられることが多いです。例えば西洋では、銀には悪しきものを遠ざけたり、浄化する力があると考えられています。吸血鬼や狼男を倒す際に銀の銃弾を使ったり、赤ちゃんに銀のスプーンを贈る風習があるのはそのためです。

呪いにまつわる品々

呪物（じゅぶつ）

関連
妖刀・魔剣 →P.186
ギロチン →P.202

持ち主に災いをもたらす呪いの宝石

呪物は超自然的な力があるとされる霊木などを指す言葉ですが、創作物では呪われた、或いは呪いをかける際に必要な品物を指すのが一般的です。ゲーム『ドラゴンクエスト』などに登場する身につけると外せなくなる装備品や、漫画『呪術廻戦』における「**特級呪物**」が良い例でしょう。

現実世界にも、こうした「**呪われた物品**」としか思えないような品々が存在します。その代表ともいえるのが**ホープ・ダイヤモンド**[注1]です。

9世紀頃にインド南部の街コーラルで発見されたダイヤは、17世紀半ばにフランス国王ルイ14世の手に渡ります。ダイヤは王家を象徴する品となりますが、それから間もなくしてフランスの財政が傾き、フランス革命が発生。さらにダイヤを相続したルイ15世は天然痘を罹って死亡し、ルイ16世と王妃アントワネット、その寵臣であるランバル公妃も処刑されます。その後、ダイヤは窃盗団に盗まれ、イギリスの実業家ヘンリー・ホープの元に流れ着いたそうです[注2]。

[注1] 45.52カラットもある巨大なブルーダイヤモンド。発見当時は112カラットあり、ルイ14世がカットしたことで約70カラットになった。その後、さらにカットされて今の大きさになったとされる。

[注2] ホープの手に渡ったことで「ホープ・ダイヤモンド」と名付けられたが、ほどなくしてホープ家も破産し、ダイヤを手放さざるを得なくなる。最後はアメリカの宝石商ハリー・ウィンストンがダイヤを手に入れ、アメリカのスミソニアン博物館に寄贈された。

座ると必ず死んでしまう呪われたイス

世界にはホープ・ダイヤモンドの他にも呪われたアイテムがたくさん存在します。座った者は必ず死ぬといわれているバズビーズチェアもそのひとつです。

イギリスのとある街で暮らしていた男性トーマス・バズビーは、エリザベス・オーティという女性と結婚します。しかし、彼女の父親ダニエルは、エリザベスとトーマスの結婚を快く思わず、娘を家に連れ帰ろうとしました。これに激怒したトーマスは、義父であるダニエルを絞殺。その後まもなく逮捕され、絞首刑に処されます。バズビーの死後、彼とエリザベスが暮らしていた宿はパブになり、そこにトーマスがお気に入りだった椅子も残されました。有名な犯罪者が使っていたイスということで、ふざけて座る客も多かったようですが、座った人が次々と変死したため、呪われたイスといわれるようになったのです。ニュース誌によるとこれまでに60人以上がこのイスに座って亡くなったそうですが、詳細についてはよくわかっていません。

なお、バズビーズチェアは現在もイギリスにあるサースク博物館に展示されています。ただ、呪いが本物だった場合、取り返しがつかなくなるため、誰も座れないように宙吊りにして飾っているそうです。

「フェチ」の語源でもある呪物崇拝

西アフリカの諸宗教や、そこから派生する形で生まれたブードゥー教。これを研究していた民俗学者シャルル・ド・ブロスは、呪物などの超自然的な力を備えた物品を「フェティッシュ」、そしてそれらを崇拝することを「フェティシズム」と名付けました。ひとつのものに対して異常な執着を見せることを「○○フェチ」と称しますが、これはフェティシズムを略したものなのです。

邪悪な力を秘めた刀剣

妖刀・魔剣（ようとう・まけん）

関連
呪物
→P.184

所有者や周囲の人間に災いをもたらす

魔剣とは本来、魔法の力をもった剣を指しますが、近年では聖剣と対になる剣や、所有者に災いをもたらす代物として描かれるのが一般的です。また、妖刀は妖気などを帯びた刀剣を指すため、創作を基準にするなら**魔剣＝妖刀**という認識で差し支えありません。広義の魔剣について知りたい方は、次ページにまとめたので参照してください。

アーサー王の愛剣**エクスカリバー**など、本来の意味での魔剣は多数存在しますが、狭義の魔剣はそれほど多くありません。とくに有名なものを挙げるとすれば、北欧神話に登場する**ティルフィング**や**ダインスレイフ**でしょうか。どちらも他者を傷つける特性があり、とくに前者は強力な呪いによって持ち主ですら命を奪われることがあります。

妖刀については、ゲームなどにも頻ぱんに登場する刀・**村正**が挙げられます。これは千子（せんじ）村正を初代とする刀工一派・村正［注1］に由来し、いずれも凄まじい切れ味を誇ったため、多くの者が村正の作刀を求めました。

村正の刀は徳川家康の祖父や父を斬った他、家康の長男が織田信長の命令で切腹した際に用いられました。こうしたことから村正の刀は天下統一を果たした徳川家に仇なすものとされ、妖刀と囁かれるようになったわけです［注2］。家康も思うところがあったのか、のちに徳川家の武器管理人に村正の刀を廃棄するように命じています［注3］。

［注1］室町～江戸時代初期にかけて伊勢国（現在の三重県）で活躍した刀工一派。伊勢千子派の開祖とされる千子村正を初代とし、何人かの人間が村正の名を継いで刀を打っており、いずれも村正と銘打たれている。なかでも初代或いは3代目村正が打った鍋島勝茂の愛刀「妙法村正」が有名。

［注2］妖刀とするのは、千子村正（初代村正）の作刀のみか、村正の作刀すべてか定かではない。ただ、4代目以降の村正は、徳川家がその名を忌み嫌っていたせいか、「千子」と名乗るようにしていた。

［注3］家康の遺品とされるもののなかには村正の作刀も存在したため、「家康が村正を嫌ったのは後世の創作」ともいわれている。ちなみに、徳川家に敵対した幕末の維新志士らは、その性質から逆に村正を求めたという。

今も生まれ続ける魔剣

「邪悪な力を宿し、持ち主を破滅に導く」という魔剣は、今やファンタジー作品ではおなじみの要素です。世界各地の神話・伝承はもちろん、近年の創作物にも魔剣的なものが登場します。例えば小説『エターナルチャンピオンシリーズ』のストームブリンガーが有名でしょう。

■神話・伝承に登場するおもな魔剣

名称	内容
アスカロン 〈出典〉『キリスト教世界の7人の闘士』	キリスト教の聖人にして、竜殺しの逸話をもつゲオルギオス（聖ジョージ）の剣。ゲオルギウスに好意を寄せていた魔女カリブからの贈り物で、作者は一つ目の化け物サイクロプスです。ゲオルギウスがこの剣で竜を退治したことからドラゴンスレイヤーという特性をもつと考えられています。
アロンダイト 〈出典〉『ハンプトンのヴィーヴィス卿』	14世紀頃にイギリスで作られたという詩に登場する剣。作中には「円卓の騎士であるランスロットが火竜退治に使用した」とありますが、これより古い伝承にランスロットがこの剣を使ったという記述は見られません。ただ、現代の創作物ではランスロットの愛剣として扱われることがほとんどです。
エクスカリバー 〈出典〉アーサー王伝説	『アーサー王物語』の主人公であるアーサー王の剣ですが、彼が剣を入手した経緯については諸説あります。エクスカリバーには妖精の加護が備わっており、どんなものでも一振りで切り裂くことができたそうです。また、この剣の鞘には持ち主が傷を負わなくなる魔法の力が秘められています。
カラドボルグ 〈出典〉ケルト神話	ケルト神話に登場する英雄クー・フーリン、その養父である偉大な戦士フェルグス・マク・ロイヒが所有していた剣で、エクスカリバーの原型ともいわれています。刀身を自由自在に伸び縮みさせることができ、フェルグスはこれを使って3つの丘を一撃で切り飛ばしました。
草薙剣 〈出典〉日本神話	スサノオがヤマタノオロチを退治した際、その尻尾から現れた剣。のちにアマテラスに献上され、その孫であるニニギを経て天皇家に渡りました。もとは天叢雲剣という名でしたが、ヤマトタケルが東征で火攻めにあった際、それを打ち破るために草を薙ぎ払ったことから草薙剣と呼ばれるようになります。
クラウ・ソラス 〈出典〉ケルト神話	ケルト神話に登場するダーナ神族の王ヌァザが所有していた剣。その名前には「光の剣」や「輝ける剣」という意味があり、敵の目を眩ませるほどの光を放っていたそうです。狙った獲物を必ず仕留めるという特性から、創作物においては敵を自動で追尾する投擲武器として描かれることもあります。
グラム 〈出典〉北欧神話	北欧神話の英雄シグルズの愛剣。もとの持ち主はシグルズの父シグムンドで、彼が亡くなった際に一度折れました。それをシグルズの養父である鍛冶屋が鍛え直し、そのときグラムと名付けられます。シグルズはこの剣で財宝を守っていたファフニールというドラゴンを退治しました。
ダインスレイフ 〈出典〉北欧神話	鞘から抜くと、人間の血を吸うまで鞘に収まらない魔性の剣。製作者はドヴェルグ族（ドワーフの一種）のダーインで、その名前には「ダーインの遺産」という意味があります。持ち主のデンマーク王ヘグニは、他国との和平交渉の折にこの剣を抜いてしまい、それが原因で戦争が起きました。
ティルフィング 〈出典〉北欧神話	最高神オーディンの末裔であるスヴェフルラーメという王が、ドヴェルグ族を脅して作らせた剣。ドヴェルグ族によって「鞘から抜くたびに必ずひとりの命を奪い、三度願いを叶えると持ち主が必ず滅びる」という呪いをかけられており、最終的にスヴェフルラーメは剣を奪われて殺されてしまいました。
デュランダル 〈出典〉シャルルマーニュ伝説	フランス王シャルルマーニュの甥にして、シャルル十二臣将のひとりである勇将ローランの愛剣ですが、もとはギリシャ神話の英雄ヘクトールがもっていたそうです。何を斬っても折れず、曲がらず、刃こぼれもしません。その柄のなかには4つの聖遺物が入っていたといいます。
布都御魂 〈出典〉日本神話	タケミカヅチが葦原中国を平定したとき使った霊剣。荒ぶる神を退ける力をもつとされています。また、神武東征の説話では、敵が放った毒気で神武天皇の軍勢が危機に陥った際、その霊力で毒に蝕まれたものたちを癒し、敵を退けたといいます。
フラガラッハ 〈出典〉ケルト神話	ケルト神話に登場する、どんな鎧でも貫くという魔法の剣で、海の神マナナンから光の神ルーに与えられたものです。ルーは圧政をしいていた先住民族のフォモールとの戦いにおいて、この剣を振るい、自らのトゥアハー・デ・ダナーン族に勝利をもたらしました。
フルンティング 〈出典〉『ベーオウルフ』	イングランドのフンフェルト家に伝わる名剣で、刃に毒と血を塗って鍛えられています。この剣の所有者は、戦場であらゆる災難から逃れられるといいます。ただ、英雄ベオウルフが怪物グレンデルを退治するためにこの剣を使ったのですが、その際はまったく役に立ちませんでした。
レーヴァテイン 〈出典〉北欧神話	世界樹にいる雄鶏ヴィゾーヴニルを殺せる唯一の武器であり、豊穣の神フレイや巨人スルトがもつ剣と同一視されることもあります。トリックスターとして知られる狡猾な神ロキによって鍛えられ、女巨人シンモラが厳重な封印をかけて保管しているそうです。

先人と聖人が遺した物品

遺物（いぶつ）

関連
社寺・教会 →P.138
ロンギヌスの槍 →P.199
聖杯 →P.200

遺物と聖遺物はまったくの別物

過去の人々が遺した道具や衣類などを総じて「遺物」と呼びます。日本では人の手で作られたものは「人工遺物」、それ以外は「自然的遺物」に分類されるそうです。

先人が残したあらゆるものは遺物として扱われますが、「**聖遺物**」は、また別物になります。こちらはイエス・キリストや聖人[注1]にまつわる品物のことで、代表的なものとしてはアニメ『新世紀エヴァンゲリオン』に登場する「**ロンギヌスの槍**」[注2]などが挙げられます。

キリスト教では、古来より聖人の体には特別な力が宿ると考えられていました[注3]。ただし、その力は聖人に由来するものではなく、神から与えられたものであり、聖人が何かしらの奇跡を起こしても神の御業とされます。つまり聖人や聖遺物というものは、神が地上でその力を行使するための媒介にあたるわけです。

そういった背景から、キリスト教徒の間では、古くから「聖遺物は黄金よりも価値があるもの」と語られ、神聖視されてきたのです。

[注1] キリスト教において、生前とくに信仰に忠実であり、キリストの教えを体現していたと認定された人物のこと。「聖人」という存在自体はイスラム教やユダヤ教など他の宗教でも見られる。

[注2] 磔にされたキリストの生死を確認するために用いられた槍。詳細について199ページを参照。

[注3] 神が人間に力を与えるという、古代ギリシアの英雄崇拝にも見られる概念。聖人が起こす奇跡はすべてこの力によるものと考えられた。

聖人の肉体も聖遺物に数えられる

聖人にまつわるものは聖遺物になると話しましたが、これは物品だけでなく、その遺体や遺骨、遺灰なども含まれます。そのため、過去には世界各地で聖人の遺体が盗まれる、傷つけられるなどの事件が多発しました。

ハンガリーの元王女である**聖エリザベート**[注4]の死後、その墓の周囲で不思議議なことが起こるようになり、それをひと目見ようとたくさんの巡礼者が訪れるようになります。そこでエリザベートの遺体を公開したところ、彼女の顔に巻きつけられていた布が引き裂かれるなどして盗まれました。中には彼女の髪や爪、耳などを切り取って持ち去る者もいたというから驚きです。ただ、聖エリザベートの件は死後の話なのでまだマシだといえるでしょう。というのも聖ロムアルドゥス[注5]に至っては、聖遺物を欲する者たちに殺されかけています。

フランスの修道院にいた**ロムアルドゥス**は、あるとき故郷のイタリアに帰ろうとします。彼を聖人として扱っていた民衆は、徳のある人物がこの地を去ったら災いが降りかかるのではないかと心配になり、彼を必死で引き止めました。しかし、ロムアルドゥスの意思は固く、それを覆せないと知るや否や、民衆は聖遺物としてこの地に残ってもらおうと彼の殺害を計画したのです。幸い、ロムアルドゥスは事前にこの計画を察知し、逃げおおせることに成功しましたが、運が悪ければ殺されていたかもしれません。

ちなみに、カトリック教会では聖遺物を３つのランクにわけています。キリスト或いは聖母マリアに関わるものや聖人の遺体・遺骨・遺灰は第一級、聖人が身に着けていたものや触れたものは第二級、その他は第三級の聖遺物になるそうです。これらの聖遺物は今なお各地の教会で大切に保管されています。

[注4] ハンガリー王エンドレ2世の娘で、ハンガリーの元女王。ローマ教皇であるグレゴリウス9世により列聖され、カトリック教会や聖公会で聖人扱いされている。

[注5] イタリアのトスカーナ州とエミリア＝ロマーニャ州にまたがるアペニン山脈にカマルドリ修道院を建て、多くのひとに教えを広めた。

神霊の器たる存在

依り代（よりしろ）

関連
付喪神 →P.105
社寺・教会 →P.138

神霊が宿りうるものはすべて依り代に

依り代とは、神や精霊といった超自然的存在が宿り、人々の崇拝対象となるものを指します。その形や大きさなどにこれといった決まりはないため、神霊が依り憑くものであれば、どんなものでも依り代になり得ます。

神道[注1]をはじめとする世界各地の宗教及び民間信仰には、古来より万物に神霊が宿るという考えが存在します。とくに日本はその傾向が強く、あらゆるものに神性を見出し、そこに神が宿るとしたため、多種多様な依り代が生み出されました。身近なものでいえば、岩や木などの自然物が挙げられます。神社の境内にある**注連縄**（しめなわ）[注2]が巻かれた木は、**御神木**（**御神体**）という依り代の一種です。また、山や海などの大自然そのものを依り代とすることもあり、たとえば浅間（せんげん）神社[注3]では**富士山**を、宗像（むなかた）大社[注4]では**沖ノ島**を御神体としています。

自身に神霊を憑依させる「神降ろし」を行う巫女や祈祷（きとう）師（し）など、人間が依り代となることもあります。あまり知られてはいませんが、じつは大相撲の力士も依り代なのです。本来相撲とは神に奉納される神事であり、力士は神通力を備えた特別な存在として扱われていました。力士の「四股を踏む」という行為には、穢れや邪気を祓う効果があるといいます。そのため、力士の代表ともいえる横綱は、依り代の証として注連縄を身に着け、土俵入りするわけです。

[注1] 万物に神霊が宿るというアニミズム的思想を元にした日本由来の宗教。

[注2] 神道の神祭具で、神域と現世をわける結界的な役割をもつ。神社では本殿や拝殿などにこれを置き、そこを神域としている。また、邪気を祓ったり、御神体であることを示すためにも用いられる。

[注3] 富士山を神格化した浅間大神、或いは記紀神話に登場するコノハナサクヤヒメを祀る神社。静岡県富士宮市に総本社がある。

[注4] 福岡県宗像市にある沖津宮（沖ノ島と筑前大島）、辺津宮を合わせたもの。宗像三女神を祭神とし、神宿る島・沖ノ島を神域（御神体島）として祀っている。

■依り代となり得るもの

自然物

巨大な樹木や、夫婦岩のような特徴ある石に神秘的な力を感じる人は多く、そういった自然物は依り代として祀られることがあります。また、前述した富士山や沖ノ島のように、大規模な自然物が御神体になることも珍しくありません。たとえば奈良県・大神神社では、神社が建立された三輪山そのものを神体山としています。

人工物

一般家庭にある神棚や、祭りで見かける神輿・山車も依り代の一種です。また、皇室に伝わる三種の神器（草薙剣、八咫鏡、八尺瓊勾玉）も依り代です。日本神話の天孫降臨にて、ニニギに三種の神器を渡したアマテラスは「これを私の魂だと思って祭りなさい」と命じており、現在も熱田神宮などに御神体として祀られています。

人間

イタコをはじめとする一部の巫女や祈祷師などのシャーマンは、自身に神霊を憑依させることから依り代といえるでしょう。ちなみにイタコや祈祷師たちの術を現在では「神降ろし」や「神懸かり」と呼びますが、かつては「巫（かんなぎ）」と呼ばれてました。その術を扱う女性から巫女という宗教的職業が発生したといわれています。

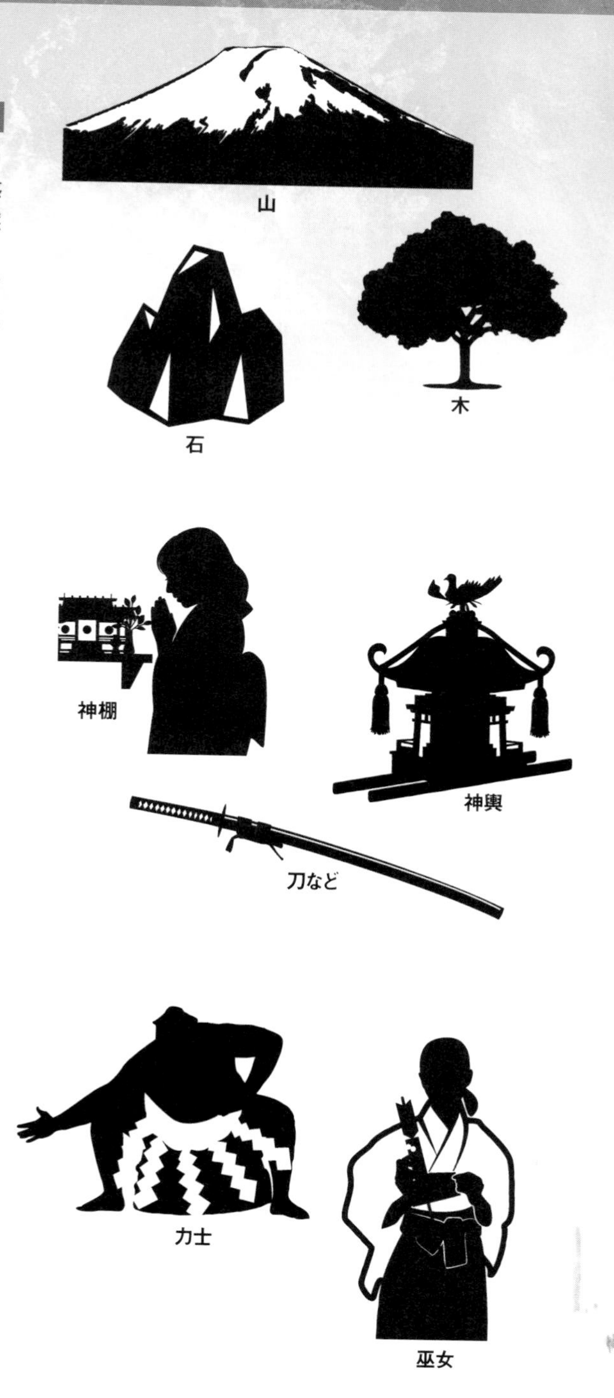

暗殺者必携のアイテム

毒物（どくぶつ）

関連
暗殺教団
→P.215

毒の種類と本来の使い方

現代では人体に悪影響を及ぼす物質、その中でもとくに急性・慢性毒性[注1]を有したものを毒物としています。

毒物は動物・植物に由来する「自然毒」と、人間が作り出した「人工毒」にわけられます。自然毒はキンポウゲ科の植物トリカブトが持つ**アコニチン**、フグが体内で生成する**テトロドトキシン**などが有名です。一方で後者は、金属メッキの製造に用いられる**青酸カリ**、化学兵器の神経ガスや**クロロアセトフェノン**（**催涙ガス**）などが挙げられます。これらは高い毒性を持ちますが、それよりかるかに危険な毒も存在します。それが**ボツリヌストキシンA**[注2]で、わずか1グラムで1000万人の命を奪うといわれています。

毒物の歴史は古く、旧石器時代にはすでに人類が毒を活用していたことがわっています。当時は武器の殺傷力を高めて狩りの成功率を上げるために毒が用いられました。これは現代の創作物でも見られる使い方で、漫画『鬼滅の刃』にも、毒を仕込んだ剣で鬼を討つ女剣士・胡蝶しのぶが登場します。

[注1] その他にも発ガン性や催奇性（奇形を生じさせる作用）などを含む物質が毒物に分類される。

[注2] 土壌や海・川などの泥砂に分布するボツリヌス菌が生み出す毒素。100度で加熱しても死なず、食中毒などを引き起こす原因となる。乳児に蜂蜜を与えることが禁止されているのも、この菌が含まれている可能性があるため。

暗殺に使われるようになった毒物

時代が下ると毒は狩猟以外でも使われるようになりました。そのひとつが要人をターゲットとした暗殺で、これは世界各地で確認されています。

毒物を利用したことで有名なのは、15～16世紀にイタリアで権力をもった**ボルジア家**でしょう。カトリックの最高位として権力を振るったアレクサンデル6世やその息子、チェーザレ・ボルジアは、「カンタレラ」[注3]という毒薬を利用して政敵を暗殺したり、脅迫して金品を巻き上げたりと悪行を重ね、巨万の富と権力をほしいままにしていました。しかし、このふたりもまた、誤ってカンタレラ入りのワイン（或いは水）を飲み、これが原因でアレクサンデル6世は亡くなり、チェーザレは生き延びましたが、その後は権力争いに敗れて戦死しました[注4]。

毒殺というと食べ物や飲み物に毒を盛るのが一般的ですが、古代インドの伝承には「**毒娘**」なる一風変わった暗殺方法が存在します。毒娘は幼少時から毒を与えられて育った女性で、その体液は猛毒と化し、毒に対しても高い耐性を備えています。この毒娘を花嫁としてターゲットに嫁がせ、交わることで毒殺を試みるというわけです。

[注3] イタリア語で「歌う」という意味。毒の成分は諸説あるが「ヒ素の一種で砂糖のように白い粉末」という説が有力。

[注4] ふたりが体調を崩したのは伝染病が原因だとする説が有力。

毒を用いた暗殺を防ぐための工夫

毒を用いた暗殺が日常的になると、当然その予防策も講じられました。中世の王族や貴族があえて金ではなく銀製の食器を使っていたのも、その予防策のひとつです。というのも銀は毒物に反応して黒く変色する他、微生物や細菌の繁殖を抑える殺菌作用もあるため、食中毒も防ぐことができたのです。また、要人に料理などを出す際は、事前に毒見役が口にして、毒が含まれていないか確認することで毒殺されるのを防いでいました。

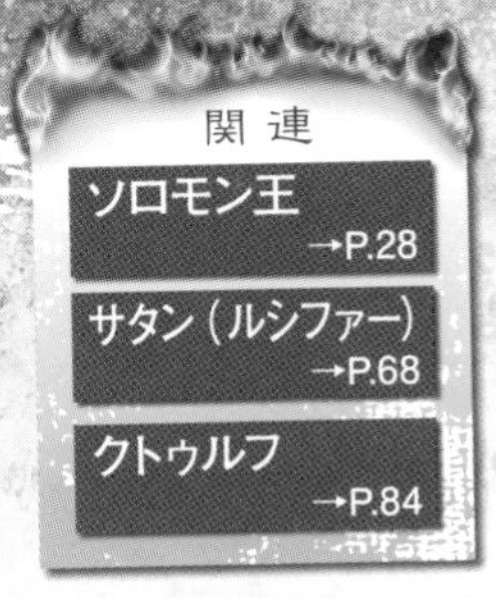

魔術師たちの著作

魔導書（まどうしょ）

魔術の奥義を記した怪しげな書物

魔導書（魔術書）は魔法の呪文や儀式の手順、魔導具の作成法などが記されたハウツー本のことで、フランスではそれに類するものを「**グリモワール**」と呼びます。

多くの魔導書は、12 ～ 15世紀頃の中世ヨーロッパ、或いはそれ以前に活躍した魔術師の著作や、権威ある魔導書として知られていた書物を、その当時の現代語に翻訳したものという体裁をとっています。これは書に権威を持たせるための嘘であり、ほとんどの魔導書は過去の魔術師とは無縁なものです。魔導書の大半は、当時出回っていたオカルト文書を参考に、17 ～ 18世紀頃のオカルト研究家が、権威ある書とそうでない書を混ぜ合わせたものになります。

一方、12 ～ 15世紀頃にヨーロッパで書かれた魔導書の大半は、中東の文献を原典とします。ヨーロッパのキリスト教社会では、イスラム世界の知識を取り入れる過程で、魔術や占星術などの文献にも目を通し、それをヨーロッパの知識階級の共通言語であるラテン語などに翻訳したそうです。

創作物でもよく見る有名な魔導書

日本における魔導書の代表格ともいえるのが、**『ネクロノミコン』**です。これはラブクラフトが創造したクトゥルフ神話[注1]に登場する架空の魔導書で、**『アル・アジフ』**とも呼ばれます。その内容はほとんど判明しておらず、神を召喚する魔術書などと考えられています。

ふたつ目はユダヤ教のラビ（宗教学者）が書いたとされる**『大奥義書』**です。そこに記された「**エロイムエッサイム、我は求めたり**」という呪文を、創作物などで目にしたひとは多いはず。本書には、地獄の宰相ルキフゲ・ロフォカレ[注2]と契約するための方法などが記されています。

そして最後に紹介するのが、複数の魔導書の内容をひとつにまとめた**『レメゲトン』**です。これは全5冊で構成されており、そのうち**『ゲーティア』**に記されたソロモン72柱の魔神[注3]を使役するための魔術が有名です。

[注1] アメリカの小説家ハワード・フィリップス・ラヴクラフトと、何人かの作家が生み出した物語群。詳細については86ページを参照。

[注2] 地獄の支配者であるルシファーから地上の富と財産の管理を任された悪魔。彼と契約することで財宝を得られるという。

[注3] 古代イスラエルの王ソロモンが従えた72柱の魔神のこと。アプリ『Fate/Grand Order』をはじめとするさまざまな創作物に用いられている。

魔導書以上に謎めいた『死海文書』

この世界には、魔導書以上に謎めいた書も多数存在します。アニメ『新世紀エヴァンゲリオン』に登場したことで一躍有名となった**『死海文書』**[注4]もそのひとつです。

これは『旧約聖書』とその関連文書、「クムラン教団」[注5]の規則や儀式書で構成されたヘブライ語の文書群です。それまで発見された最古の聖書関連文書よりもさらに古い紀元前に作られていたため、初期キリスト教との関連も予想されるなど、当時は20世紀最大の発見といわれました。また、オカルト界隈ではその中に何かしらの啓示や予言が隠されていると考える人も少なくありません。さらに『死海文書』の中には、エルサレム神殿の隠し財宝の在り処が記された銅板も含まれていたため、その内容に関してさまざまな憶測が飛び交いました。

[注4] 1947年以降に死海周辺の洞窟から発見された900点以上の写本群のこと。発見場所にちなんで『死海文書』と呼ばれている。

[注5]『死海文書』を書いたとされる者たち。古代ユダヤ教のエッセネ派と呼ばれる共同体で、ユダヤ教の中でも神秘的で禁欲的な一団とされる。文書を洞窟に隠していたことから、当時は異端視されていたと見られる。執筆者に関しては、クムランの教団の別のグループ、或いは初期キリスト教徒が書いたという説もある。

時を超える禁断の秘法

即身仏（そくしんぶつ）

関連

なし

衆生救済のため、生きたまま仏に

即身仏とは、日本で独自に発展した仏教及び民間信仰の修行法のひとつで、徳を積んだ高僧を生きたまま土中の石室に埋め、衆生救済[注1]のため永遠の瞑想に入る（入定）というもの。現世での肉体を保ったまま、仏となる（＝ミイラ化）ことから「**即身仏**」と呼ばれます。

海外で見つかるミイラの多くは死後に遺体を整えてミイラ化させたもので、その主たる目的は遺体の保存にあります。対して日本の即身仏は、過酷な修行の末の自死であるという点で、同じくミイラ化こそしていますがその本質はまったく別のものだといえるでしょう。

即身仏になるためには、まず長期の**木食修行**（もくじき）[注2]を行います。これは俗世の穢れにまみれた穀物などを断って体を清廉にすると同時に、体脂肪を極限まで減らして死後の腐敗を抑えるためです。肉体を整えたらいよいよ土中へと埋められ、以降は命が尽きるまで瞑想、読経を続けます。中には刻々と迫りくる死の恐怖に耐えかね、途中で修行を断念するケースも少なくなかったそうです。

現在、国内では18体[注3]の即身仏が現存、保管されていますが、1877年に即身仏になるための一連の修行は自殺幇助罪に、修行者の石室を開封することも死体損壊罪、死体遺棄罪に当たるとして禁止されたため、以降新たな即身仏は発見されていません。

[注1] 現世で悩み、苦しんでいるすべての生き物たちを仏や菩薩が救済し、悟りへと導くこと。

[注2] 肉食はもちろん、煮炊きする火食、さらには米や麦などの穀物も一切断ち、木の実や草花だけを食べて、生きているうちから即身仏に近い肉体を作り上げる修行。修行期間は1000～5000日といわれる。

[注3] 現存する18体のうち、もっとも古い石頭希遷は中国から渡来したものとされ、日本の即身仏には数えられないこともある。また、もっとも新しい仏海上人は、存命時すでに即身仏が法律で禁止されていたため、死後に土中入定が行われたものである。

念や業を宿す「ひとがた」

藁人形(わらにんぎょう)・人形(にんぎょう)

関連
呪詛 →P.160
依り代 →P.190
丑三つ時 →P.211

江戸時代より続く呪いのアイテム

日本で藁人形といえば、多くの人が丑(うし)の刻参り(こくまい)[注1]に用いられる「**呪いの藁人形**」をイメージすることでしょう。丑の刻参りとは、呪い殺したい相手を藁人形に見立て、神社の御神木に五寸釘で打ち付けるという呪いの儀式で、鎌倉時代の頃にはその原型となる参詣が行われており、江戸時代には現代に伝わるものとほぼ同じ内容で呪いの作法が確立していたといわれています。

今でこそ「**藁人形＝呪いのアイテム**」という見方が定着していますが、元々の藁人形は死者を慰める副葬品であり、子供向けの郷土玩具として身近な存在でもありました。また、地方によっては災厄を退け、無病息災を祈願する厄除けアイテムとしての役割や、病や穢れを人形に移して川へと流す「**流し雛**」の代わりに藁人形が用いられたという記録も残っています。

一方で、子供向けの玩具や土産物などの愛らしい「人形」が何者かの思念や魂を宿してしまう、という都市伝説も少なくありません。髪の毛が伸びる日本人形として度々メディアでも紹介されている「お菊人形」[注2]や、映画『死霊館』シリーズの「アナベル」のモデルとなった「アナベル人形」などご存じの方も多いと思います。人間と瓜二つの姿に作られながら「魂」を持たない人形。だからこそ霊や魂の依り代になりやすいのかもしれません。

[注1] 日本古来の呪いの儀式。呪う相手の爪や髪の毛、持ち物の一部などを藁人形に埋め込み、神社の御神木に五寸釘で打ち付ける。これを丑の刻（午前1～3時頃）に毎夜行い、7日続けると呪いが成就する。途中で行為を誰かに目撃されると呪いは失敗となる。

[注2] 髪の毛が伸びる人形としてオカルト番組や週刊誌などで紹介され、一躍有名になった日本人形。所有者だった少女・菊子の死後、徐々に髪が伸び始め、元はおかっぱだった髪型は気づけば腰に届くほどのロングヘアに。現在は北海道岩見沢市の萬念寺に納められ、永代供養されている。

神々の知識が詰まった神秘の果実

知恵(ちえ)の実(み)

関連
リリス →P.75

人間に知恵と死をもたらした「禁断の果実」

ユダヤ、キリスト教の聖典『聖書』を構成する書物のひとつ「**創世記**」の中で、エデンの園[注1]に住むアダムとイヴが食べたとされるのが「**禁断の果実**」です。日本語訳された聖書の多くでは「知恵の樹の実」、または「善悪の知識の樹の実」と記されています。

エデンの園の中心部に「**生命の樹**」[注2]と対になって生えていたのが「**知恵の樹**」です。その実を人間が食べると神と等しい善悪の知識を得られますが、同時に死ももたらすため、人間（アダムとイヴ）は食べることを禁じられていました。しかし、神への不従順を企む蛇にそそのかされた二人は「知恵の樹の実」を食べてしまい、それに気づいた神にエデンの園を追放[注3]されます。また、不服従の罰として男性には労働、女性には出産の苦しみも課せられました。この一連の出来事に対する暗喩としてできた言葉が「禁断の果実」で、不法、不道徳な行い、欲望や快楽に溺れることを指すときに用いられます。

「知恵の樹の実」を食べたことで恥じらいを知ったアダムとイブは、陰部をイチジクの葉で隠すようになります。このイチジクの葉のモチーフは、人気アニメ『新世紀エヴァンゲリオン』に登場する特務機関NERVのシンボルマークとしても使われており、禁忌に触れた人類の原罪を表すものといわれています。

[注1] 神が作り出した最初の人間、アダムとイヴが住まわされた楽園のこと。

[注2] エデンの園の中心に植えられた木のひとつ。その実を食べると神に等しい永遠の命が得られる。ユダヤ教のカバラでは「セフィロトの樹」と呼ばれ、宇宙を含めた万物を表わす究極の真理とされている。

[注3]「知恵の木の実」を食べ、恥じらいを知ったアダムとイヴは陰部をイチジクの葉で隠す。神はその姿を見て二人が禁を破ったことを知り、楽園からの追放を命じた。この出来事は「失楽園」「楽園喪失」として『聖書』の「創世記」第3章に記されている。

磔刑のキリストを突いた聖槍

ロンギヌスの槍（やり）

関連
イスカリオテのユダ →P.36
遺物 →P.188
聖杯 →P.200

多くの創作に登場する世界でもっとも有名な槍

「ロンギヌスの槍」という名を聞くと、『新世紀エヴァンゲリオン』や『ファイナルファンタジー』シリーズなどに登場した武器を思い浮かべる人も多いことでしょう。そのネタ元になっているのは、キリスト教の聖典のひとつ『ヨハネによる福音書』の中に出てくる一本の槍です。

アダムとイヴの子孫で鍛冶師のトバルカインが、天から降ってきた金属で作ったとされ、イエス・キリストが磔刑（たっけい）[注1]に処せられたとき、死を確認するため脇腹を刺し、その血を帯びたことで聖遺物となりました。「**ロンギヌス**」とはキリストを槍で突いた兵士の名前[注2]です。当時、彼は目の病を患っていましたが、キリストの体から滴った血が目に入り、視力を取り戻したと伝えられています。

「ロンギヌスの槍」は、その所有者に世界を制する力を与えるという伝説がある一方、手放すと破滅をもたらすともいわれています。かつて無敵を誇った神聖ローマ帝国の初代皇帝カール大帝や、ローマ再統一を果たしたコンスタンティヌス1世も所有者のひとりで、その伝承に魅せられたヒトラーは槍の捜索に心血を注いだといいます。

人類史に幾度か現れ、栄光と破滅をもたらしてきたロンギヌスの槍。現在はカトリック教会の総本山、サン・ピエトロ大聖堂で保管されていますが、他にも同名の槍が数本存在しており、それらの真贋は明らかにされていません。

[注1] 十字架に手足を釘で打ち付けられ、死ぬまで磔にされる処刑方法。絶命まで長い時間がかかり、激しい苦痛を伴うことから、当時はもっとも重い刑罰とされた。キリストはユダヤ教のあり方を批判し、神の教えを説いたことで反逆者として磔刑に処された。

[注2] ロンギヌスの名や関連するエピソードについては諸説あり、今も多様な解釈が存在する。なお、日本ではアニメやゲームの影響もあり「ロンギヌスの槍」の名称が一般的だが、英語圏では「Spear of Destiny（運命の槍）」と呼ばれることも多い。

キリストの聖遺物のひとつ

聖杯(せいはい)

関連

イスカリオテのユダ →P.36
遺物 →P.188
ロンギヌスの槍 →P.199

さまざまな奇跡とともに語られる聖杯伝説

ローマ教皇を中心とするローマ・カトリック教会において「**聖杯**」といえば、**聖餐**(せいさん)[注1]に用いられる儀式用の杯を指します。一方で、イエス・キリストが弟子たちとの最後の晩餐で使用し、処刑されたのちにその血の一滴を受けた器を指して「聖杯」と呼ぶこともあります。後者の「聖杯」はその謂れの特殊性や神秘性も手伝って、手にした者に不老不死や復活、奇跡をもたらす万能器として、のちに数々の逸話や伝説を生み出しました。

中でも有名なのが、12 ～ 13世紀のイギリスやフランスで大いに流行した騎士道文学[注2]の最高傑作「アーサー王物語」のエピソードのひとつである「**聖杯伝説**」です。失われた伝説の聖杯を求め、探索の旅に出た円卓の騎士[注3]たちが数々の苦難を乗り越え、ついに聖杯を手にするストーリーは古典ファンタジーの偉大な傑作として今なお多くのファンに愛されています。

現代においても「聖杯」とそれを取り巻く伝承は創作における重要なエッセンスとされ、さまざまな作品に影響を与え続けています。記憶に新しいところでは、映画『インディ・ジョーンズ／最後の聖戦』に永遠の命を与える奇跡の杯として登場している他、アニメ・ゲームで人気の『Fate』シリーズでは、手にした者の望みを叶える願望機として「聖杯」の名が使われています。

[注1] イエス・キリストの最後の晩餐に由来する典礼的会食。ローマ・カトリック教会の「聖餐」に対し、ギリシア正教会では「聖体礼儀」という。

[注2] 中世ヨーロッパで成立した騎士階級の行動・道徳規範である「騎士道」がテーマの文学。騎士の誉れや武勲、ロマンスなどが描かれ、主に西ヨーロッパで人気の文学カテゴリーとして発展を遂げた。

[注3]「アーサー王物語」において、アーサー王に仕えたとされる12人の騎士の総称。「円卓」の呼称は上座、下座の区別がない円卓を囲んだことに由来する。この円卓には魔術師マーリンの魔法がかけられ、優れた勇気と武勲を示した者だけが席につくことを許されたという。

超古代文明の遺産？

オーパーツ

関連
遺物 →P.188
都市伝説 →P.206

世界中で発見される謎と神秘に満ちた工芸品たち

「オーパーツ」とは、遺跡探索や発掘などで発見された人工遺物のうち、その成り立ちや製造方法がわからないもの、またそれが作られたとされる時代の文明、加工技術では製造が困難であるもの、常識的に説明がつかないものなどを指して使われる造語です。英語の「**out of place artifacts**（**場違いな工芸品**）」の略語として「**OOPARTS**」[注1]と呼ばれるようになりました。

「オーパーツ」に分類される謎めいた出土品や工芸品は世界中で数多く見つかっていますが、中でもとくに有名なものとして、映画『インディ・ジョーンズ／クリスタル・スカルの王国』のキーアイテムにもなった「水晶髑髏（どくろ）」や、ギリシア・アンティキティラ島近海の沈没船から引き上げられた「歯車式の機械」、コロンビアの古代遺跡から出土した「黄金スペースシャトル」などがあります。ペルーの世界遺産に認定されたミステリアスな「ナスカの地上絵」も、その制作方法や目的が判然としないことからオーパーツの一種だと考えられています。

一方、近年では科学の進歩により、その正体が暴かれるオーパーツも少なくありません。上記の「水晶髑髏」もそのひとつで、表面についた微細な加工痕や研磨に使われた残留物、含有物の分析[注2]などから、19世紀以降に作られた偽物であると結論付けられています。

[注1] アメリカの超常現象研究家アイヴァン・サンダーソンによる造語。同じくアメリカの作家レニ・ノーバーゲンの著書で用いられ、広く知られるようになった。最近では出土品だけでなく、遺跡群や特定の地形などに対しても使われる。

[注2] アステカの水晶髑髏をはじめ、世界各地で人の頭蓋骨を模した同様の水晶が10数個見つかっているが、そのほとんどが近代に作られた加工品であることが判明している。

苦痛を伴わない人道的な処刑法

ギロチン

関連
呪物
→P.184

平民から王族まで平等に処刑した「正義の柱」

ギロチンは、18世紀末にフランスで開発された斬首刑のための執行装置。その恐ろしい見た目から残酷な処刑方法と思われがちですが、じつはその正反対の考えから誕生したものです。当時のフランスでは、死刑の執行方法として絞首刑、車裂きの刑が一般的であり、長い苦痛を伴わず、一瞬で命を断つことのできる斬首刑は、熟練した死刑執行人を雇うことができる裕福な囚人に限られていました。

そんな中、残酷で多大な苦痛を伴う車裂きの刑に代わり、斬首刑と同様、誰もが苦痛なく刑を執行してもらえる有情の装置として提案されたのが「**正義の柱（＝ギロチン）**」[注1]です。1792年、フランス国民議会で処刑装置として認められて以降、死刑制度が廃止される1981年まで処刑方法のひとつとして実際に用いられていました。

ギロチンによって首を刎ねられた囚人の中には、時の国王ルイ16世とその王妃、フランス革命を主導したジョルジュ・ダントンらも含まれており、まさにその理念どおり平民から王族まで身分の差なく平等に処刑しています。

日本でギロチンが使われた記録はありませんが、戦前〜戦中には同盟国ドイツの影響を受け、斬首刑の導入が検討されたこともあるそうです。なお、東京の明治大学博物館では、人類史に残る拷問器具の一種として、実物のギロチンを忠実に再現したレプリカを見ることができます。

[注1] 装置の正式名称は「Bois de Justice（正義の柱）」。設計者であるアントワーヌ・ルイの名前から「ルイゾン」の愛称でも呼ばれたが、議会への提案者であるジョゼフ・ギヨタンの姓からその子供を意味する「ギヨティーヌ」「ギヨティーン」の呼び名が徐々に定着。それが訛って「ギロチン」となった。

chapter 7

その他・用語

関連
源頼光 →P.13
鬼 →P.90
両面宿儺 →P.94

異形とされた抵抗勢力

まつろわぬ民（たみ）

誕生した中央政権に従わぬ人々

「まつろわぬ」とは、「まつろう」「まつらう」という古い言葉の否定形です。漢字では「服ふ」や「順ふ」と書き、「従う、服従する」という意味なので、「まつろわぬ民」は「従わない民」ということです。

古代の日本では、豪族と呼ばれる有力者たちが割拠していました。4世紀頃、大王を首長とした**ヤマト王権**が西日本で支配力を強め、7世紀頃に天皇を頂点とする**大和朝廷**へ発展。さらに勢力を拡大していきます。この過程で大人しく従った人々がいる一方、王権や朝廷の支配に抵抗した人々がおり、これらが「まつろわぬ民」と呼ばれました。彼らについては奈良時代に記された『古事記』や『日本書紀』『風土記』[注1]に記述があり、「国栖」[注2]や「土蜘蛛（つちぐも）」[注3]など、さまざまな名で呼ばれています。朝廷を正当とする立場からなのか、その姿は「手足が長い」「尾がある」といった異形の人々として伝えられるケースも多く、朝廷側からはかなり差別的に見られていた様子も伺えます。

[注1] 朝廷の指示で作成された報告書。『常陸国風土記』のように国の名を冠し、地形、産物、地名の由来、土地が肥えているかどうか、古くからの伝承などが記されている。

[注2] 奈良県吉野地方や茨城県に住んでいた人々の呼び名。「国巣」や「国樔」とも書く。「クズ」と読むが、元々は「クニス」だったと考えられている。

[注3]「土にこもる」が語源と考えられ、「都知久母」や「土雲」とも書かれる。「国栖」と同じく土着の人々を指す言葉だが、こちらはより広い地域で使われ、また服従しない人々を指して用いられることが多いようだ。

まつろわぬ民の実態は？

『古事記』や『日本書紀』にある「神武東征（じんむとうせい）」[注4]の物語では、「ナガスネヒコ」をはじめとする畿内の土着集団が神武天皇の一行を苦しめましたが、最終的には倒されました。ヤマトタケルの物語でも、南九州でたびたび反抗した「熊襲（クマソ）」[注5]が討たれており、まつろわぬ民は日本に国家が成立する過程での討伐対象でした。

彼らがどのような人々だったのかは不明な点が多いのですが、『常陸国風土記（ひたちのくにふどき）』の茨城郡の項には次のように記されています。「昔、山の佐伯[注6]、野の佐伯とも呼ばれた国巣がいた。俗に**ツチグモ**や**ヤツカハギ**[注7]とも呼ばれ、普段は掘った穴に住んでいて、人が来ると隠れるが、人が去るとまた外に出てくる。狼の性に梟の情を持ち、鼠のように窺い盗みを働く」。彼らは「慰撫（いぶ）されることもなく、風習に隔たりがあった」ため討伐され、住んでいた穴に茨棘を仕掛けて倒したことから「茨城」の地名が誕生したとも記されています。『豊後国風土記（ぶんごのくにふどき）』にも、石窟に住んでいた**土蜘蛛**が景行（けいこう）天皇の一行に倒された記述があり、当時の日本には同様の生活をしていた人々が各地にいたようです。まつろわぬ民が異形として描かれる背景には、こうした彼らの風習に対する中央の人々の蔑視が感じられます。そして、のちにまつろわぬ民はその呼び名や風習から蜘蛛の妖怪としての**土蜘蛛**へと変化し、源頼光の土蜘蛛退治のような物語が誕生しました。

頼光の物語といえば、彼と頼光四天王による**酒呑童子（しゅてんどうじ）退治**が有名で、都周辺の盗賊団を討伐した話が元だと考えられています。文明の中心である都も疫病などで荒れることがあり、周辺地域にはしばしば山賊が跋扈（ばっこ）しました。異形の鬼として描かれた彼らもまた、社会の掟に従わず悪事を働くという点で、一種のまつろわぬ民と見なされたのです。

[注4] 初代天皇の神武天皇が、九州の日向から畿内へ遠征して都を造る物語。さまざまな抵抗勢力が登場するなか、ナガスネヒコの集団がもっとも一行を苦戦させた。

[注5] ヤマト王権に反抗した南九州の勢力。第12代景行天皇や第14代大仲哀天皇のときなどに、たびたび討伐されている。勢力範囲については、現在の熊本県南部から鹿児島県とする説、宮崎県南部から鹿児島県にかけてとする説などがある。

[注6] 佐伯は「さえぎる」が語源で、天皇や政権に従わないという意味。山に住む者と平地に住む者を区別している。

[注7]『常陸国風土記』では「夜都賀波岐」だが、一般的には「八束脛」とされる。握り拳八つ分の脛という意味で、異形であるという表現のひとつ。

さまざまな経路で広がる現代の民話

都市伝説(としでんせつ)

関連
秘密結社 →P.230

若干の信憑性をともなって拡散

都市伝説とは、出所が不確かで根拠も不明だが、多くの人々に広まっている噂話のことです。都市伝説の概念は、アメリカの民俗学者ジャン・ハロルド・ブルンヴァンの著作で広まったといわれています。日本には「幽霊を乗せたタクシー」[注1]の怪談がありますが、ブルンヴァンはこれとよく似た「乗せたヒッチハイカーがいつの間にか消える」という話の研究者でした。そして著作『消えるヒッチハイカー』が日本で出版された際、「**urban legend**」の訳語として「**都市伝説**」という言葉が誕生したようです。

都市伝説は、特定できない誰かが実際に体験した、もしくは聞いた話として伝えられます。内容の真偽は確認し難く疑わしいものの、実在する場所や出来事が絡められていると、「もしかしたら……」とさも事実のように受け止める人もおり、そこから話が広まっていくというわけです。都市伝説には怪談的な話が多いですが、これはそもそも真偽を確認する方法がないからでしょう。また、実在する企業や商品についてのあらぬ噂や、フリーメイソンやイルミナティなど実在組織を元にした陰謀論[注2]も、都市伝説では定番です。この場合、聞き手は組織の存在を知っていても、大抵その実態までは知りませんし、内容が内容だけに「確認しても否定される」という前提があるので、都市伝説として成立しやすいといえます。

[注1] テレビ番組や週刊誌などの怪談では古くから定番。「夜更けに乗せた客が、目的地の墓地へ向かう途中で消えた」「雨の夜に乗せた客がいつの間にか消えていたが、シートだけは濡れていた」など、いくつかパターンがある。

[注2] 怪しげな組織が「世界を裏から支配している」「人々が気づかないうちに彼らに操られている」といった陰謀論はかねてからある。

日本中が騒然となった口裂け女

日本の都市伝説といえば、1979年頃に流行した「**口裂け女**」の噂が有名です。大きなマスクをした女性に「私、綺麗？」と声をかけられ、「綺麗」と答えるとマスクを外して大きく裂けた口を見せられ、否定すると殺されてしまうというもので、服装や使用する凶器、苦手なもの[注3]などは、地域によって多少の違いがありました。話の起源は不明ですが岐阜県付近とする説が多いようで、インターネットがない時代にも関わらず、わずか数カ月で全国へと広まりました[注4]。一時は通報が相次いで警察が出動したり、集団下校を行う小学校が出てきたり、ときには口裂け女に扮した愉快犯が逮捕されたりと社会に大きな影響を与えましたが、騒動自体は半年程度で鎮静化しました。

[注3] 赤い服にハイヒール、白いコートとブーツといった服装の他、帽子を被っている、サングラスをかけている、傘をさしているなど、地域によって服装はさまざま。凶器についてもハサミ、鎌、メスなどの他、一部地方では手斧などの場合もある。苦手なものも地域差があるが、ポマードとべっ甲飴はとくに有名だった。

[注4] 塾通いの子どもが増えつつあった時代で、塾での交流を通じて、他地域の子どもたちに話が伝わり、その周囲の大人たちにも広まって、最終的に全国規模になったと考えられている。

Web時代の伝承“ネットロア”

インターネットが一般化した現代は、掲示板やSNSなどを起源として、ネット上で広まる噂や伝承が増えています。それがインターネットの通称「ネット」と、民話や伝承を意味する「フォークロア」をかけた言葉「**ネットロア**」です。中でもとくに有名なものとして、目にするだけなら問題ないが、正体がわかると精神異常をきたす「くねくね」や、目標の一族を根絶やしにする「コトリバコ」、“はすみさん”なる人物が行方不明になったとされる遠州鉄道の「きさらぎ駅」などがあり、今でもネット検索すると多くの情報を閲覧できます。これらは創作作品にも大きな影響を与え、『裏世界ピクニック』のようなネットロアを題材としたアニメや小説、「コトリバコ」を扱った映画『樹海村』なども制作されました。YouTubeなどの動画サイトで都市伝説が取り上げられるケースも増えており、ネット発祥の都市伝説が今後も増えていくのかもしれません。

世界や日本に伝わる七項目

七不思議（ななふしぎ）

関連
都市伝説
→P.206

現代でも生まれている七不思議

七不思議とは、ある場所にまつわる不思議な7つの物体や現象を列挙したものです。とくに「**世界の七不思議**」は世界的に有名で、ビザンチウムのフィロン［注1］が「見るべきもの」として記した下表にある7つの建造物が最初に定着しました。ただ、ギザの大ピラミッド以外は失われており、2007年に世界七不思議財団が一般投票で決定した「新・世界七不思議」が選出されています。

日本にも七不思議［注2］は存在し、静岡県に伝わる不思議な物語を集めた「遠州七不思議」や、長野県の諏訪（すわ）大社などにまつわる「**諏訪の七不思議**」、新潟県に伝わっている「**越後七不思議**」［注3］などがあり、江戸時代には怪談を集めた「**本所七不思議**」が落語の題材にされていました。現代では学校にまつわる「学校の七不思議」が登場しており、有名な「トイレの花子さん」もこのうちのひとつに数えられていました。

［注1］紀元前３世紀半ばから２世紀頃の人物で、古代ギリシアの数学者だったとされている。

［注2］どの七不思議も項目については諸説あり、数える項目の候補が7つ以上ある場合がほとんど。

［注3］表中の自然現象を集めた七不思議は江戸時代末期の『北越奇談』に由来。浄土真宗を開いた親鸞にまつわるもの（下向きに枝が生える逆さ竹、一方にのみ葉が出る片葉の葦、ひとつの花に8つ実がつく八房の梅、年に3回実をつける三度栗、焼き目にような模様がある焼鮒、数珠のように連なって咲く数珠掛け桜、糸で繋ぐ穴が空いている繋ぎ榧など）も越後七不思議とされる。

■世界や日本にある七不思議の例

世界の七不思議（古典）	世界の七不思議（現代）	越後七不思議	諏訪七不思議	本所七不思議
ギザの大ピラミッド	万里の長城	燃える土（石炭）	湖水神幸	馬鹿囃子
バビロンのセミラミスの庭園	ヨルダンのペトラ	燃える水（石油）	元旦蛙猟	深夜の送り提灯
オリンピアのゼウス像	ローマのコロッセオ	白兎	五穀筒粥	松浦家の椎の木
エフェソスのアルテミス神殿	チチェン・イッツァのピラミッド	海鳴り	高野鹿の耳割	火の見櫓の太鼓
ハリカルナッソスのマウソロス陵墓	ペルーのマチュ・ピチュ	胴鳴り	御作田	両国付近の片葉の葦
ロードスの大巨像	インドのタージ・マハル	火井（天然ガス）	葛井清池	二八のそば屋の行灯
アレクサンドリアの大灯台	コルコバードのキリスト像	無縫塔（奇岩）	宝殿点滴	おいてけ堀

「弊害がある」とされる風習

因習（いんしゅう）

関連
穢れ →P.216

消えた因習、残っている因習

人間が暮らす地域や共同体には、昔からさまざまな風習があります。現代風にいうとローカルルールのようなもので、守らなくても法的には問題ありませんが、場合によっては所謂「村八分」状態にされることもあったようです。こうした風習の中でも時代にそぐわず、弊害があるものは次第に消えていきますが、一方で根強く残り続けるものがあり、これらが「**陋習**」[注1]や「**因習**」と呼ばれます。

現在は残っていない風習としては、農村や漁村に存在した「夜這い」[注2]が比較的有名です。村落によって規定は違いますが、若い男女への性教育、恋愛の場の提供、結婚相手の斡旋などを村の組織が統括するシステムという点は共通しています。是非はともかく村落の維持という点で機能を果たしていましたが、西洋を手本とする近代化が進む中で陋習とされ、次第に消えていきました。

近年取り上げられる因習としては、特定の場所に女性が入ることを禁じる「**女人禁制**」があります。大相撲の土俵や大峯山（おおみねさん）[注3]などはよく議論の対象にされ、2016年には高校野球選手権大会の公式練習でグラウンドに入った女子マネージャーが制止されて話題となりました。

「女神に障る」という理由で女性が入れなかった海や山でも、現在は女性の船乗りや猟師が増えていますし、これらについてもいずれは変わるのかもしれません。

[注1] 読み方は「ろうしゅう」。悪い習慣という意味で、「因習」に比べてより否定的なニュアンスが強い。

[注2] 男性が夜間に女性のもとへ通う、もしくは女性の寝所に忍び込んで通じる風習。男性が、一方的に意中の相手を訪ねる印象があるが、実際は相手と恋仲だったり事前に了承を得ている場合が多かった。

[注3] 奈良県南部の山。古くから修験者の修行の場として知られ、現在も女人禁制を貫いている。

深夜に出会う化け物たちの行進

百鬼夜行（ひゃっきやぎょう）

関連

安倍晴明 →P.10

付喪神 →P.105

仏の功徳で撃退できる

百鬼夜行とは、深夜に妖怪などの化け物が群れて現れることです。日本の暦では十二支が日替わりで割り当てられており、1、2月は子の日、3、4月は午の日、5、6月は巳の日、7、8月は戌の日、9，10月は未の日、11、12月は辰の日に百鬼夜行が現れ、出会えば死ぬと信じられていました。平安時代から室町時代にかけて物語や絵巻物を通じて語られ、たとえば『大鏡（おおかがみ）』[注1]には、時の右大臣である藤原師輔（ふじわらのもろすけ）が百鬼夜行に遭遇した話が記されています。ある晩、師輔が帰宅途中で牛車を止めさせ、周囲に集めた従者たちに大声で先払い[注2]をするよう指示。自身は一時間ほど**尊勝陀羅尼（そんしょうだらに）**[注3]を唱え続けました。このとき師輔には百鬼夜行が見えていたのですが、従者たちは何が起きているのかわからなかったとあります。

『今昔物語集（こんじゃくものがたりしゅう）』[注4]や『江談抄（ごうだんしょう）』[注5]でも、登場人物が尊勝陀羅尼を縫い込んだ服の力で百鬼夜行を退けており、これらは仏の功徳を説く仏教説話でもあったようです。ただ、現存する絵巻物には**付喪神（つくもがみ）**[注6]が多く描かれていて、コミカルで可愛らしくすら感じます。

近年で百鬼夜行といえば、漫画『呪術廻戦』で多数の呪霊を放つ行為を百鬼夜行と称していました。こちらはひたすらおどろおどろしいものですが、「人に仇なす異形＝鬼」という意味では、その名にふさわしいのかもしれません。

[注1] 平安時代後期に作られたと考えられている歴史物語。

[注2] 貴人が通行する際に、前方の通行人を追い払って道を開けさせること。この場合は百鬼夜行に人々を近づけさせないための処置と思われる。

[注3] 「尊勝」とは釈迦如来の頭頂から出現した仏の最高の功徳を象徴する存在のこと。「陀羅尼」は梵文を訳さず原音のまま唱えたものである。密教では声に出して読むと修行者を守り、罪障消滅や延命の力があるとされる。

[注4] 平安時代末期に作られた説話集。右の話はその14巻にあり、24巻にも百鬼夜行と安倍晴明にまつわる話が掲載されている。

[注5] 12世紀初頭に作られたと見られる説話集。大江匡房という学者の談話を記録したもので、公事や雑事、神仏、漢詩文に関する故事などが分類されて掲載されている。

[注6] 古くなった道具などに精霊や神が宿った存在で、人々を惑わすと考えられた。

深夜の不吉な時間帯

丑三つ時（うしみどき）

方位の鬼門と結びつけられる

丑三つ時とは午前2時から2時30分までの時間帯で、これは1日を12の時辰にわけた「**十二時辰**（じゅうにじしん）」という時法と、各時辰が「一つ時」から「四つ時」まで4等分される延喜式（えんぎしき）[注1]に基づいています。

「**草木も眠る丑三つ時**」というように、丑三つ時は人間はもちろん動植物たちも寝静まる[注2]時間帯でした。陰陽道では十二支が方位に用いられ、丑と寅の間[注3]は北東の方角で鬼門に当たります。時刻を下図のように考えると鬼門が丑の刻と重なることから、丑三つ時は鬼や幽霊に遭遇しやすい時間帯だと考えられたのです。

また、丑三つ時は「**丑の刻参り**（うしのこくまいり）」[注4]を行う時間としても知られています。由来のひとつとされる「宇治の橋姫」[注5]での儀式は自身を鬼に変えるもので、この儀式を行った時間が「丑の刻」なのも、鬼が出入りする鬼門と結びついた時刻だからでしょう。

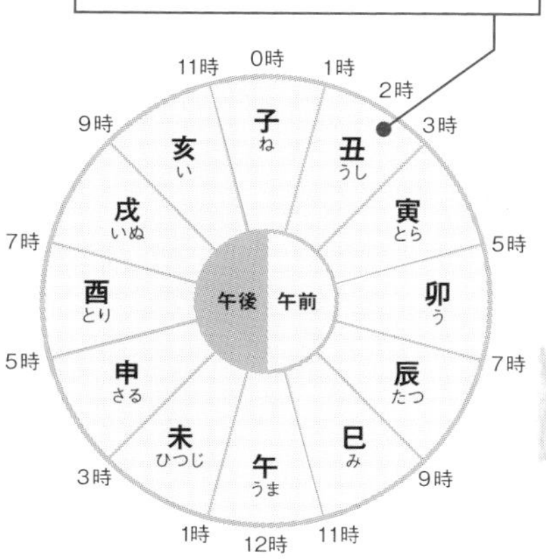

[注1] 醍醐天皇の命令で作られた平安時代の法令集。967年から施行された。

[注2] 灯りは古くから存在するが、多くの庶民は日の出とともに起きるのが一般的。日没後に起きていたとしても現代のように深夜遅くまでというケースは多くなかったようだ。

[注3] 陰陽道などの方位では丑と寅の間にある「艮（うしとら）」が鬼門とされる。

[注4] 対象に見立てた藁人形を、神社の御神木に釘で打ち付ける呪いの一種。他人に姿を見られると効果が下がると考えられた。

[注5] 嫉妬深い少女が貴船神社で鬼にしてほしいと願ったところ神託があり、彼女はこれに従って鬼となり人々を取り殺したという話。後年、頼光四天王のひとり渡辺綱に退治されたという後日談が追加された。

忌み嫌われた不幸な子どもたち

忌み子

関連

穢れ
→P.216

嫌う地域が多かった双子

「忌み」という言葉には、**「穢れを避けて慎む」**という意味があります。神事で「忌み」といった場合、祭祀で儀式を行う神職などが事前に心身を清めることを指します。大嘗会[注1]などの祭祀では、斎子（いむこ）と呼ばれる童女に奉仕（神道における職務）をさせますが、この斎子を忌子（いみこ、いむこ）とも書きました。

神事以外での「忌み」は、本来の意味からの派生で避けるべき対象の「**穢れ**」そのものを指します。平安時代以降はこちらの意味がより一般的となり、「忌み子」も不吉な子ども、望まれない子どもを指して使われるようになりました。その代表的な存在が双子[注2]で、誕生が希であるが故に人々が驚いたのか、かつては世界中でひどい扱いをされていた地域が多く見られます。日本でも、武家では跡目争いの元になる可能性などから、庶民の場合は主に経済的な理由から、歓迎されなかったようです。

創作作品でも、ときおりこうした史実を設定に取り入れている作品がありました。もっとも、旧来のファンタジー作品ではエルフ族と人間の仲があまり良好ではないという設定が広まり、ハーフエルフに代表される異種族のハーフが、嫌われ役にされていました。こうした設定は近年ではあまり見かけませんが、一方で「忌み子」という言葉自体をタイトルに冠した作品も登場しています。

[注1] 皇室行事のひとつで、新たな天皇が皇位を継承する際に行われる宮中の祭祀。

[注2] 外見がそっくりな一卵性双生児と、性別が異なることもある二卵性双生児がある。双子を自然に妊娠する確率は1パーセント未満とかなり低い。

神にささげられる最上の供物

生贄（いけにえ）

関連

龍 →P.108

世界中にあった生贄の習慣

神に供物を捧げる行為は古くから存在し、生贄もそのひとつでした。ユダヤ教のヨム・キプル（贖罪の日）という休日では２頭の雄ヤギが用意され、くじ引きで神に捧げると決まった１頭が生贄として屠られる一方、もう１頭は儀式によって人々の罪を背負わされ、そのまま荒野のアザゼル[注1]のもとへ追放されました。このヤギが「**スケープゴート（scapegote）**」[注2]の由来です。

また、信仰対象への最高の奉仕という考えから人間を生贄にする地域もあり、**太陽信仰**[注3]があったアステカ文明での人間の心臓を捧げる儀式が有名です。こうした生贄の儀式は人間が定住を始めたことに関係すると考えられています。とくに農耕が盛んな地域では簡単に土地を捨てるわけにはいかず、問題の鎮静化や予防の意味で生贄の習慣が多く見られたようです。日本でも雨乞いや河川による災害を防ぐ目的で水神に生贄を捧げた例がありましたが、次第に**代替物**[注4]が用いられて生贄の習慣はなくなっていきました。

［注１］アザゼルが何を意味するのかは明らかでないが、神との対比から邪悪な存在だと考えられ、悪魔や堕天使のアザゼルと結び付けられている。

［注２］生贄のヤギという意味。転じて、個人や集団の不満や反感などを本来のものではない対象に転嫁し、非難の対象とした存在のこと。

［注３］太陽を神格化して崇める信仰。

［注４］たとえば饅頭は、元々人の頭に見立てた供物だったという説がある。有名な『三国志演義』には、小麦粉をこねて作った人の頭を荒れた河に流し、神を鎮めて無事に渡る話があり、これが饅頭の起源とする説がある。

関連

なし

多種多様な任務をこなすアウトロー

隠密（おんみつ）

戦国期に活躍した「しのび」の実態

隠密は一般的に忍者[注1]の名で知られる存在です。彼らは南北朝時代[注2]の頃から登場し、当初は「**悪党**」と呼ばれていました。元は侍だった者や臨時動員された百姓などもいましたが、呼び名のとおり、多くはスリや追い剥ぎ、詐欺師などのアウトローばかりでした。世の中が乱れるにつれて彼らの特殊な技術が注目を集め、大名や武将といった領主たちに雇われるようになったのです。

隠密の呼び名は地域によってさまざま[注3]ですが、その仕事内容は大差なかったようです。普段は他国の領地に侵入して情報収集や敵拠点の監視、領地境での夜間の見張りなどを行い、戦いが起これば伏兵や夜襲要員として戦闘にも参加します。同業である敵方の隠密への対処も大事な役目で、領地境付近では敵味方の隠密による小競り合いが繰り返されていました。群湯割拠の戦国時代では大変重宝された隠密たちですが、元々素行が悪いため、領主たちはその扱いに苦労したようです。また、基本的には武士からは蔑視され、手柄を上げても知行がもらえるようなことはまずありませんでした。

江戸時代以降、諸大名の動向を探るための**諜報員**として幕府に雇われる者もおり、中には**将軍直属の御庭番**に抜擢される者もいました。一方で職を失って悪党に戻り、成敗された者も多数いた[注4]ようです。

[注1]「忍者（にんじゃ）」という呼称は昭和30年代以降に作られたもので、それまでは「忍の者（しのびのもの）」と呼ばれていた。鎌倉時代には人知れず物を盗んでいく窃盗犯を「しのび」と呼んでいた。

[注2] 室町時代が始まった直後の1337年からの55年間を指す。鎌倉時代末期から天皇家が北朝と南朝のふたつにわかれて対立。戦乱が続き、世の中が混乱した。

[注3] 諸大名に雇われた伊賀や甲賀をはじめ、北條氏の風魔（風間）、武田氏の透波と乱波などが有名。他にも間諜、間者、草、かまり、野伏などさまざまな呼び名がある。

[注4] 1614年の大坂の陣を最後に大きな戦乱は終了。関東地方では風魔や乱波の残党らが多数跋扈していたが、元忍者ともいわれる向崎甚内の主導でそのほとんどが摘発されたといわれる。

伝説的な暗殺集団の実態

暗殺教団（あんさつきょうだん）

関連

十字軍 →P.228

暗殺教団と呼ばれたニザール派

暗殺教団とは、かつてヨーロッパに流布した伝説的な教団です。伝えられた話はおおむね次のようなものでした。

「彼らは山の老人と呼ばれる指導者に率いられた集団で、山間に築いた楽園のような庭園に若者を連れ込んでたぶらかし、狂信的な暗殺者に仕立てて敵を討たせている」。

また、彼らは「ハッシシーン」と呼ばれたことから「ハシーシュ（インド大麻）」を用いるとされ、これが暗殺者を表す「**アサシン**」の語源ともいわれています。実体と噂は異なりますが、そのモデルといわれた集団も存在しました。それがシリアを拠点に活動したニザール派[注1]と呼ばれる人々です。

ニザール派の開祖ハサン・サッバーフは、イラン北西のアラムート城砦を拠点とし、当時イランを支配していたセルジューク朝への抵抗手段として暗殺を用いました。のちにシリアにも拠点を築き、指導者を務めたラーシド・ウッディーン[注2]が「**山の老人**」のモデルとされています。

ヨーロッパから十字軍が派遣された時期でもあり、ラーシドは状況に応じて十字軍やスンナ派のアイユーブ朝とも手を結びました。伝説は十字軍国家の要人暗殺[注3]が大元ですが、より有名なハサンが「山の老人」と同一視されており、そのハサンをモデルとした『Fate』シリーズのアサシンのサーヴァントなどに影響が強く見られます。

[注1] イスラム教には指導者を巡る意見対立があり、多数派のスンナ派と少数派のシーア派に分かれているが、そのシーア派内でもさらなる意見対立からいくつかの分派がある。そのひとつであるイスマーイール派はファーティマ朝を建国した一派だが、後継者問題から1094年に分裂し、ニザール派が誕生した。

[注2] フルネームはラーシド・ウッディーン・スィナーン・イブン・サルマーン・イブン・ムハンマド。ハサン没後の1124～1135年頃に誕生したと考えられており、活動時期は12世紀後半になる。ハサンにもいえるが、彼らの主な闘争相手はスンナ派や決別したファーティマ朝であり、十字軍に対する暗殺は限られていた。

[注3] エルサレム王に即位直前のモンフェラート侯コンラートが、1192年に暗殺された事件。軍事的才能からムスリムに恐れられる一方、王位を巡って十字軍内にも敵が多く、暗殺の真の理由は不明。

非日常を嫌う古来からの概念

穢れ

関連
黄泉平坂
→P.144

世界中にある穢れ

「穢れ」とは、「不浄」や「汚穢」といった言葉でも表現される概念です。直接的には、人の排泄物などの不衛生なモノが思い浮かびますが、それだけに限りません。例えば家の脇に畑がある場合、畑に土があるのは普通ですが、強風などで土が室内に飛ばされてくると「**汚れた**」と感じます。土自体ではなく、室内に通常はないはずの土がある状態を「**汚れ**」と感じているわけで、こうした心情を生じさせる根本が穢れなのです。よって、「通常」とされる事物の状態を乱す、すべての好ましくない事象や行為などが穢れといえます。

穢れの概念は古くからあり、世界最古の宗教ともいわれるユダヤ教の**食物規定**（**カシュルート**）[注1]ですでに見られます。また、古代インドの『マヌ法典』には不浄なモノの規定[注2]があり、日本でも『古事記』のイザナギの物語[注3]に穢れの概念が見られます。人間は不可解なことに遭遇すると、その原因を見つけて安心したがる傾向があります。そのため、穢れは不慮の死や病人の発生、天災といった、人に降りかかる不幸の説明として用いられてきました。安全を確保するうえでは、危険の源から遠ざかるのが一番です。科学や医学が未発達な時代ではなおさらで、穢れの概念は「**生活の知恵**」のひとつでもあったといえるでしょう。

[注1] 紀元前6世紀頃に制定されたと考えられており、そのひとつで豚などの穢れた動物の肉の摂取が禁じられている。豚が指定された理由は定かでないが、餌が人間の食料と競合するといった経済的な理由、よく加熱しないと食中毒を起こしやすいといった衛生的な理由などが挙げられている。

[注2] 旧来の法が集大成されて成立した法典で、遅くとも2世紀頃には成立したと考えられている。身体から出る脂肪、精液、血液、フケ、大小便、鼻水、耳垢、タン、涙、目ヤニ、汗が本来的に不浄な12のマーラとされ、これに伴って死のほかに性交、排泄、出産などが穢れたモノとされる。

[注3] イザナギノミコトが、亡くなった妻イザナミノミコトに会うために黄泉の国を訪れ、腐敗した妻を見て逃げ帰ってくる話。イザナギは訪れた黄泉の国を「穢国（穢れた不浄な世界）」と表現し、これを理由に海で禊をする。

代表的なふたつの穢れ

穢れは信仰や儀式にも根付いており、日本では**死の穢れ**（**黒不浄**）、**出産**、**月経の穢れ**（**赤不浄**）[注4]が、一般にもよく知られています。とくに人の死は究極の非日常で、人々の関係性にも変化をもたらします。故人が権力者の場合は争乱が起きることもありますから、多くの地域で死の穢れが忌避されたのも納得です。出血は死に繋がることもあるので血液を穢れとする地域もあり、月経が忌避されたのは理解できます。一方の出産が穢れとされたのは奇異に感じますが、有から無へと変わるのが死、無から有に変わるのが出産として、社会に大きな変化をもたらす点では同じという考えもあります。また、穢れを生命エネルギーの「**気**」が枯渇した「**気枯れ**」の状態とする説もあり、完全に気が尽きた状態の死はもちろん、気を消耗する出産が穢れとされたのも理解できるでしょう。

[注4] 本来的には血を忌むことからきているため、負傷などによる出血も穢れとする地域がある。また、月経とは別として、出産を「シラフジョウ」と呼ぶ地域もある。

穢れを除去する禊と祓い

穢れには、触れたモノを「けがす」力があると考えられていました。死の穢れの場合、故人の近親者ほど穢れは強いとされ、「**喪に服す**」行為も本来は他人に死の穢れをうつさないための風習でした。一方、穢れは時間の経過で薄まっていくとも考えられています。喪に期間があるのもそのためですが、穢れはそのまま消滅するわけではないので、取り除く必要があります。そこで登場するのが「**禊ぎ**」と「**祓い**」[注5]です。禊は身体を清める行為、祓いは罪や災いを取り除く行為と違いはありますが、穢れを取り除く点では同じなため合わせて「**禊ぎ祓い**」ともいわれます。葬儀のあとも死者の儀礼はたびたび行われますが、とくに神道の場合は死者の霊を招いて慰めるだけでなく、穢れを祓うという意味もあるのです。

[注5] 一般的に「禊ぎ」は自身で身を清める意味合いが強いが、「祓い」は主に神職によって他者へ行われ、神と交流する場を清めるという意味もある。また、法律と宗教が未分離の時代には、犯罪者についた穢れが神の怒りを買うとされ、捧げものとして祓具と呼ばれる財物を提出させる、財産刑的があったという説もある。

遣わされし者たち

使徒(しと)

関連

イスカリオテのユダ →P.36
聖地 →P.148
十字軍 →P.228

キリストの12人の高弟たち

「使徒」という言葉は、ギリシア語の「**apostolos**」がもとで「**派遣者**」という意味です。ただ、一般的にはイエス・キリストの12人の高弟だった「**十二使徒**」を指すことが多い[注1]ようです。十二使徒のメンバーは、ペテロ、ゼベダイの子ヤコブ、ヨハネ、アンデレ、ピリポ、バルトロマイ、マタイ、トマス、アルファイの子ヤコブ、タダイ、シモン、イスカリオテのユダでしたが、のちにユダが脱落すると代わりにマッテヤが加わりました。また、12という数字はイスラエルの12支族[注2]になぞらえたものとされ、使徒はイエスによって召され、イエスが復活したことの証人であることなどが条件とされています。

十二使徒はイエスから悪霊を制する権能を授かったといわれ、イエスが昇天したのちも原始キリスト教団を結成し、各地で布教続けました。しかし、当時はヨーロッパから北アフリカにかけて、ローマ帝国が広がっていた時代です。キリスト教は短期間でローマ帝国内にも広がりましたが、皇帝の神格化が進んでいたため迫害されることになります。また、ほかの地域でも土着の信仰があり、布教でそれらの神を否定することになった使徒たちは、多くが殉教しています。しかし、一度人々に広まった信仰が消えることはなく、のちにキリスト教はローマ帝国の国教と認められ、やがては世界的な宗教へと発展していったのです。

[注1] 十二使徒のほかにも、イエスによって伝道師として選ばれた70人の弟子がおり、ふたりひと組で布教活動を行っていた。正教会では彼らも使徒と見なされている。

[注2] イスラエル民族の祖であるアブラハムは神からイサクを授かり、その次男であるヤコブの12人の息子を族長とした各一族のこと。

■十二使徒の略歴

使徒名	略歴
ペテロ	本名はシモン。アンデレの兄で、もともとはガラリア湖の漁師だった。弟子たちの筆頭とされ、パレスチナや小アジア、ローマで布教したが、ネロ帝に迫害されて殉教した。ローマ教会の初代教皇とされている。
ゼベタイの子ヤコブ	大ヤコブとも呼ばれる。ヨハネの兄で、もともとはガラリア湖の漁師。『使徒言行録』によれば、パレスチナで迫害されて殉教しているが、スペインに布教した際に数々の奇跡を起こしたという伝説もある。
ヨハネ	ゼベタイの子ヤコブの弟で、もともとはガラリア湖の漁師。『ヨハネによる福音書』、『ヨハネの手紙』、『ヨハネの黙示録』の筆者とされてきたが、現代では疑問視されている。
アンデレ	ペテロの弟で、もともとは兄と同じくガラリア湖の漁師。ギリシアのアカイアで布教した際、ローマ総督の怒りを買って殉教した。
ピリポ	ペテロやアンデレと同郷の人物で、自身がイエスに紹介したバルトロマイと一緒に弟子となった。エチオピアやトルコに布教したといわれ、ヒエラポリスで殉教したという。
バルトロマイ	別名ナタナエル。ピリポに紹介されてイエスの弟子となった。タダイとともにアルメニアで伝布教していたともいわれるが、捕らえられて皮剥ぎの刑で殉教したという。
マタイ	もともとは徴税人だったが、イエスに声をかけられて弟子になったとされる。エチオピアやパルティア、ペルシアで布教したのち殉教したという伝承があるが、実際のところはよくわかっていない。
トマス	イエスが復活した際、その傷口に触れるまで信じなかった話は比較的有名。インドでの布教中に殉教したとされ、サン・トメの語源になっている。
アルファイの子ヤコブ	小ヤコブとも呼ばれる。ほとんど記録がなく、イエスの兄弟、または従兄弟のヤコブの伝承が、一部こちらのヤコブのものとされたこともある。エルサレムで殉教したとされる。
タダイ	少ヤコブの子、イエスの親族など、出自について諸説ある。伝承も定かでないが、バルトロマイとともにアルメニアで布教したともいわれている。
熱心党のシモン	マタイ、ルカ、ヨハネによる各福音書と『使徒言行録』に名が登場する。ローマ帝国の権力に武力で対抗していたユダヤ民族主義者集団「熱心党」の一員ともされるが、定かではない。
イスカリオテのユダ	会計係を任されていたイエスの弟子。イエスを裏切ったのち、自死したとも、裏切りで
マッテヤ	イエスに同行していた弟子のひとり。イエスを裏切ったユダが亡くなったのちに使徒の候補に選ばれ、くじ引きによって決定された。

創作作品における使徒

使徒が登場する作品としては、水木しげるの漫画『悪魔くん』が有名です。主人公の少年「悪魔くん」が世界平和を目指す、もしくは妖怪退治をする物語で、彼に従う12の悪魔が「十二使徒」と呼ばれていました。その一方、漫画『ベルセルク』では、霊的存在のゴッド・ハンドによって怪物に転生した人間が使徒と呼ばれ、『新世紀エヴァンゲリオン』でも人間に敵対する存在が使徒と呼ばれています。前者はゴッド・ハンドの影響下にある存在なので、ある意味で彼らに遣わされたともいえます。後者が使徒と呼ばれる理由は不明ですが、彼らは月に由来する存在なので、“月から地球に遣わされた存在”という意味で、使徒と呼ばれているのかもしれません。

ヨーロッパにおける屈指の黒歴史

魔女狩り（まじょがり）

関連

悪魔 →P.118

魔女 →P.120

セイラム →P.150

民衆が主導だった魔女狩り

魔女狩りとは、ヨーロッパのキリスト教会より「魔女」として告発された人々に対する弾圧です。かつては「12世紀頃から始まり、数十万から百万人が犠牲になった」といわれていましたが、現在では「15世紀から18世紀にかけてのことで、犠牲者も4～5万人」[注1]にのぼると考えられています。ここでいう「魔女」とは**悪魔崇拝者**で、ホウキに乗って空を飛び、魔術で人畜や作物に害を与え、悪魔と契約して**キリスト教を冒涜する存在**とされました。

魔女として告発された者は逮捕され、魔女であることを認めなければ拷問されます。ごく稀に、拷問を耐え抜いて釈放されることもあったようですが、大半は拷問に屈して魔女だと認め、無実の罪で処刑されてしまいました。中には厳しい責め苦に耐えきれず、拷問中に亡くなるケースもあったそうです。

以前は堕落した教会が財産の没収目的で魔女を告発したともいわれましたが、実際に告発された者の多くは小都市や農村の貧民で、そのほとんどが民衆からの密告でした。

[注1] 残っている裁判記録からの推定。失われた記録や市民による私刑もあったとされ、実際の被害者はもっと多い可能性がある。

魔女狩りが起きた当時の世情

当時のヨーロッパには古くからの魔術的信仰が残っていましたが、教会は超常的な力を行使できるのは神や聖人のみという立場から、「魔女や魔術は迷信で、その信者は説教で正しい信仰に戻せばよい」と考えていました。

しかし、12～13世紀にかけて南フランスやイタリア北部にキリスト教の異端[注2]が発生。13世紀にカトリックとギリシア正教の分裂が決定的になり、14世紀初頭からは教皇権が衰退し始めます。1347年以降、ペストの大流行や小氷期[注3]の影響による飢饉(ききん)などにも見舞われ、社会不安が増大する中で知識階級にも儀礼的魔術が流行。教会は、これらを悪魔の力の増大と考え危機感を強めたのです。

こうした状況下で始まった魔女狩りは、教皇が魔術師や魔女を糾弾した1484年の回勅(かいちょく)や異端審問官ハインリヒ・クラマーの著書『魔女に与える鉄槌』の影響で本格的な弾圧となります。そして魔術を信じる民衆も、**不満のはけ口**や教会に協力する「**善行**」として、これを後押ししたのです。

[注2] ワルドー派やカタリ派のこと。当時、世俗的になっていた教会に対し、どちらも清貧と禁欲を重視していた点で共通する。

[注3] 時期は明確でないが、おおむね14世紀頃から19世紀にかけて続いた気候の寒冷化。主に北半球で大きな影響があり、もっとも過酷だった1560年代からの約100年間は魔女狩りが盛んだった時期と一致する。

信心が呼んだ魔女狩りの惨禍

『魔女に与える鉄槌』の発行や教皇の回勅が、魔女狩りに影響したのは確かです。ただ、当初は神学者のあいだでも疑問の声が多く、すぐに影響が出たわけではありません。当時はルネサンスの影響が各地に及んだ時期でもあり、人間を学問の中心に置く人文主義が登場します。神や人間の本質を探求する動きから、世俗化した教会への批判がさらに高まり、1520年頃から宗教改革が始まりました。以後、ローマ・カトリックとプロテスタントのあいだでは論争が絶えず、魔女狩りどころではなかったのです。ところが、決裂が明確になった16世紀後半頃から、両者は互いに正当性を示すべく悪魔の排除＝魔女狩りに力を入れ始め、これに民衆が同調していきました。その根本は何かといえば、人々が魔女や魔術、悪魔などを強く信じていた事実でしょう。医師や裁判官といった教養が高い人々も同様で、これが悪名高いセイラム（P.150）の事件などが起こる一因になっていたのです。

「日常に入り込んだ恐怖」の一例

人狼（じんろう）

関連
魔女
→P.120

ゲームの設定が、もし現実なら……

2000年頃、『汝は人狼なりや？』[注1]というアナログゲームが話題になります。お互いの立場を隠しながら他のプレイヤーとコミュニケーションをとり、相手の正体を暴くというゲームシステムはインターネットやSNS、配信との相性のよさもあって話題となり、このゲームシステムを基にしたゲーム作品を「**正体秘匿ゲーム**」「**人狼ゲーム**」などとまとめることもあります。

閉ざされた場所で、身近にいる化け物と過ごさなければいけないという状況は、ゲームならばスリルがあって楽しめるでしょう。しかしもし、これが現実だとしたら恐怖以外の何物でもありません。人間が心穏やかに暮らせるのは、自宅や所属する共同体のエリアが安全という前提があればこそ。もし、あなたの近隣に人間を襲う恐ろしい怪物が住んでいるとしたら、しかもその外見は普段はまったく人間と変わらず、人間そのものとして生活しているとしたら……。「**日常に入り込む恐怖**」は、ホラーやミステリーでは定番です

[注1] 村に人狼が紛れ込んだという設定で、進行役以外の参加者は1～複数の人狼役と多数の市民側にわかれる。ゲームは投票で人狼と思しき1名を処刑する昼と、生き延びた人狼が市民1名を殺害する夜を1ターンとして進行。人狼をすべて退治すれば市民側、市民が人狼と同数になれば人狼側の勝利となる。

が、現実世界でも、ゲームと似た状況が起きています。

たとえば、国際問題でもあるマフィア。多くの構成員は素性を隠して生活し、人知れず敵対勢力を監視したり、ときには始末することもあります[注2]。逆に言えば、マフィアはこうした「いつ何をされるかわからない」という心理的な恐怖を支配に利用しているともいえるでしょう。また「体制に対抗するレジスタンス」というのも、ある意味で同じです。ごく一部の言論の自由などが許されない国では、表向きは一般人のように生活しつつ、気づかれないように反政府活動をする様子は、支配者層にとっては、人狼ゲームにおける人狼と同じように見えるでしょう。

「近隣住民の素性が不明」というのは、現代社会では珍しくありませんが、じつは恐ろしいことなのかもしれません。

[注2] なお、『汝は人狼なりや？』のモデルになったのは、市民とマフィアの抗争を題材にした『Mafia』というアナログゲームである。

古くから伝承がある有名な存在

もともと人狼とは、狼に変身できる人間、もしくは人間が変身した狼のことです。「狼男」「ウェアウルフ」などの名前のほうがピンと来る人も多いかもしれません。

狼への変身の仕方や変身の理由[注3]はさまざまで、狼の毛皮を身に着ける、呪文を唱えるなど、自らの意思で変身するケースと、魔女の呪いで狼にされてしまうといった外的要因によるものにわかれています。

古代ゲルマン社会の氏族共同体では、放火や殺人を犯した者を「人間狼」として追放する習慣があり、ヨーロッパの賤民（せんみん）の先祖を彼らに求める説もあるようです。

人狼はヨーロッパの伝承ですが、アメリカでは映画の題材として好まれ、吸血鬼と人狼争いを描く映画『アンダーワールド』がシリーズ化されました。日本でも「狼男」の名で知られ、「満月に変身する」「銀弾丸でなければ倒せない」などの要素が創作作品に反映されています。

[注3] 神話では神の力で姿を変えられるケースがほとんどだが、歴史上では魔術によるものや幻術の結果とされ、創作では狼への変身能力を備えた人狼という種族であることが多い。

妖精の仕業か、はたまた別の理由か

チェンジリング

関連

妖精 →P.124

ヴァルプルギスの夜 →P.226

すり替えられてしまう子供たち

ヨーロッパの伝承に登場する妖精には、ある変わった習性があります。それは人間の赤ん坊を拉致して自分たちで育てるというもので、こうした行為は「**チェンジリング**」、日本では「**取り替え子**」と翻訳されています。このようなことを行う理由には、「自分たちの仲間にする」「悪魔への生贄として捧げる」「年老いた妖精の世話させる」などが挙げられています。チェンジリングは古典にもみられ、イングランド出身の劇作家ウィリアム・シェイクスピアによる喜劇『真夏の夜の夢(A Midsummer Night's Dream)』には、妖精の王オベロンとその妻ティターニアがチェンジリングでさらってきた人間の子をどちらのものにするかでケンカするシーンがあります。

妖精は人間の赤ん坊にそっと近づいて誘拐します。このとき人間に気づかれないよう、魔法をかけた木の棒や年老いた妖精などを身代わりにするのです。人間たちは魔法の効果が弱まるまで、身代わりに置いていったものを自分の子どもだと思って育て続けてしまいます[注1]。

もし、妖精に子供を拉致されても対処法はあります。取り替えられた子を痛めつけることで、妖精が再び取り替えるように仕向けたり、我が子を連れ去った妖精のいる場所へ行き、「子供を返さなければ周囲を燃やす」など脅したりすれば、子供を返してくれるそうです。

[注1] 一部の妖精は、「その人物に特殊な力がある」「妖精の子供の乳母にする」といった理由で、子供ではなく大人をさらうこともあった。

チェンジリングの本当のところ

チェンジリングという現象は実際は、人間の事情によって発生したものだと考えられています。

たとえば、生まれてきた赤ん坊に何かしらの障害があると、「我が子が取り替えられた」と主張したのです。親はこうした子供を捨てたり、虐待したりすることも少なくありませんでした。また、何らかの事情で子供を死なせてしまったとき、「死んだのは子供ではなくチェンジリングされた妖精」といい逃がれして罪を免れようとしたのです。

つまり、チェンジリングは人間の残酷な行為を正当化するために生まれたという側面があるのです。こうした痛ましい出来事は産業革命後、近代化を果たした20世紀初頭まで行われていました。中には近隣住人が「あなたの子はチェンジリングされた」と主張して火に投げ込み、殺してしまったという恐ろしい事件もありました。

子供をさらう妖怪たち

日本版の妖精ともいえる妖怪には、チェンジリングのように「人間の子供を何かとすり替えて誘拐する」ような存在はいないようです。しかし、子供や人間をさらってしまう妖怪はいます。

代表的なのは、山に棲まう山姥や天狗で、これらの妖怪は山にやってきた人間をさらうという伝承があります。とくに、急に人間が消えてしまう、いわゆる「神隠し」(→163ページ)のことを、天狗隠しと呼ぶこともありました。

子供をさらうとしておそれられた妖怪も多数います。埼玉の一部地域に伝承が残る、白装束に白足袋という僧侶のような姿の「夜道怪(やどうかい)」は、夜になると民家に侵入し、子どもを連れ去ってしまいます。

また、東北地方には「油取り」という妖怪が伝わっています。明治時代に話題になったこの妖怪は、ただ誘拐するだけでなく、子供に魚焼くときに使う串を刺し、体の油を搾り取ってしまいます。とくに女の子からはきれいな油がとれるとまことしやかにささやかれ、集中的に狙われると考えられました。

ほかにも、青森県には「叺親父(かますおやじ)」という大男の妖怪が伝わっています。子の妖怪は泣いている子供を叺(藁の袋)に入れて連れ去ってしまうのです。

怪しげな祭りも今は祝祭に

ヴァルプルギスの夜（よる）

関連
魔女 →P.120
吸血鬼 →P.122
黒魔術 →P.174

魔女たちが騒ぎ明かす日

ヨーロッパの祝祭のひとつに「五月祭」というものがあります。これは5月1日に春（または夏）の訪れを祝うお祭りなのですが、その前日の**4月30日**には魔女たちが集まり、怪しげな集会が催されるのです。この集会は「**ヴァルプルギスの夜**」（**ワルプルギスの夜とも**）といいます。その特徴的な名前と内容から創作物などに盛り込まれることも多く、人気アニメ『魔法少女まどか☆マギカ』では大規模な災厄が「ワルプルギスの夜」と呼ばれています。

「ヴァルプルギスの夜」には魔女たちが集まって踊ったり、乱交したりと大騒ぎの宴会を行います。ドイツに伝わる伝承では、悪魔が住むと噂されたブロッケン山に魔女たちが集まり、大宴会を開くとされています[注1]。また、魔女だけでなく、東ヨーロッパに伝わる吸血鬼もこの日は活性化すると信じられていました。

地方によっては、魔女からの害を受けないように「ヴァルプルギスの夜」には魔除けの火を起こしたり、ホウキを隠すといった習慣が今も残っています。

[注1] この話は非常に有名だったようで、18世紀頃に描かれた地図にはブロッケン山の上にホウキにまたがった魔女の姿が描かれることがあった。

聖人の記念日がルーツ？

「ヴァルプルギスの夜」は、そもそも魔女や吸血鬼とは何の関係もなかったと考えられています。

諸説あるルーツの中でも有名なのは、ドイツでキリスト教を布教した聖女「**聖ワルプルガ**」に由来するものです。キリスト教には365日すべてに聖人の記念日が割り当てられ、聖ワルプルガの記念日は５月１日。キリスト教の記念日は前日の夜から始まるので、４月30日の「ヴァルプルギスの夜」は聖ワルプルガを祝う前夜（イブ）でもありました。しかし、都合の悪いことに他の宗教の祝祭もこの日に重なっていて[注２]、いつしか「ヴァルプルギスの夜」は怪しげな祭りだとみられるようになったのです。

現在では魔女の奇祭というイメージもだいぶ薄まり、魔女の仮装をし、酒を酌み交わして楽しむ日となっています。

[注２] キリスト教にとって、ほかの宗教は「邪教」になるため、異教に関する祭りもまた邪悪なものだとみなされたと考えられる。

■ヨーロッパ各地で催されるヴァルプルギスの夜

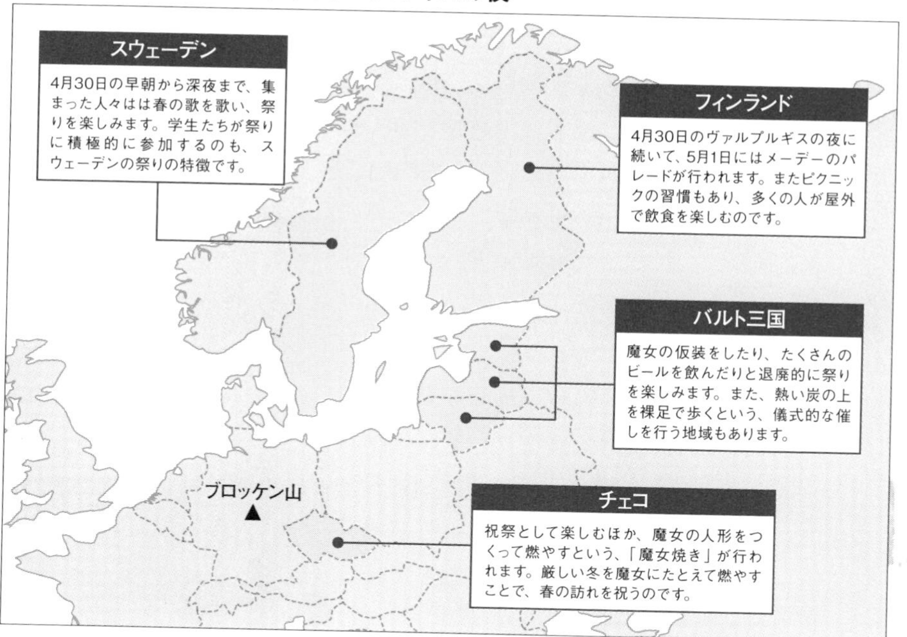

ヨーロッパキリスト教徒による遠征

十字軍（じゅうじぐん）

聖地占領に成功した第1回十字軍

十字軍とは、11～13世紀ヨーロッパのキリスト教徒による東欧やイスラム世界への軍事行動、及び民衆による聖地巡礼などの総称です。発端となったのは、勢力を拡大したセルジューク朝[注1]が東ローマ帝国の支配していたアナトリア半島を征服したことでした。危機感を覚えた東ローマ皇帝アレクシオス１世は、1095年にローマ教皇ウルバヌス２世に救援を求め、これに応じた教皇がクレルモン教会会議を開催。集まった群衆に異教徒への聖戦を訴えつつ「参加者は罪が許される」と発言し、地元フランスの騎士たちを中心に第１回十字軍が派遣[注2]されました。

1096年に出発した第１回十字軍は、**エルサレム**を目指す道中でアンティオキア公国、エデッサ伯領といった十字軍国家を建設します。さらに1099年、ゴドフロア・ド・ブイヨンとレーモン４世らがエルサレムを占領してエルサレム王国を建国。ゴドフロアがその守護者となる一方、レーモン４世は近郊のトリポリにトリポリ伯領を建設しました。

[注1] カザフスタン付近を起源とするトルコ系民族が興したイスラム国家。1071年のマンジケルトの戦いで東ローマ軍に勝利し、これを機にアアトリア半島へ勢力を拡大した。

[注2] 第１回十字軍の派遣に先立ち、ピエールという説教師をリーダーとした下級騎士と民衆４万人ほどのグループがエルサレムを目指して出発。彼らは「民衆十字軍」と呼ばれたが、アナトリア半島でセルジューク朝の部隊に襲われ、ほぼ殲滅されてしまった。

元の木阿弥となった十字軍

エルサレムを奪還したのち、巡礼者保護の目的で宗教騎士団が設立されました。中でも**ヨハネ騎士団**や**テンプル騎士団**、**ドイツ（チュートン）騎士団**などがとくに有名で、創作作品には宗教騎士団のユニフォーム[注3]に似た長衣をまとった騎士が、よく登場しています。また、十字軍を題材とした作品以外で「十字軍」という言葉が使われることは稀ですが、吸血鬼が主人公の漫画『HELLSING』には、「英国をカトリック支配下に取り戻す」ことを目的とした「第九次空中機動十字軍」なる組織が登場しています。

その後、十字軍は7回実施されますが、目先の利益獲得[注4]を追求する者も多かったようです。また、軍の指導者に各国の国王や領主が就いていたため、利害関係のもつれから仲間割れも頻発しました。一方のイスラム圏では十字軍の侵攻に対して結束する動きがあり、12世紀末にはエルサレムが奪い返されます。その後も巡礼だけは認められたものの、第4回以降の十字軍遠征では成果は振るわず、最終的に十字軍国家もすべて滅ぼされました。

[注3] 鎧の上にまとうコートのこと。テンプル騎士団は白地に赤い十字架、ヨハネ騎士団は赤字に白い十字架、ドイツ騎士団は白地に黒十架が基本。創作作品では、青地に白い十字架のように色を変えたコートがしばしば登場する。

[注4] 十字軍の参加者には、領主の跡継ぎになれない次男や三男が多かったという。実際、目先の金銭ほしさや領地獲得の野望から参加した者は多く、それは第4回十字軍が行ったコンスタンティノープルでの略奪からも見て取れる。

■主要な十字軍の活動

十字軍	時期	概要
第1回十字軍	1096-1099年	フランスの騎士たちが遠征。エデッサ伯国、アンティオキア公国を設立したのち、エルサレムを征服してエルサレム王国を建国した。
第2回十字軍	1147-1149年	フランス王ルイ7世、神聖ローマ皇帝コンラート3世が中心。侵略されたエデッサの回復に向かうが、途中の戦闘で勢力が減退。方針転換したダマスカス攻略も失敗した。
第3回十字軍	1189-1192年	リチャード1世、フィリップ2世、フリードリヒ1世が中心。アッコを臨時首都としてエルサレム王国を再建したが、聖地奪還には失敗。
第4回十字軍	1202-1204年	ベネチア商人にそそのかされ、ハンガリーや東ローマ帝国を攻撃。コンスタンティノープルを占領してラテン帝国を建国した。
第5回十字軍	1217-1221年	ローマ教皇が主導した最後の十字軍で、ハンガリー王アンドラーシュ2世、オーストリア公レオポルト6世が中心。アイユーブ朝の本拠地であるエジプトの攻略を目指すも失敗。
第6回十字軍	1228-1229年	破門されていた神聖ローマ帝国皇帝フリードリヒ2世が、アイユーブ朝との交渉でエルサレムを回復。
第7回十字軍	1248-1254年	フランス王ルイ9世が中心。エジプト攻略を目指すも王が捕虜となって失敗。
第8回十字軍	1270年	ルイ9世が中心となってイスラム教国のチュジニアへ遠征したが、ルイ9世が陣没したため和睦して撤退。

関連
都市伝説
→P.206

古代から存在した秘密の組織

秘密結社(ひみつけっしゃ)

さまざまな目的で世界中に存在

「秘密結社」の明確な定義は存在しません。多くの場合、メンバー以外に存在や実態を明かさない組織で、一般的には政治的・宗教的・犯罪的、または入社的［注1］・政治的・犯罪的の３分野に分類されることが多いようです。こうした組織は古くからあり、古代ギリシアやローマのような多神教の国家では、より霊的なものを求めて多くの秘密教団が生まれました。宗教的結社としてはキリスト教内で異端とされた「**カタリ派**」が有名で、現在まで残った日本の「**隠れキリシタン**」［注2］もそのひとつです。

政治的秘密結社は現政権に対する抵抗勢力である場合が多く、皇帝の専制廃止と農奴(のうど)解放を目指したロシアの「デカブリスト」、イギリスからの独立を目指したアイルランドの「フィニアン」［注3］などがあります。13世紀ドイツの「聖フェーメ団」も政治的秘密結社ですが、機能しない政府に代わって治安を担い、皇帝に認められました。

犯罪的秘密結社としては、いわゆる互助会的組織から変質した「**マフィア**」や、黒人への差別で知られる「**クー・クラックス・クラン**」などが一般にも名が知られています。

有名な「フリーメイソンリー」は入社的秘密組織で、儀式以外の目的などは公開されています。ただ、陰謀論を信じる人々にとってはやはり疑わしい組織なようで、それだけ“秘密結社”という言葉に魅力があるのでしょう。

［注1］加入に際して入社式のような儀式があり、組織の位階に応じて自己を高めることに意義を見出している組織のこと。儀式のみを非公開とし、その他の情報は隠さないこともある。

［注2］江戸時代にキリスト教が禁止されたあとも密かにキリスト教を信仰し続けた人々のこと。潜伏して受け継がれたため、本来の教義とは異なる独自性も有している。

［注3］武力による完全独立と共和国の樹立を目指した組織。アイルランドとアメリカで同時に結成された。

■秘密結社の例

	組織名	概要
古代	オシリスの秘密教団	教団の中心地はナイル川上流にあるアビドス。ファラオ（王）のようなエリート層の埋葬を担い、儀式や魔術を行ったとされる。
	デュオニュソスの秘教	デュオニュソスは豊穣とワイン、演劇を司る神で、ワインが酔いをもたらすために霊的な次元が得られると考えられた。入信の際に儀式があるほか、デュオニュソスへの儀式が演劇のもとになっている。
	ミトラ教	ゾロアスター教の神ミトラを信奉する閉鎖的な教団。軍隊を中心としてローマ帝国に広まった。7つの階級があり、昇級には複雑な儀礼が必要になる。神と悪魔の闘争、天国と地獄の概念、12月25日を祭日とするなど、キリスト教徒の共通点が多い。
	キリスト教グノーシス派	初期のキリスト教内部で活動していたグループ。物質世界を悪と捉え、瞑想や内省によって直感的に神の知識（グノーシス）に触れることを目指す。イエスの生と死について、パウロと異なる見解だったことから、異端として迫害された。
中世・近世	カタリ派	グノーシス派の影響を受けたキリスト教の一派で、おもにフランスやドイツ、イタリアで流行した。徹底した厳しい禁忌があり、上位を目指す者はコンソラメントゥムという秘跡を経る必要がある。12世紀半ばに教会から禁止され、13世紀に弾圧された。
	テンプル騎士団	エルサレム王ボードゥワン2世が1119年頃に設立した騎士団。聖地防衛と巡礼者の保護を任務とし、優れた金融システムをもとに強力な組織となった。運営が秘密主義的だったことから、多額の借金があったフランス王の陰謀で弾圧され、1312年に解散させられた。
	暗殺教団	シリアで活動していたイスラム教の一派、ニザール派の特殊部隊。他派や十字軍国家の要人を暗殺し、その噂がヨーロッパに伝わって「暗殺者」を意味する英語「Assassin」の語源になった。
	イエズス会	宗教改革が起きたことを受けて、これに対抗すべく結成された組織。深い信仰心と高度に訓練された聖職者によって構成され、おもに植民地での宗教改革を食い止めるために海外へ派遣された。日本では布教に訪れたフランシスコ・ザビエルが有名。
近代	薔薇十字団	クリスチャン・ローゼンクロイツなる人物が15世紀頃に創設したとされる組織で、文書を発行して教皇制の打破と世界の改革を訴えた。実在の確証はないものの、人々の心を捉えて伝説的存在となり、薔薇十字団を名乗る組織や団員と称する人物が現れるなど、社会に大きな影響を与えた。
	フリーメイソンリー	新たな霊的価値観や道徳を定義し、広めることを目的とした友愛組織。起源は定かでないが、イギリスの石工職人組合ともいわれる。ロッジと呼ばれる活動拠点は世界中にあり、会員たちは各拠点を中心に慈善活動などを行っている。入会の条件はロッジによって異なるようだ。
	洪門	対外呼称は「天地会」。もともとは貧しい人々の互助会的組織だったが、「反清復明（異民族による清朝を倒し漢民族の明朝を復活させる）」を掲げる反体制的組織に発展した。孫文や蒋介石など歴史的人物も一員だったが、のちには三合会のような一部の犯罪集団も現れている。
	イルミナティ	1776年にドイツの哲学者アダム・ワイスハウプトが創設した組織。「人間は、理性によって向上すれば神と触れ合える完全な状態になれる」という彼の考を広める目的でつくられた。9年後には反宗教的、反君主的とみなされて活動禁止とされたが、4年後に起きたフランス革命の黒幕とされ、以後は陰謀論が付きまとうことになる。
	マフィア	地中海のシチリア島で誕生したといわれる秘密犯罪組織。イタリアに上陸して急速に勢力を拡大したのち、大量の移民が渡ったアメリカでも勢力を張った。
	クー・クラックス・クラン	「白人プロテスタント社会のアメリカ」を守る目的で1866年に結成された組織。団員たちは覆面姿で正体は明かさず、脅迫や暴力行為を行った。いったん消滅したが1915年に復活し、1923年頃には200万人以上の団員がいた。その後、議会による禁止と再度の復活を経て、現在も6000人ほどの団員がいるという。
	トゥーレ協会	ミュンヘンで1918年に設立されたオカルトの研究団体で、反ユダヤ、アーリア人至上主義を掲げた政治結社「ゲルマン騎士団」が母体。当初は魔術や神秘学の面からアーリア人の文化的優位性の証明を試みていたが、ディートリヒ・エッカートやルドルフ・ヘスなど、のちのナチス主要人物が所属して政治色を強め、初期のナチズムに影響を与えたといわれる。
	オデッサ	ナチス政権時代の戦犯を追っていたサイモン・ヴィーゼンタールが存在を指摘した秘密組織。ナチス親衛隊のメンバーと家族などを、南米のアルゼンチンやパラグアイへ逃がすためにつくられたとされる。「オデッサ」という組織の実在はともかく似たような組織は複数存在しており、人体実験を行っていた医師ヨーゼフ・メンゲレや、ホロコーストに関わったアドルフ・アイヒマンなどが国外に脱出していた。

死に対する意識の喚起
メメント・モリ

関連

なし

死に対する意識の喚起

メメント・モリとは、ラテン語の「**memento**（=**覚えておけ**）」と「**mori**(=**死**)」というふたつの単語で構成された言葉で、「いずれ自分が死ぬ事実を忘れるな」といった意味です。キリスト教学者テルトゥリアヌス[注1]の記録では、古代ローマの将軍が凱旋パレードで使用人に口にさせて戒めにしたといわれています。

もともとローマ市民は、「**いずれ死ぬのだから今日を楽しもう**」という意味で使っていましたが、キリスト教が広まる中で、現世の楽しみに執着する虚しさを説く意味で用いられるようになりました。ヨーロッパでペストが猛威を振るった14世紀中頃、死が身近になってメメント・モリの思想が流行し、のちの17世紀に「虚しさ」を意味する静物画のジャンル「ヴァニタス」[注2]が確立されました。仏教にも似た概念があり、『雑阿含経（ぞうあごんきょう）』には人々の無常に対する姿勢を四種の馬にたとえて説く話があります。死は唯一万人に等しく訪れるだけに、宗教ではとくに重要なテーマなのです。

［注1］２〜３世紀頃の人物で、北アフリカのカルタゴ出身。ローマで弁護士として名声を得たが、キリスト教徒になって故郷へ戻り、執筆活動に専念。のちに自身の党派テルトゥリアヌス主義の指導者となった。

［注2］静物画のジャンルのひとつで主にヨーロッパ北部で描かれた。さまざまな静物の中に人間の死の示唆する頭蓋骨や時計などを描き、死への意識を喚起させている。

人間の好奇心に対する戒め

見（み）るなのタブー

関連
邪眼（邪視）
→P.176

人間の好奇心は万国共通

神話や昔話には、「部屋を覗かない」「姿を見ない」という約束を破り、残念な結末を迎える話がしばしば見られます。これらは「**見るなのタブー**」「**見るなの禁止**」などと呼ばれ、日本では死んだイザナミに会いに行ったイザナギが、黄泉国（よみのくに）から逃げ帰ってくる黄泉下りの神話や、助けた鶴が人間の娘に化けて恩返しをしてくれる民話『鶴の恩返し』が有名です。同様の話は海外にもあり、人間と結婚した妖精が沐浴中の姿を見られて竜になってしまうフランスの「メリュジーヌ」伝説などがその例です。「鶴の恩返し」のように、禁止対象が部屋の場合は「**禁室型**」とも呼ばれ、夫の留守中に入室を禁じられた部屋を覗いて窮地に陥る童話『青髭』[注1]のような話もあります。

これらは好奇心への訓戒ですが、似て異なるものに「**視線のタブー**」があります。現代でも、世界には視る、睨むことで相手を呪う「邪視」を信じる人々[注2]は多く、そうした国では他人を見つめることがタブーとされています[注3]。

[注1] 青髭は何人もの妻を手にかけた殺人者。約束を破って秘密を知った新妻は窮地に陥るが、駆け付けた義理の兄によって逆に青髭が倒されてしまう。

[注2] ギリシアやトルコなどの東地中海、北アフリカ、南アジアの一部地域で今も邪視が信じられている。日本でも他人をジロジロ見つめるのはマナー違反なので注意したい。

[注3]「見るなのタブー」のような心理は「カリギュラ効果」ともいう。1980年制作の映画『カリギュラ』が内容の過激さから一部地域で公開禁止となったことで、かえって話題を呼んだことにちなむ。

索引（50音順）

あ

か

た

な

は

参考文献

『アーサー王物語　I〜V』トマス・マロリー（著）／オーブリー・ビアズリー（挿絵）／井村君江（訳）／筑摩書房
『悪魔学大全』ロッセル・ホープ・ロビンズ（著）／松田和也（訳）／青土社
『阿波の狸の話』笠井新也（著）／中央公論新社
『暗殺教団「アサシン」の伝説と実像』バーナード・ルイス（著）／加藤和秀（訳）/講談社
『英雄伝説の日本史』関幸彦(著)／講談社
『エッセンシャル版　図解　世界5大宗教全史』中村圭志（著）／ディスカヴァー・トゥエンティワン
『江戸の怪奇譚　人はこんなにも恐ろしい』氏家幹人（著）／講談社
『F FILES　No.004　図解錬金術』草野巧（著）／新紀元社
『織田信長』神田千里（著）／筑摩書房
『オニ考　コトバでたどる民間信仰』山口健治（著）／辺境社
『鬼と日本人』小松和彦（著）／角川ソフィア文庫
『鬼とはなにか　まつろわぬ民か、縄文の神か』戸矢学（著）／河出書房新社
『鬼の伝説』邦光史郎（著）／集英社
『陰陽道の神々 佛教大学鷹陵文化叢書　17』斎藤英喜（著）／思文閣出版
『怪異・きつね百物語』笹間良彦（著）／雄山閣出版
『鬼滅の日本史』小和田哲男（監修）／宝島社
『ギリシャ・ローマの神々と伝説の武器がわかる本 (角川ソフィア文庫)』かみゆ歴史編集部 (著)／KADOKAWA
『禁忌習俗事典 タブーの民俗学手帳』柳田国男（著）／河出書房新社
『ケガレ』波平恵美子（著）／講談社
『ケルトの神話』井村君江（著）／ちくま文庫
『幻想悪魔大図鑑』健部伸明 (監)／カンゼン
『幻想ドラゴン大図鑑』健部 伸明（監）／カンゼン
『現代語訳 信長公記』田 牛一（著）／中川太古（訳）／中経出版
『皇帝たちの都ローマ 都市に刻まれた権力者像 』青柳正規（著）／中央公論新社
『古事記　増補新版』梅原猛（著）／学研
『古代マヤ・アステカ不可思議大全 単行本』芝崎みゆき（著）／草思社
『365日で知る 現代オタクの教養』株式会社カンゼン
『知っておきたい　伝説の魔族・妖族・神族』健部伸明 (著)／西東社
『ジャンヌ・ダルク復権裁判』レジーヌ・ペルヌー（編著）／髙山一彦（訳）／白水社
『十字軍大全』エリザベス・ハラム（著）／川成洋、太田直也、太田美智子（訳）／東洋書林
『狩猟と供犠の文化誌』仲村生雄・三浦祐之・赤坂憲雄（編）／森話社
『知らなきゃよかった童話&昔話の真実』童話&昔話の真実政策委員会 (著, 編)／株式会社マガジンボックス
『図解　ギリシア神話 歴史がおもしろいシリーズ』松村一男 (監)／西東社
『図解 黒魔術 F - Files』草野巧（著）／新紀元社
『図解雑学 日本の妖怪』小松和彦（編著）／ナツメ社
『図解　世界5大宗教全史』中村圭志 (著)／ディスカヴァー・トゥエンティワン
『聖遺物崇敬の心性史 西洋中世の聖性と造形』秋山聰(著)／講談社
『聖母マリア 聖書と遺物から読み解く』ナショナルジオグラフィック(編)／日経ナショナルジオグラフィック社
『世界神話大事典』イヴ・ボンヌフォワ（編）／金光仁三郎、大野一道、白井泰隆、安藤俊次、嶋野俊夫、
持田明子（訳）／大修館書店
『世界のタブー』阿門禮（著）／集英社
『ゼロからわかる日本神話・伝説』かみゆ歴史編集部(著)／イースト・プレス
『戦国の忍び』平山優（著）／株式会社KADOKAWA

『ゾロアスター教の悪魔払い』岡田明憲（著）／平河出版社
『大迫力！ 世界の天使と悪魔大百科』山北篤 (監修)／西東社
『「知の再発見」双書32　人魚伝説』ヴィック・ド・デンデ（著）／荒俣宏（監修）／創元社
『中国最凶の呪い 蠱毒』村上文崇（著）／彩図社
『中国の神話』白川静（著）／中央公論新社
『中国文化伝来事典』寺尾善雄（著）／河出書房新社
『中世騎士物語』トマス・ブルフィンチ（著）／野上弥生子（訳）／岩波文庫
『定本 酒呑童子の誕生――もうひとつの日本文化』高橋昌明（著）／岩波書店
『天狗の研究』知切光歳（著）／原書房
『天狗はどこから来たか』杉原たく哉（著）／大修館書店
『二次元世界に強くなる 現代オタクの基礎知識』ライブ (編)／カンゼン
『［日経BPムック］ナショナル ジオグラフィック 別冊　秘密結社 世界を動かし続ける沈黙の集団』
日経ナショナル ジオグラフィック社
『日本異界絵巻』小松和彦、鎌田東二、宮田登、南伸坊（著）／筑摩書房
『日本人と地獄』石田瑞麿（著）／講談社
『日本神話事典』大林太良、吉田敦彦（監修）／青木周平、神田典城、西條勉、佐佐木隆 、寺田恵子（編）／大和書房
『日本全国妖怪スポット　1〜4』村上健司（著）／汐文社
『日本の神々』松前健(著)／中央公論新社
『日本妖怪大事典』村上健司（編著）／水木しげる（画）／角川書店
『日本妖怪大事典 改訂・携帯版』村上 健司（著）／角川文庫
『ネロ 暴君誕生の条件』秀村欣二（著）／中央公論新社
『ファンタジー　人外コレクション』レッカ社 (編)／カンゼン
『ファンタジー資料集成 幻獣&武装事典』森瀬繚 (著)／三才ブックス
『BooksEsoterica33　印と真言の本』学研
『蛇と虹―ゾンビの謎に挑む』ウェイドデイヴィス(著),田中昌太郎（訳）／草思社
『まじないの文化史』新潟県立歴史博物館（監修）／河出書房新社
『魔術の歴史』リチャード・キャヴェンディッシュ（著）／栂正行（訳）／河出書房新社
『見てわかる！ 世界のドラゴン&モンスター案内』幻獣研究会 (著)／笠倉出版社
『日本ミステリアス妖怪・怪奇・妖人事典』志村有弘（編）／勉誠出版
『桃太郎話 みんな違って面白い』立石憲利（著）／吉備人出版
『妖怪学の基礎知識』小松和彦（著）／角川選書
『妖怪事典』村上 健司（著）／毎日新聞出版
『妖怪文化入門』小松和彦（著）／角川ソフィア文庫
『妖怪・魔神・精霊の世界』山室静、山田野理夫、駒田信二（執筆代表）／自由国民社
『妖精のアイルランド　「取り替え子」の文学史』下楠昌哉（著）／平凡社
『よくわかる「世界の死神」事典』七会静（著）／廣済堂出版
『ライトノベル作家のための魔法事典』東方創造騎士団(著)／ハーヴェスト出版
『リアルな魔術の世界 魔女・魔法使い生態図鑑』レッカ社(編)／カンゼン
『歴史人物怪異談事典』朝里樹（著）／幻冬舎
『ワールド・ミステリー・ツアー13〈5〉イギリス篇（怪奇と幻想の王国を行く）』同朋舎

※その他、多くの書籍やウェブサイトを参考にさせていただいております。

重く悲劇的で不条理な世界観の源を知る
現代ダークファンタジーの基礎知識

発行日　2021年6月28日　初版

編　著　株式会社ライブ

発行人　坪井 義哉

発行所　株式会社カンゼン
〒101-0021
東京都千代田区外神田2-7-1 開花ビル
TEL 03（5295）7723
FAX 03（5295）7725
http://www.kanzen.jp/
郵便振替　00150-7-130339

印刷・製本　株式会社シナノ

企画・編集　株式会社ライブ（竹之内大輔／畠山欣文）

構成　林政和

執筆　青木聡／市塚正人／遠藤圭子／寺村和也／中村仁嗣／野村昌隆／林政和／横井顕

デザイン　寒水久美子／内田睦美

イラスト　蟹めんま

ISBN 978-4-86255-605-9
Printed in Japan

定価はカバーに表示してあります。

本書に関するご意見、ご感想に関しましては、kanso@kanzen.jp までEメールにてお寄せください。
お待ちしております。